D0106179

BASTEI
LÜBBE
TASCHENBUCH

Über den Autor:
James Bowen lebt in London. Er fand Bob, den Streuner, im Frühling 2007. Seitdem sind die beiden Freunde unzertrennlich.

Über dieses Buch:
Als James Bowen den verwahrlosten Kater vor seiner Wohnungstür fand, hätte man kaum sagen können, wem von beiden es schlechter ging. James schlug sich als Straßenmusiker durch, er hatte eine harte Zeit auf der Straße hinter sich. Aber dem abgemagerten, jämmerlich maunzenden Kater konnte er einfach nicht widerstehen, er nahm ihn auf, pflegte ihn gesund und ließ ihn wieder laufen. Doch Bob war anders als andere Katzen. Er liebte seinen neuen Freund mehr als die Freiheit und blieb. Heute sind sie eine stadtbekannte Attraktion, ihre Freundschaft geht Tausenden zu Herzen. Das Buch über die Geschichte ihrer Freundschaft schoss direkt nach Erscheinen auf Platz 1 der britischen Bestsellerlisten und wird in zahlreiche Sprachen übersetzt.

»Eine warmherzige Geschichte mit einer hoffnungsvollen Botschaft.« *Daily Mail*

»Ein Bestseller, der neben der Geschichte einer wunderbaren Freundschaft einen Einblick in James Bowens' manchmal harte und manchmal wunderbar lebensfrohe Zeit auf der Straße gewährt.« *The Times*

James Bowen

Bob, der Streuner

Die Katze, die mein Leben veränderte

Aus dem Englischen von
Ursula Mensah

BASTEI LÜBBE TASCHENBUCH
Band 60693

Vollständige Taschenbuchausgabe

Dieser Titel ist auch als E-Book erschienen.

Bastei Lübbe Taschenbuch in der Bastei Lübbe AG

Titel der englischen Originalausgabe:
»A Street Cat Named Bob«
Originalverlag: Hodder & Stoughton Ltd
Vermittelt durch die Literarische Agentur:
Aitken Alexander Associates Ltd

Titelillustration: © Hayley Chamberlain
Umschlaggestaltung: Gisela Kullowatz
Satz: hanseatenSatz-bremen, Bremen
Gesetzt aus der Stempel Garamond
Druck und Verarbeitung: CPI books GmbH, Leck – Germany
Printed in Germany
ISBN 978-3-404-60693-1

22 24 23 21

1
Weggefährten

»Das Glück liegt auf der Straße«, sagt ein Sprichwort. »Man muss es nur aufheben. Aber die meisten Menschen gehen achtlos daran vorüber.«

Viele Jahre war ich auch einer von diesen Achtlosen. Immer wieder wurde mir die sprichwörtliche zweite Chance geboten, mein Leben zu ändern, aber ich habe sie jedes Mal ungenutzt verstreichen lassen. Bis zum Frühjahr 2007.

Damals habe ich Bob kennengelernt. Und wenn ich heute darüber nachdenke, sehe ich, dass unsere Begegnung auch seine zweite Chance war.

Es war an einem düsteren Donnerstagabend im März. London hatte den Winter noch nicht ganz abgeschüttelt. Manche Tage waren klirrend kalt, besonders wenn der Wind von der Themse herüberwehte. An diesem Abend lag sogar ein Hauch von Frost in der Luft. Deshalb kam ich früher als sonst nach Hause, in meine erst vor Kurzem neu bezogene Sozialwohnung in Tottenham, einem Stadtteil im nördlichen London. Meinen Lebensunterhalt verdiente ich mir damals in der Innenstadt – als Straßenmusiker in Covent Garden, dem angesagten Künstler- und Partyviertel im Zentrum von London mit den vielen Pubs, Restaurants und Bühnen.

Wie immer hatte ich meine schwarze Gitarrentasche und den Rucksack geschultert. An diesem Abend war Belle mitgekommen, meine beste Freundin. Vor vielen Jahren waren wir mal ein Paar gewesen, aber inzwischen war unsere Beziehung wirklich rein platonisch. Wir hatten vor, uns beim Take-Away neben meinem Mietshaus ein billiges Curry zu holen. Damit wollten wir es uns vor meinem kleinen Schwarz-Weiß-Fernseher, den ich im Second-Hand-Laden in der Nachbarschaft erstanden hatte, gemütlich machen.

Der Aufzug in meinem Mietshaus war mal wieder außer Betrieb, und die Beleuchtung im Eingangsbereich war auch kaputt. Wir mussten den mühsamen Weg durchs Treppenhaus in den fünften Stock in Kauf nehmen. Als wir uns durch den Flur Richtung Treppenaufgang vortasteten, bemerkte ich trotz der Dunkelheit, wie in einiger Entfernung vor uns ein Augenpaar aufblitzte.

»Wir werden beobachtet«, flüsterte ich Belle zu. Ein kläglicher Ton folgte meiner Bemerkung. Das klang doch ... wie eine Katze in Not!

Vorsichtig tappte ich mich an der Wand entlang auf die immer wieder aufleuchtenden Katzenaugen zu. Und dann wäre ich fast über die Katze gestolpert. Sie hockte zusammengekauert auf der Fußmatte vor einer Nachbarswohnung und blinzelte mich überrascht an. Eine ziemlich zerrupfte rote Katze.

Ich bin mit Katzen aufgewachsen und hatte schon immer eine große Schwäche für diese stolzen Tiere. Die meisten roten Katzen sind komischerweise männlich, also nahm ich an, einen Kater vor mir zu haben.

Rund um die Wohnanlage war er mir noch nie aufgefallen. Wäre er hier schon einmal aufgetaucht, hätte ich das sicher nicht vergessen. Er hatte eine ganz besondere Ausstrahlung, das erkannte ich trotz der schlechten Lichtverhältnisse sofort.

Er war weder scheu noch verschreckt, sondern strotzte eher vor Selbstbewusstsein. Nur seine Körperhaltung verriet ein gewisses Misstrauen. Für ihn war ich wohl so etwas wie ein Eindringling in sein Revier. Seine großen Augen musterten mich neugierig, und ich konnte fast die Fragezeichen darin lesen: »Wer bist du und was willst du hier?«

Ich beugte mich seinem Willen und ging in die Hocke, um ihn höflich zu begrüßen.

»Hallo, mein Freund. Ich sehe dich heute zum ersten Mal. Wohnst du hier?«

Er blieb zurückhaltend und sah mich weiter prüfend an, als wollte er meine Absichten erraten.

Ich streckte die Hand aus, um ihm den Nacken zu kraulen. Es war ein Freundschaftsangebot, aber auch der Versuch, nach einem Halsband oder sonstigen Erkennungszeichen zu tasten. Sehen konnte ich ja kaum etwas, aber auch meine Hand fand keinerlei Anhaltspunkte. Ein Streuner also. Davon gab es in London leider mehr als genug.

Er genoss die Liebkosung. Zum Dank erhob er sich majestätisch und strich mir sanft um die Beine. Ich nutzte die Gelegenheit und ließ meine Hand über seinen Rücken bis zur Schwanzspitze gleiten. Sein Fell fühlte sich stumpf und spröde an. Es war dünn, stellenweise spürte ich nackte Haut. Außerdem konnte ich jede Rippe und jeden Wirbelknochen spüren. Der braucht dringend eine gute Mahlzeit, dachte ich. Und so stürmisch, wie er mich umschmeichelte, fehlte ihm auch eine große Portion Liebe und Aufmerksamkeit.

»Der arme Kerl! Ich glaube, es ist ein Streuner. Er hat kein Halsband und ist unglaublich dünn«, informierte ich Belle, die geduldig am Treppenaufgang auf mich wartete. Sie kannte mich ziemlich gut und somit auch meine Schwäche für Samtpfoten. Unbeeindruckt wies sie mich zurecht: »Nein, James, du kannst ihn nicht mitnehmen!« Sie deutete auf die Wohnungstür hinter dem Kater. »Ich glaube nicht, dass er nur zufällig hier hereinspaziert ist und sich auf diese Matte gesetzt hat. Bestimmt gehört er irgendwelchen Nachbarn. Er wartet nur darauf, dass sie nach Hause kommen.«

Sie war eben die Vernünftigere von uns beiden. Man kann eine Katze nicht einfach mitnehmen, auch wenn alles darauf hindeutet, dass sie kein Zuhause hat. Ich war selbst gerade erst hier eingezogen und noch gar nicht wirklich angekommen. Sollte die Katze tatsächlich den Nachbarn gehören, wären diese zu Recht sauer, wenn ihr Stubentiger plötzlich verschwunden wäre. Außerdem konnte ich in meinem Leben gerade keine zusätzliche Verantwortung brauchen. Ich, ein gescheiterter Musiker auf Drogenentzug, der in einer Sozialwohnung von der Hand in den Mund lebte. Es war schwer genug, für mich selbst zu sorgen.

Als ich am nächsten Morgen die Treppe herunterkam, war der rote Kater immer noch da. Es sah aus, als hätte er sich in den letzten zwölf Stunden nicht von der Stelle gerührt.

Wieder ging ich in die Hocke und streichelte ihn. Sein lautes Schnurren zeigte mir, wie sehr er die Berührung genoss. Ganz hundertprozentig traute er mir zwar immer noch nicht über den Weg, aber mir schien, er fand mich ganz akzeptabel.

Bei Tageslicht konnte ich mir den kleinen Felltiger genauer ansehen: Markant geschnittener Katerkopf und ganz ungewöhnliche gelbgrüne Augen, deren Ausdruckskraft durch sein hellrotes Fell noch zusätzlich betont wurde. Aber auch Schrammen im Gesicht und an den Beinen, die von einem Kampf oder Unfall stammen konnten. Sein wunderschön gezeichneter Pelz in diversen Rot- bis Beigetönen war tatsächlich stumpf und dünn, teilweise nicht mehr vorhanden. Er tat mir wirklich leid, aber ich zwang mich, vernünftig zu bleiben. Ich hatte genug Probleme. Schweren Herzens nahm ich den

Bus nach Covent Garden, um mir dort mit meiner Musik ein paar Pfund zu verdienen.

Erst gegen zehn Uhr abends war ich wieder zurück in Tottenham. Ich konnte nicht nach oben gehen, ohne nach dem roten Kater zu sehen, aber er war verschwunden. Ich war enttäuscht und erleichtert zugleich. Er war mir schon mehr ans Herz gewachsen, als ich dachte. Aber ich tröstete mich mit dem Gedanken, dass Kater und Besitzer wieder glücklich vereint waren.

Als ich am Samstag gegen Mittag die Treppen hinunterkam, schnürte es mir den Magen zusammen, denn er war wieder da. Aber ich konnte meine Augen nicht länger verschließen: Er war ein rotes Häufchen Elend. Er sah hilfsbedürftiger und zerzauster aus denn je. Und er zitterte, bestimmt vor Hunger und Kälte.

»Da bist du ja wieder«, begrüßte ich ihn und kraulte sein zerrupftes Fell. »Siehst aber gar nicht gut aus heute!«

Ich musste endlich etwas tun.

Entschlossen klopfte ich an die Wohnungstür hinter dem Kater. Ich wollte seine Besitzer finden und zur Rede stellen. Niemand darf sein Haustier so behandeln. Der Kater brauchte Wasser und Futter – und wahrscheinlich auch einen Tierarzt.

Der Kerl, der mir die Tür öffnete, war unrasiert, trug ein Feinripp-Muscleshirt und Jogginghosen. Er sah aus, als hätte ich ihn geweckt. Dabei war es schon Mittag!

»Entschuldigen Sie bitte die Störung. Ist das Ihre Katze?«, fragte ich. Zuerst starrte er mich an, als wäre ich nicht ganz richtig im Kopf. »Welche Katze?«, knarzte er, bevor er nach unten sah und den Kater auf seiner Fußmatte entdeckte. Der hatte sich inzwischen wieder zusammengerollt, als ginge ihn das alles gar nichts an. »Nein!«, antwortete der Nachbar dann mit einem lapidaren Schulterzucken. »der gehört mir nicht!«

»Er ist schon seit Tagen hier«, teilte ich ihm mit, aber Mr. Feinripp blieb so teilnahmslos wie der Kater auf der Matte.

»Echt? Der hat wohl Essen gerochen oder so was. Also, wie gesagt: Is' nicht meiner!« Sprach's und schlug mir die Tür vor der Nase zu.

Die Würfel waren gefallen.

»Okay, mein Freund, dann kommst du jetzt mit mir«, informierte ich das matte Bündel auf vier Pfoten. Ich öffnete meinen Rucksack und kramte tief unten nach der Packung mit dem Trockenfutter. Das hatte ich immer dabei, weil mir als Straßenmusiker immer viele Katzen und Hunde begegneten, die sich über ein Leckerchen freuten.

Verheißungsvoll schüttelte ich die Schachtel vor seiner Nase. Der Kater sprang sofort auf und lief hinter mir her. Er war ein bisschen wackelig auf den Beinen. Außerdem bemühte er sich, eine Hinterpfote nicht zu belasten. Wir kamen nur langsam voran. Der Weg bis zu meiner Wohnung im fünften Stock war beschwerlich für den geschwächten Kämpfer. Aber er war zu stolz oder auch zu misstrauisch, um sich von mir tragen zu lassen.

Meine vier Wände waren damals noch ziemlich bescheiden eingerichtet. Außer dem Fernseher gab es nur eine gebrauchte, ausziehbare Couch, eine Matratze in der Ecke des kleinen Schlafzimmers und in der Küchenzeile einen altersschwachen Kühlschrank, eine Mikrowelle, Wasserkocher und Toaster. Keinen Herd. Meine persönlichen Dinge beschränkten sich auf meine Bücher, Videokassetten und ein paar kuriose Staubfänger. Man könnte mich mit einer Elster vergleichen, weil ich gern Dinge mit nach Hause nehme, die andere Leute wegwerfen. Meine letzten Errungenschaften waren eine kaputte Parkuhr und eine ramponierte Schaufensterpuppe mit Cowboyhut, die meine kahlen Zimmerecken schmückten. Meine Freunde interessierten sich immer sehr für die Kuriositäten in meiner Bude, aber der Kater fand auf seinem ersten Rundgang nur die Küche interessant.

Ich holte die Milch aus dem Kühlschrank, goss etwas davon in eine Untertasse mit hohem Rand und mischte etwas Wasser darunter, da Katzen – entgegen der allgemeinen Meinung – Milch nicht gut vertragen. Bereits nach wenigen Sekunden hatte er alles aufgeschleckt.

Ich hatte noch etwas Thunfisch im Kühlschrank. Den vermischte ich mit dem Trockenfutter aus meinem Rucksack und gab dem Kater eine volle Schüssel. Auch diese Portion war sofort verschlungen. Der Arme musste kurz vor dem Verhungern sein!

Nach dem kalten, ungemütlichen Flur war meine bescheidene Wohnung scheinbar die reinste Fünf-Sterne-Luxusunterkunft für ihn. Er zeigte keinerlei Unbehagen in der neuen Umgebung. Hoch erhobenen Schwanzes steuerte er nach seinem exquisiten Mahl zielstrebig auf die Heizung im Wohnzimmer zu. Dort rollte er sich zufrieden zusammen und schloss sogar die Augen.

Ich setzte mich zu ihm auf den Boden, um mir sein Hinkebein anzusehen. Am Oberschenkel seiner rechten Hinterpfote klaffte eine tiefe Bisswunde. Vielleicht von einem Kampf mit einem Hund oder Fuchs. Jedenfalls sah die Verletzung aus, als hätte er versucht, sich mit Gewalt loszureißen. Auch die Schrammen und Kratzer sprachen für einen Kampf auf Leben und Tod.

Die Wunde musste dringend gereinigt werden. Dazu stellte ich ihn in die Badewanne, besprühte die Wunde mit alkoholfreiem Wundspray und schmierte Vaseline auf seine Schrammen. Die meisten Katzen wären bei dieser Behandlung ausgerastet. Diese hier hielt mucksmäuschenstill. Kein Jammern, kein Klagen, kein Maunzprotest und keine empört aufgestellten Haare. Er versuchte auch nicht, mich zu kratzen oder sich aus dem Staub zu machen. Was für ein tapferer kleiner Krieger!

Den Rest des Tages verbrachte ein zufrieden zusammengerolltes rotes Fellknäuel unter meiner Heizung. Ich hatte ihm eine Decke hingelegt, als mir klar wurde, dass dies wohl der auserwählte Lieblingsplatz war. Kurzfristige Energieschübe zwischendurch nutzte er zur Erkundung der neuen Umgebung. Er nahm sein neues Zuhause in Besitz, sprang überall hoch und kratzte genüsslich an allem, was Widerstand bot. Besonders die Schaufensterpuppe hatte es ihm angetan. Es machte mir nichts aus. Schließlich hatte ich keine teuren Designermöbel. Ich gönnte ihm seinen Spaß.

Offenbar steckte eine Menge aufgestauter Energien in dem kleinen Kerl, die er loswerden musste. Bei einer dieser Anwandlungen sprang er plötzlich zu mir auf die Couch und ging mit den Pfoten auf mich los. Es war eine Aufforderung zum Spiel, aber er war so übermütig, dass er mir im Eifer des Gefechts die Hand zerkratzte. »Okay, mein Freund, jetzt ist Schluss mit lustig«, schimpfte ich, klaubte ihn von meinem Schoß und setzte ihn zurück auf den Fußboden. Junge, unkastrierte Kater können sehr ungestüm sein. Und dieser hier steckte scheinbar schon mitten in der Pubertät. Jedenfalls benahm er sich wie ein wilder kleiner Straßenrowdy und hatte wenig gemein mit einem Samtpfötchen.

Den Abend verbrachte ich vor dem Fernseher, der Kater sichtlich zufrieden unter der Heizung. Er bewegte sich erst wieder, als ich ins Bett ging. Er folgte mir und kuschelte sich am Fußende meiner Matratze wie selbstverständlich auf meine

Bettdecke. Sein leises Schnurren in der Dunkelheit weckte in mir ein längst vergessenes Gefühl von Geborgenheit. Ich war nicht mehr allein – zum ersten Mal seit langer Zeit.

Am Sonntag stand ich ziemlich früh auf. Ich wollte versuchen, auf einem Spaziergang durch die Nachbarschaft seine Besitzer ausfindig zu machen. Vielleicht hatten diese ja bereits Aushänge mit einer Vermisstenanzeige verteilt. Kopierte Hilferufe hingen damals überall. An Straßenlaternen, an Litfaßsäulen und sogar an Bushaltestellen baten Tierbesitzer um Mithilfe bei der Suche nach ihren vermissten Lieblingen. Ich fragte mich schon, ob eine »Cat-Napping«-Bande ihr Unwesen trieb, weil so viele Stubentiger vermisst wurden.

Den Kater nahm ich mit, nur für den Fall, dass ich seinen Besitzer gleich fand. Zur Sicherheit hatte ich ihm aus Schuhbändern ein Halsband und eine Leine gebastelt. Auf dem Weg durch das Treppenhaus wich er nicht von meiner Seite, doch sobald wir im Hof waren, zog er ungestüm an dem ihn behindernden Band. Wollte er weg oder nur in Ruhe sein Geschäft verrichten? Ich ließ ihn frei. Er humpelte auf den Rasen und verschwand hinter ein paar Büschen. Aber nur lange genug, um sich zu erleichtern, dann war er wieder da und schlüpfte ohne Murren zurück in das provisorische Geschirr.

Dieses Vertrauen wollte und würde ich keinesfalls enttäuschen. In diesem Moment gelobte ich, für ihn da zu sein, solange er mich brauchte.

Meine erste Anlaufstelle war die Nachbarin auf der anderen Straßenseite. Sie war als Katzenmutter bekannt, denn sie fütterte alle Streuner aus der Nachbarschaft und ließ sie, wenn nötig, auch kastrieren. Als sie mir die Tür öffnete, zählte ich hinter ihr im Haus mindestens fünf Katzen. Wie viele noch bei ihr wohnten, wollte ich gar nicht wissen. Angeblich kannte jede Katze aus der Umgebung ihren Garten, weil es dort immer Futter gab. Keine Ahnung, wie sie sich das leisten konnte.

Auch sie erlag sofort dem Charme meines Begleiters und versuchte, ihn mit einem Leckerbissen anzulocken. Sie war wirklich sehr freundlich, konnte uns aber nicht weiterhelfen. Auch sie hatte den roten Kater nie zuvor in unserer Gegend gesehen.

»Ich wette, er kommt aus einem anderen Stadtteil und wurde hier ausgesetzt«, mutmaßte sie und versprach, sich zu melden, falls doch noch ein verzweifelter Katzenbesitzer bei ihr auftauchen sollte. Mittlerweile hielt ich das für sehr unwahrscheinlich. Tottenham war nicht sein Revier. Es gab noch eine Möglichkeit, meine Vermutung zu bestätigen: Ich nahm dem abgemagerten Garfield-Verschnitt die Leine ab. Sollte er zielstrebig weglaufen, hätte ich eine neue Spur. Aber er fühlte sich sichtlich unbehaglich und blieb neben mir stehen. Sein fragender Blick war herzerweichend: »Du willst mich doch jetzt nicht loswerden? Wo soll ich denn hin?« Da hatte ich meine Antwort.

Aber die Suche wollte ich noch nicht abbrechen. In den nächsten paar Stunden durchkämmten wir die umliegenden Straßen, und ich sprach Passanten an. Immer dieselbe Frage: »Haben Sie diesen Kater schon mal gesehen? Kennen Sie seinen Besitzer?« Immer dieselben teilnahmslosen Blicke, manchmal sogar ein »aufwendiges« Schulterzucken.

Rotpelzchen wich mir nicht von der Seite – bis auf eine weitere Pipi-Pause, für die er kurzzeitig von der Bildfläche verschwand. Beim Laufen in der frischen Luft kriegt man den Kopf frei, heißt es. Mir hingegen schwirrte der Kopf vor lauter Fragen: Wo kommt er her? Wie hat er gelebt, bevor er auf der Fußmatte in unserem Hausflur landete?

Ich ließ meiner Fantasie freien Lauf: Wie die Katzenmutter von gegenüber konnte ich mir gut vorstellen, dass er früher in einer Familie gelebt hatte. Er war so ein wunderschönes Tier, hätte als Weihnachts- oder Geburtstagsgeschenk sicher jedes Kind begeistert. Aber rote Kater haben mehr Temperament als ihre Artgenossen, besonders die jungen, unkastrierten, wie ich gestern selbst hatte erleben dürfen. Sie sind viel dominanter und wilder. Ich vermutete also, je verrückter und unbändiger er sich beim Heranwachsen benahm, desto lästiger wurde er seiner Familie.

Ich hörte förmlich die Eltern stöhnen: »Jetzt reicht's!« Aber anstatt ihn im Tierheim oder bei der RSPCA, dem bekanntesten Tierschutzverein Englands, abzugeben, haben sie ihn einfach ins Auto verfrachtet, sind mit ihm herumgefahren und haben ihn irgendwo ausgesetzt.

Katzen haben zwar einen stark ausgeprägten Orientierungssinn, aber bestimmt wurde er wohlweislich weit weg von zu Hause »entsorgt«, damit er nicht mehr zurückfand. Vielleicht war er aber auch nicht glücklich bei seiner Ex-Familie gewesen und hatte selbst beschlossen, loszuziehen und sich einen netteren Dosenöffner zu suchen. Katzen tun das manchmal.

Er könnte auch einer alten Dame gehört haben, die verstorben war.

Nichts davon musste stimmen. Da er sein Geschäft nur im Freien verrichtete, war es auch gut möglich, dass er noch nie in einer Familie gelebt hatte. Dagegen sprach allerdings seine Zutraulichkeit. Er mochte Menschen, schien jeden in Frage kommenden Versorger zu umschmeicheln, so wie er es mit mir getan hatte.

Ein wichtiger Hinweis auf einen Teil seiner Vergangenheit war für mich die schlimme Bisswunde am Bein. Die Wunde eiterte bereits, war also ein paar Tage alt. Sie brachte mich auf eine weitere Idee zu seinem Vorleben:

In London hat es schon immer viele Straßenkatzen gegeben, Streuner, die durch Nebenstraßen und Hinterhöfe streiften und von den Abfällen und Almosen fremder Menschen lebten. Schon vor fünf- oder sechshundert Jahren waren die Gresham Street im Zentrum von London, Clerkenwell Green und Drury Lane bekannt als Katzenreviere. Es muss dort nur so gewimmelt haben von verwilderten Rudeln.

Auch heute noch sind Londons Streuner ein unerwünschter Ballast in dieser Stadt, ausgemustert und weggeworfen von einer übersättigten und respektlosen Wohlstandsgesellschaft. Sie streunen ziellos umher und kämpfen täglich ums nackte Überleben. Viele von ihnen sind misshandelte, gebrochene Kreaturen. War mein verwundeter Kämpfer einer von ihnen? Vielleicht hatte er einen Seelenverwandten gesucht und in mir gefunden.

2
Auf dem Weg der Genesung

Ich halte mich für einen Katzenkenner, denn ich bin mit diesen Haustieren aufgewachsen. Neben mehreren Siamkatzen hatten wir auch einmal eine wunderschöne Schildpattkatze. Unsere flauschigen Familienmitglieder haben mir viele schöne Erinnerungen hinterlassen. Aber es gibt auch eine sehr traurige Geschichte, die sich in mein Gedächtnis eingebrannt hat.

Ich bin in England und Australien groß geworden, und zu diesem Zeitpunkt lebten wir gerade in Cragie, einem Ort in Westaustralien. Meine Mutter brachte eines Tages ein süßes, weißes Katzenbaby mit ganz dichtem, flauschigem Fell nach Hause. Ich glaube, sie hatte sie von einem Bauern aus der Umgebung. Auf jeden Fall war das kleine Wollknäuel total verwahrlost.

Bevor die Kleine zu uns kam, war sie noch nie von einem Tierarzt untersucht worden. Das arme Ding war voller Flöhe, aber wir haben es leider nicht gleich bemerkt. Ihr dichtes Fell wurde ihr zum Verhängnis. Die Flöhe nisteten so tief im Unterfell, dass sie lange unbemerkt blieben. Diese Parasiten saugen anderen das Leben aus, um selbst zu überleben. Und genau das geschah bei unserem Kätzchen. Als wir endlich kapierten, wie schlecht es ihr ging, war es bereits zu spät. Meine Mutter brachte die Kleine noch zum Tierarzt, aber der schüttelte nur noch den Kopf. Das Katzenkind war bereits dem Tod geweiht. Es hatte alle möglichen Infektionen und Krankheiten. Es war nur zwei Wochen bei uns, bis es starb. Ich war damals fünf oder sechs Jahre alt und konnte diese Tragödie gar nicht recht verkraften, genauso wenig wie meine Mutter.

Ich musste oft an dieses arme Kätzchen denken, vor allem, wenn mir eine weiße Katze über den Weg lief. Aber an diesem Wochenende ging sie mir gar nicht mehr aus dem Sinn. Schuld daran war der zerzauste kleine Kämpfer, den ich bei mir aufgenommen hatte. Das schäbige, stumpfe Fell des Katers machte mir Angst. Er sollte nicht so erbärmlich enden wie das weiße Katzenkind aus meinen Kindertagen. Ich durfte das nicht zulassen und wollte auf keinen Fall sein Leben riskieren.

Am Sonntagabend stand mein Entschluss fest: Der Kater musste zum Tierarzt. Meine laienhafte Erstversorgung würde seine Beinverletzung nicht heilen. Und wie sollte ich beurteilen, welche anderen Krankheiten er noch mit sich herumschleppte? Ich durfte das nicht länger aufschieben. Gleich am nächsten Morgen wollte ich mit ihm zur nächstgelegenen RSPCA-Tierambulanz. Die war, so viel ich wusste, in der Nähe von Finsbury Park.

Ich hatte mir extra den Wecker gestellt. Mein kleiner Schützling bekam zum Frühstück wieder eine Portion Trockenfutter vermischt mit Thunfisch. Draußen graute ein trüber Morgen, aber heute war das keine Ausrede, um zu Hause zu bleiben.

Mit seinem verletzten Bein würde der Kater die neunzig Minuten Fußmarsch bis zur Tierambulanz nicht durchhalten. Ich wollte ihn tragen, fand aber nur eine grüne Recyclingkiste für den Transport. Ideal war das nicht. Auch der Kater war nicht begeistert von meiner Notlösung, diesem Tragekorb für Arme. Er wollte nicht stillsitzen, steckte immer wieder seine Vorderpfoten über den Rand der Kiste und versuchte, hinauszuspringen. Katzenterror vom Feinsten. »Na, dann komm, ich trag' dich«, gab ich nach und nahm ihn auf den freien Arm. Den anderen brauchte ich zum Tragen der grünen Kiste. Er kletterte auf meine Schulter hoch und ließ sich dort nieder, während ich das leere Recycling-Monster den ganzen langen Weg bis zur RSPCA-Ambulanz schleppen durfte.

Im Warteraum der Praxis war die Hölle los. Es war brechend voll. Fast nur Hunde, deren Besitzer genauso aggressiv auftraten wie ihre Tiere. Die meisten dieser Jungs waren unter zwanzig, mit abstoßenden Tattoos und kahl geschorenen Köpfen im Skinhead-Stil. Siebzig Prozent der wartenden Hunde waren Staffordshire Bullterrier, deren Verletzungen mit hoher Wahrscheinlichkeit aus Kämpfen mit Artgenossen stammten. Ich tippte auf illegale Volksbelustigung für eine verrohte Meute gelangweilter Zeitgenossen. Es heißt, Großbritannien sei eine Nation von Tierliebhabern. Davon war hier leider nicht viel zu spüren. Es ist unfassbar, wie manche Leute mit ihren Tieren umgehen.

Der Kater saß abwechselnd auf meinem Schoß und auf meiner Schulter. Er war ziemlich unruhig. Kein Wunder, denn die Hunde bellten und knurrten wütend in unsere Richtung. Manche bedrohten ihn mit hochgezogenen Lefzen. Nur mit beträchtlichem Kraftaufwand gelang es ihren Besitzern, sie zurückzuhalten. Sie hätten ihn wohl am liebsten zerfleischt.

Ein Hund nach dem anderen wurde in den Behandlungsraum geholt. Jedes Mal, wenn die Sprechstundenhilfe auftauchte und jemand anderen aufrief, waren wir enttäuscht. Letztendlich vergingen viereinhalb Stunden, bis wir endlich an der Reihe waren. Als mein Name aufgerufen wurde, war es eine Erlösung für uns beide: »Mr. Bowen, Sie sind dran.«

Ein Tierarzt in mittleren Jahren erwartete uns. Er hatte den gelangweilten Gesichtsausdruck eines abgebrühten Mannes, der viel Schlimmes gesehen hatte. Vielleicht lag es an der aggressiven Stimmung im Wartezimmer, die ich so lange hatte ertragen müssen, aber er war mir sofort unsympathisch.

»Also, was ist das Problem?«, fragte er dann auch ziemlich schroff.

Ich wusste, der Mann macht nur seinen Job, aber ich hätte am liebsten geantwortet: »Ja, wenn ich das wüsste, wäre ich nicht hier!« Aber ich verkniff mir die Antwort.

Stattdessen erzählte ich ihm, wie ich die Katze im Hausflur auf dem Weg zu meiner Wohnung gefunden hatte, und zeigte ihm die Wunde am Hinterbein des Katers.

»Okay, mal sehen ...«, nuschelte er.

Nach kurzer Untersuchung bekam mein Findling eine Spritze mit Diazepam gegen die Schmerzen. Und ein Rezept für Amoxicillin, ein Antibiotikum, das er zwei Wochen einnehmen sollte.

»Wenn sich sein Zustand in vierzehn Tagen nicht gebessert hat, kommen Sie bitte wieder«, sagte der Tierarzt. Nur widerwillig und auf meine ausdrückliche Bitte hin durchkämmte er noch kurz das Fell nach Flöhen. Zum Glück fand er keine.

»Trotzdem sollten Sie ihm vorbeugend Tabletten gegen etwaigen Flohbefall geben. Besonders junge Katzen sind da sehr anfällig«, belehrte er mich. Als ob ich das nicht wüsste! Wieder verkniff ich mir die Antwort. Ich sah zu, wie er auch für dieses Medikament ein Rezept ausstellte.

Immerhin kam er noch selbst auf die Idee, den Kater nach einem Mikrochip abzusuchen. Leider ohne Erfolg. Also doch ein Straßenkater?

»Sie sollten ihm so bald wie möglich einen Chip einpflanzen lassen«, riet er mir »... und er gehört kastriert.« Damit drückte er mir ein Informationsblatt für ein kostenfreies Kastrationsprogramm für Streuner in die Hand. Ich nickte zustimmend und dachte dabei an die wilden Temperamentsausbrüche meines neuen Mitbewohners, die meine Möbel ziemlich strapazierten. Lächelnd stimmte ich zu und hoffte, es würde ihn interessieren, warum. Aber da kam nichts. Er war bereits damit beschäftigt, seine Notizen in den Computer zu hacken und die Rezepte auszudrucken. Wir waren hier nur Teil eines Fließbandprozesses, und scheinbar war es Zeit, uns aus der Tür zu schubsen, um für den nächsten Patienten Platz zu machen. Der Tierarzt konnte nichts dafür. Es war das System.

Und dieses System hatte uns schon nach wenigen Minuten wieder ausgespuckt. Der Kater und ich verließen erleichtert die Praxis, und ich löste die Rezepte gleich in der Apotheke nebenan ein. Die Apothekerin in dem weißen Kittel war etwas freundlicher als der Tierarzt.

»Das ist aber ein hübscher Kerl«, bemerkte sie mit Blick auf den Kater. »Meine Mutter hatte auch mal so einen Roten. Er war der beste Kamerad, den sie je hatte. Und eine sehr starke Persönlichkeit. Er saß immer zu ihren Füßen und ließ die Welt an sich vorüberziehen. Wenn eine Bombe neben ihm explodiert wäre, er wäre ihr nicht von der Seite gewichen.« Dabei tippte sie Zahlen in ihre Kasse und legte mir die Rechnung auf den Tresen.

»Das wären dann zweiundzwanzig Pfund, mein Lieber«, zwitscherte sie. Mein Herzschlag setzte kurz aus.

»Zweiundzwanzig Pfund! So viel?«, stammelte ich. Zu diesem Zeitpunkt belief sich mein gesamtes Barvermögen gerade mal auf 30 Pfund.

»Leider ja«, antwortete die Apothekerin lächelnd, aber mit unerbittlichem Blick.

Ich übergab ihr meine 30 Pfund und strich das Wechselgeld ein. Ich hatte gerade eine komplette Tageseinnahme für Katzenmedizin ausgegeben. Aber was blieb mir übrig? Ich konnte meinen neuen Freund doch nicht im Stich lassen!

»Sieht aus, als müssten wir zwei die nächsten vierzehn Tage miteinander auskommen!«, informierte ich den Kater auf meiner Schulter, als wir aus der Apotheke traten und uns auf den langen Weg zurück nach Tottenham machten.

Es war ein Versprechen. In den nächsten zwei Wochen würde ich den Kater auf keinen Fall freilassen. Nicht, bevor seine medizinische Versorgung abgeschlossen war. Außer mir würde niemand dafür sorgen, dass er regelmäßig seine Tabletten nahm. Der Tierarzt hatte wegen der Infektionsgefahr auch Freigänge ab sofort verboten.

Zum ersten Mal in meinem Leben wurde ich gebraucht. Es gab jemanden, um den ich mich kümmern musste. Verwundert stellte ich fest, dass mich die neue Verantwortung beflügelte. Für ihn zu sorgen, gab meinem Leben endlich einen Sinn.

Am Nachmittag stürmte ich die nächstgelegene Zoohandlung und kaufte Katzenfutter für die nächsten beiden Wochen. Der Tierarzt hatte mir eine Probe von wissenschaftlich erprobtem, hochwertigem Trockenfutter mitgegeben. Mein eigenwilliger Schützling hatte es für gut befunden. Also kaufte ich einen großen Sack davon und eine Palette Nassfutter. Neun Pfund kostete mich dieser Großeinkauf für die Katz. Danach war ich total pleite.

An diesem Abend musste mein schnurrender Patient allein zu Hause bleiben. Ich fuhr mit meiner Gitarre nach Covent Garden, um Geld zu verdienen. Ab jetzt hatte ich zwei Mäuler zu stopfen.

In den darauf folgenden Tagen wurde Rotpelzchen aufgepäppelt. Dabei lernte ich ihn besser kennen und fand endlich auch einen passenden Namen für ihn: Bob. Die Idee hatte ich, als ich mir eine DVD meiner alten Lieblingsserie *Twin Peaks* ansah. Darin kommt einer vor, der heißt Bob, der Killer. Er ist ziemlich durchgeknallt und spielt einen Mann mit zwei Gesichtern, so eine Art Jekyll und Hyde. Zeitweise ist er ganz normal, dann wieder total verrückt und unberechenbar. Der Kater erinnerte mich sehr an diesen Bob. Die meiste Zeit gab er das glückliche, zufriedene Schmusekätzchen. Aber von einer Sekunde zur anderen, völlig unerwartet, drehte er komplett durch. In diesen verrückten fünf Minuten schoss er wie ein blutrünstiger, etwas zu klein geratener Tiger durch mein Apartment und bearbeitete mit weit aufgerissenen Augen, angelegten Ohren und Kampfmaunzen gnadenlos meine gesamte karge Einrichtung.

Ich unterhielt mich mit meiner Freundin Belle über diese seltsamen Anwandlungen meines Mitbewohners, als es mir wie Schuppen von den Augen fiel: »Er hat viel gemeinsam mit Bob, dem Killer aus Twin Peaks«, teilte ich ihr mit. Aus ihrem verständnislosen Blick schloss ich, dass sie die Serie nicht kannte. Auch egal! Hauptsache, ich wusste, warum Bob der perfekte Name für meinen roten Pflegekater war.

Inzwischen war ich überzeugt, dass Bob noch nie mit Menschen unter einem Dach gelebt hatte. Denn er verweigerte stur und standhaft das Katzenklo. Sobald die Natur rief, stand er an der Wohnungstür und jammerte so lange, bis ich ihn nach unten trug, damit er sich in der Grünanlage rund um unser Haus erleichtern konnte. Wenn ich ihn vor der Haustür absetzte, raste er los zu den Büschen, erledigte sein Geschäft und scharrte danach endlos lange in der Erde herum. Es schien ihm ungemein wichtig, jeglichen auch noch so kleinen Beweis seiner Tat bis auf das letzte Düftchen vollends zu beseitigen.

Als ich ihn eines Morgens wieder einmal bei diesem Ritual beobachtete, kam mir die Idee, er könnte bei Zirkusleuten oder Travellern gelebt haben. Fahrendes Volk kam oft nach Tottenham. Ganz in der Nähe unseres Mietshauses gab es ein Stück Land, auf dem immer irgendwelche Gruppen campierten. Vielleicht gehörte er zu einer dieser Familien. Vielleicht war er nur versehentlich zurückgelassen worden, als sie weiterzogen. Das würde erklären, warum er Menschen zwar mochte, aber der für Salonlöwen selbstverständliche Feinschliff fehlte.

Bob wurde immer anhänglicher, und auch ich wollte ihn nicht mehr missen. Sein anfängliches Misstrauen schwand zusehends. Er fühlte sich deutlich sicherer und wurde immer zutraulicher. Trotzdem blieb er wild und ungestüm. Böse konnte ich ihm deswegen nicht sein, denn schließlich war er jung und unkastriert.

Schnell fanden wir einen Rhythmus für unseren gemeinsamen Tagesablauf. Am Vormittag ließ ich Bob allein zu Hause und fuhr nach Covent Garden. Dort machte ich so lange Musik, bis ich genug Geld für unsere Tagesration an Essen eingespielt hatte. Wenn ich nach Hause kam, stand Bob schon wartend an der Wohnungstür. Dann folgte er mir zum Sofa, und wir sahen gemeinsam fern. Mir wurde langsam klar, was für ein kluger Junge er war. Er bewies mir täglich aufs Neue, dass er immer verstand, was ich ihm mitteilen wollte.

Immer wenn ich einladend mit der Hand auf das Sofa schlug, sprang er hoch und legte sich neben mich. Wenn ich ankündigte: »Es ist Zeit für deine Tabletten!«, wusste er genau, was auf ihn zukam. Seine Antwort war jedes Mal ein verzweifelter Blick, der sagte: »Muss das sein?« Aber er wehrte sich nie, wenn ich die Pille in sein Maul schob und ihm dann die Kehle kraulte, bis er sie geschluckt hatte. Die meisten Katzen würden bei dem Versuch, ihnen etwas Unangenehmes zu verabreichen, kratzen, beißen, fauchen und sich wehren. Aber Bob blieb sogar bei dieser Tortur sanft und verständnisvoll.

Schon damals wurde mir klar, dass Bob etwas ganz Besonderes war. So ein außergewöhnliches Katzenwesen war mir noch nie begegnet.

Aber er hatte auch seine Macken. So wusste er zum Beispiel genau, dass sein Futter in der Küche versteckt war. In regelmäßigen Abständen polterten Töpfe und Pfannen in der Küche zu Boden, weil Kater Nimmersatt nach mehr Nahrung suchte. Küchenmöbel und Kühlschrank waren bereits gezeichnet von besessenen Kratzattacken auf das unschuldige Mobiliar, weil er hinter jedem Schranktürchen etwas Leckeres zum Naschen vermutete.

Zu seiner Verteidigung sei jedoch gesagt, dass er auf ein strenges »Nein« immer sofort reagierte. Sobald mein tadelndes »Nein! Gehst du da weg!« an sein Ohr drang, schlich er sichtlich zerknirscht davon. Ein helles Köpfchen eben. Dieses gute Benehmen warf bei mir weitere Fragen über seine Herkunft auf. Ein verwilderter Straßenkater würde doch nicht auf das Kommando eines Menschen hören, oder?

Wir hatten viel Spaß miteinander, aber ich musste aufpassen, dass unsere Bindung nicht zu eng wurde. Denn früher oder später würde er seine Freiheit zurückfordern. Er war eben kein Stubentiger, für den die Eroberung der Kuscheldecke seines Besitzers der Höhepunkt des Tages war.

In der kurzen Zeit, die mir als sein Beschützer zur Verfügung stand, wollte ich meiner verantwortungsvollen Rolle gerecht werden. Dazu gehörte auch, ihn auf seine Rückkehr auf die Straße vorzubereiten. Und so füllte ich eines Morgens endlich das Formular der RSPCA-Ambulanz aus, um ihn für das kostenlose Kastrationsprogramm anzumelden. Ich schickte es per Post ab und war ziemlich erstaunt, als ich bereits nach zwei Tagen ein Antwortschreiben im Briefkasten hatte. Es war ein Gutschein für die unangenehme, aber wichtige Operation.

Jeden Morgen gingen wir noch vor dem Frühstück nach unten, damit Bob pinkeln konnte. Sein Kistchen verstaubte weiterhin ungenutzt in einer Ecke meiner Wohnung. Hochnäsig machte er nach wie vor einen großen Bogen um das seltsame Ding.

Eines Tages verschwand er wieder in den Büschen, die unser Mietshaus vom nächsten trennten. Das war sein bevorzugter Platz, sein Freiluftkatzenklo. Angeblich markieren Katzen so ihr Revier, das habe ich mal in einem wissenschaftlichen Artikel über Katzen gelesen.

Sein Geschäft war schnell erledigt, die Aufräum- und Verscharr-Aktion dauerte, wie üblich, viel länger. Die Sauberkeit und Ordnungsliebe von Katzen hat mich schon immer fasziniert. Warum ist ihnen das so wichtig?

Als Bob endlich mit seinem Werk zufrieden war, schlenderte er gemütlich über die Wiese auf mich zu. Aber plötzlich erstarrte er zur Salzsäule. Sämtliche Muskeln waren angespannt, und er fixierte mit starrem Blick etwas für mich Unsichtbares im Gras. Ich wollte ihm schon entgegengehen, um herauszufinden, was ihn so störte. Aber noch bevor ich einen Fuß vor den anderen setzen konnte, ging Rotpelzchen ab wie eine Rakete.

Alles ging so schnell, dass ich ihm mit den Augen kaum folgen konnte. Mit blitzschnellem Pfotenschlag grapschte

Bob nach etwas für mich Unsichtbarem im Gras. Erst als er es hochwarf, sah ich, was es war. Eine kleine graue Maus, keine fünf Zentimeter lang. Das kleine Ding hatte tatsächlich versucht, unbemerkt an Bob vorbeizuhuschen. Aber es hatte keine Chance. Bob hatte sich mit Lichtgeschwindigkeit und hundertprozentiger Treffsicherheit auf das Mäuschen gestürzt. Jetzt war es zwischen seinen Zähnen gefangen – kein schöner Anblick. Ich sah nur die hilflos zappelnden Beinchen, während Bob in aller Ruhe den Körper der Maus in seinem Maul so zurechtlegte, dass er sie zerbeißen konnte. Das Unvermeidliche war schnell vorbei. Als sich das arme Tier nicht mehr wehrte, legte Bob die tote Maus zurück ins Gras.

Ich wusste, was als nächstes kommen würde, aber ich wollte nicht, dass er die Maus verspeiste. Mäuse sind berüchtigt als Überträger von Krankheiten. Ich kniete nieder, um ihm seine Beute wegzunehmen. Das fand er leider gar nicht witzig. Er gab ein Geräusch von sich, das ich noch nie zuvor von ihm gehört hatte: eine Mischung aus Knurren und Fauchen. Verwundert hielt ich inne. Mehr Zeit brauchte er nicht, um sich seine Trophäe mit der Pfote wieder zu angeln.

»Nein, Bob«, schimpfte ich. »Gib sofort die Maus her!« Aber diesmal wollte er nicht hören. Wie kam ich dazu, ihm seine Beute abzuluchsen? Sein stolzer und herausfordernder Blick fragte verständnislos: »Warum sollte ich?«

So kamen wir nicht weiter. Ich musste ihm einen Tausch anbieten. Hektisch durchwühlte ich meine Manteltaschen nach einem Leckerchen und wurde zum Glück fündig. »Nimm das hier, Bob! Das schmeckt bestimmt viel besser«, lockte ich.

Aber mein Bestechungsversuch kam nicht an, der Gegenwert war offenbar nicht attraktiv genug. Es folgte ein Kräftemessen mit den Augen. Ich durfte in dieser Situation nicht blinzeln, das wäre in der Katzensprache einer Unterwerfung gleichgekommen. Irgendwann gab er nach und spuckte die Maus aus. Sofort schnappte ich sie an der Schwanzspitze, brachte sie außer Reichweite meines kleinen Killers und entsorgte sie in der Mülltonne neben unserem Wohnhaus.

Durch den kleinen Zwischenfall fiel mir wieder ein, warum mich Katzen schon immer so fasziniert haben: Sie sind Raubtiere. Die meisten Katzenbesitzer wollen sich ihr süßes kleines Katzenkind zwar nicht als Massenmörder vorstellen, aber genau das sind sie, wenn man sie nur lässt. In vielen Ländern, wie auch in Australien, gibt es eine nächtliche Ausgangssperre für Katzen, weil sie nachts gerne jagen und in der Vogel- und Nagerwelt ihres Reviers wahre Gemetzel anrichten und ganze Arten-Generationen auslöschen können.

Bob, der Killerkater, hatte gerade seinem Namen alle Ehre gemacht. Seine Vorstellung als kaltblütiger, blitzschnell zuschlagender Räuber war beeindruckend gewesen. Er wusste genau, was er wann und wie zu tun hatte.

Und schon wieder grübelte ich: Wie und wo hatte er gelebt, bevor er im Flur meines Mietshauses aufgetaucht war? Wovon hatte er sich ernährt? Wie hatte er überlebt? Musste er sein Futter täglich jagen und erlegen wie heute? Hatte er je in einer Familie gelebt oder musste er sich von dem ernähren, was die Natur hergab? Was hatte ihn geprägt, ihn zu dem werden lassen, der er war? Ich hätte es so gern erfahren. Sicher hätte mein Freund Bob, der Straßenkater, die eine oder andere interessante Geschichte erzählen können.

Auch in diesem Punkt hatten Bob und ich etwas gemeinsam. Als ich obdachlos war, wollten viele Leute von mir wissen, was mich in diese ausweglose Situation getrieben hatte. Manche fragten aus beruflichen Gründen. Ich habe meine Geschichte Dutzenden von Streetworkern, Psychologen und sogar Polizisten erzählt. Sie alle wollten wissen, warum ich auf der Straße gelandet war. Aber es gab auch einige Passanten und Zufallsbekanntschaften, die mich aus reiner Neugier ausquetschen wollten.

Ist es wirklich so spannend, zu hören, warum jemand durch das gesellschaftliche Raster gefallen ist? Ist es die unterschwellige Angst vor der Tatsache, dass ein solcher Absturz jeden treffen kann? Ich glaube, solche Lebensgeschichten machen den Zuhörer zufriedener mit seiner eigenen Situation. Sie können dann aufatmen und sich mit dem Gedanken trösten: »Ich dachte immer, mir geht es schlecht, aber jetzt weiß ich, es könnte schlimmer sein – zum Beispiel, wenn ich so ein armer Penner wäre.«

Wen man auch fragt, warum er oder sie in die Obdachlosigkeit abgerutscht ist, man wird immer sehr persönliche Berichte hören. Aber es gibt immer Parallelen. In den meisten Fällen spielen Alkohol und Drogen eine große Rolle. Oft begann der Weg auf die Straße auch weit in der Kindheit und in der Familie.

Wie bei mir.

Meine Kindheit war sehr unbeständig, denn sie fand auf zwei Kontinenten statt. Mal lebten wir in England, mal in Australien. Aber auch im jeweiligen Land blieben wir nie lange an einem Ort. Wir sind ständig umgezogen. Geboren wurde ich in Surrey im Süden von England. Als ich drei Jahre alt war, zog ich mit meiner Mutter nach Melbourne in Australien. Meine Eltern waren zu dieser Zeit bereits geschieden. Mein Vater blieb in Surrey, meine Mutter hatte aus Existenzangst einen Job als Vertreterin für Rank-Xerox-Kopierer in Melbourne angenommen. Sie war richtig gut in ihrem Job und gehörte bald zu den Top-Verkäufern der Firma.

Trotzdem blieb sie rastlos. Bereits nach zwei Jahren zogen

wir von Melbourne nach Westaustralien. Dort blieben wir drei oder vier Jahre. Finanziell ging es uns immer gut in Australien. Wir wohnten immer in großen Bungalows. Alle hatten einen Garten mit viel Platz zum Spielen und vielen Sportmöglichkeiten für einen Jungen meines Alters. Im Umland gab es viel zu entdecken, und ich liebte die wilde Landschaft Australiens. Nur Freunde hatte ich keine.

Weil wir so oft umzogen, fiel es mir extrem schwer, mich in die ständig neuen Klassengemeinschaften einzufügen. Noch bevor ich in Australien heimisch werden konnte, zogen wir zurück nach Sussex, in einen Ort in der Nähe von Horsham. Damals war ich neun. Ich war froh, wieder in England zu sein, und habe mich dort wirklich wohlgefühlt, das weiß ich noch genau. Mit zwölf hatte ich mich gut eingelebt, aber gerade da zogen wir wieder zurück nach Westaustralien.

Wir blieben in einem Nest namens Quinn's Rock hängen. Und dort fingen meine Probleme an.

Wegen der vielen Jobs meiner Mutter blieben wir nie länger als zwei Jahre an einem Ort. Ständig kaufte und verkaufte sie Häuser, ständig zogen wir um. Ein beständiges Zuhause kannte ich nicht, und ich konnte nie einen Heimatort benennen. Wir führten ein sehr unstetes Leben.

Ich bin kein Psychiater, aber ich war im Laufe der Jahre bei vielen in Behandlung. Deshalb bin ich davon überzeugt, dass sich die ständigen Ortswechsel negativ auf meine Entwicklung ausgewirkt haben. Es war mir schlicht unmöglich, soziale Kontakte zu knüpfen. Nicht einmal durch die Schule fand ich Freunde. Versucht habe ich es durchaus, aber ich war wohl zu bemüht. Erreicht habe ich leider das Gegenteil. Ich wurde an sämtlichen Schulen gemobbt. Und in Quinn's Rock waren die Kinder besonders grausam.

Durch meinen britischen Akzent und meinen Wunsch, es

allen recht zu machen, war ich der Dorfjugend ein Dorn im Auge. Und ich war leichte Beute. Eines Tages hatten meine Mitschüler beschlossen, mich zu steinigen. Im wahrsten Sinne des Wortes. Der Name der Stadt kam nicht von ungefähr: Überall lagen Kalksteinbrocken herum. An diesem Tag wurden sie für mich zu schmerzhaften Geschossen. Blind vor Wut und in Todesangst lief ich durch ein Spalier von kreischenden Mitschülern, die mich mit Steinen bombardierten. Danach durfte ich wegen einer schweren Gehirnerschütterung ein paar Tage zu Hause bleiben. Der seelische Schaden hat niemanden interessiert.

Das Mobbing in der Schule war aber nicht mein einziges Problem. Zu Hause gab es inzwischen einen Stiefvater, den ich nicht ausstehen konnte. Er hieß Nick und war in meinen Augen ein Weichei. Ich nannte ihn nur »Nick, the Prick«, was ziemlich unter der Gürtellinie war. Meine Mutter hatte ihn in Horsham kennengelernt, als sie eine Weile bei der Polizei gearbeitet hatte. Zu meinem Leidwesen war er mit nach Australien gekommen.

Unser Nomadenleben konnte auch er nicht verhindern. Es lag an den ständig neuen Geschäftsideen meiner Mutter, die meist sogar erfolgreich waren. Zuerst produzierte sie Schulungs-Videos für die Telemarketing-Branche. Das lief eine Weile ziemlich gut. Dann gab sie ein Frauenmagazin heraus, das nicht so erfolgreich war. Mal ging es uns finanziell sehr gut, manchmal waren wir auch pleite. Aber nie für lange, denn sie war eine gewiefte Unternehmerin.

Mit sechzehn schmiss ich die Schule. Ich hatte das Mobbing meiner Mitschüler einfach satt. Meinen Stiefvater Nick strafte ich nur noch mit Verachtung. Ich war stolz darauf, dass ich auf niemanden mehr hörte.

Ich wurde zum Taugenichts, zum jungen Wilden, der nur

noch machte, was er wollte. Ich kam spät oder gar nicht nach Hause, widersetzte mich sämtlichen Regeln meiner Mutter und auch sonst jeder Autorität, egal, von wem sie ausging. Als Teenager hatte ich nur ein Talent: mich in Schwierigkeiten zu bringen. Leider habe ich das bis heute nicht ganz abgelegt.

Es war nur eine Frage der Zeit, bis Drogen ins Spiel kamen. Zuerst habe ich Klebstoff geschnüffelt. Nur so, um dem grauen Alltag zu entfliehen. Süchtig wurde ich davon nicht, ich wollte es nur ausprobieren. Aber es war der Anfang eines bösen Weges. In meinem jugendlichen Leichtsinn hätte ich das allerdings niemandem geglaubt. Als nächstes habe ich Gras geraucht und Toluol geschnüffelt, ein industrielles Lösungsmittel, wie man es in Nagellackentferner, Klebstoff und Benzin findet. Ich war in eine Spirale geraten, die abwärts führte, und selbst wenn ich gewollt hätte, gab es kein Zurück mehr. Eins führte zum anderen, und alles zusammen war der Versuch, meine unbändige Wut zu betäuben. Denn inzwischen hatte ich erkannt, dass ich durch das unstete Leben, die ständige Abwesenheit meiner Mutter und die zahlreichen Kindermädchen einige wichtige Erfahrungen und Chancen verpasst hatte.

Zeig mir einen Siebenjährigen und ich zeige dir den Mann, der später aus ihm wird, sagt ein englisches Sprichwort. Ich glaube nicht, dass man mir mit sieben schon meine Zukunft angesehen hat. Mit siebzehn allerdings schon: Ich war auf dem besten Weg in die Selbstzerstörung.

Meine Mutter hat alles versucht, mich von den Drogen fernzuhalten. Sie sah, was das Zeug mit mir machte, und sie hatte Angst vor den langfristigen Folgen einer Abhängigkeit; schließlich hatte ich mich bereits verändert. Sie tat alles, was Mütter so tun. Sie durchsuchte meine Taschen, um mir das

Zeug wegzunehmen, und sie versuchte, mich in mein Zimmer einzusperren. Aber die Türschlösser in unserem Haus hatten Drehknöpfe, und ich hatte schnell heraus, dass sie mit Hilfe einer Sicherheitsnadel ganz leicht zu knacken waren. Der Knopf sprang einfach heraus, und ich war frei. Meine Mutter hatte keine Macht mehr über mich. Weder sie noch sonst jemand konnte mir Vorschriften machen. Wir haben uns nur noch gestritten. Unser seit geraumer Zeit schlechtes Verhältnis wurde jetzt unerträglich.

Irgendwann hat sie mich zum Psychiater geschleift. Der hat sich dann so richtig an mir ausgetobt. Die Diagnose reichte von Schizophrenie über manisch-depressiv bis hin zu ADHS: Aufmerksamkeitsdefizit-Hyperaktivitäts-Syndrom.

Für mich war nur der Psychiater verrückt, genau wie seine Einschätzung meiner Person. Totaler Schwachsinn! Ich war doch nur ein verwirrter Teenager. Und natürlich war ich überzeugt davon, alles besser zu wissen. Heute verstehe ich die Angst meiner Mutter. Sie fühlte sich hilflos und machtlos, und sie bangte um meine Zukunft. Aber für die Gefühle anderer Menschen war ich damals blind. Mir war alles egal, und niemand kam an mich heran.

Das Verhältnis zwischen meiner Mutter und mir war so belastet, dass ich vorübergehend in eine christliche Wohngemeinschaft für Jugendliche zog. Auch dort konnte mich keiner dazu bewegen, etwas Sinnvolles zu tun. Herumlungern, mich mit Drogen zudröhnen und Gitarre spielen: das war mein Leben. Wenn auch nicht unbedingt in dieser Reihenfolge.

Kurz nach meinem achtzehnten Geburtstag beschloss ich, nach London zurückzukehren. Ich wollte bei meiner Halbschwester wohnen, der Tochter meines Vaters aus einer anderen Ehe. Von da an ging es nur noch abwärts.

Wobei sich meine Abreise durchaus wie der Start ins wahre Leben anfühlte, in die Welt der Erwachsenen. Diese erwartungsvolle Anspannung kennt bestimmt jeder Teenager, der endlich von zu Hause ausziehen darf. Meine Mutter brachte mich mit dem Auto zum Flughafen. Als sie an einer roten Ampel in der Nähe meines Abflug-Terminals hielt, gab ich ihr einen flüchtigen Kuss auf die Wange, sprang aus dem Wagen und winkte ihr kurz zu. Wir dachten beide, es wäre nur ein Abschied für sechs Monate. So war es vereinbart. Ich würde anfangs bei meiner Halbschwester wohnen und versuchen, meinen großen Traum zu verwirklichen: eine Karriere als Musiker. Aber mein Plan ging nicht auf.

Zuerst kam ich, wie besprochen, bei meiner Halbschwester unter, die im Süden von London wohnte. Mein Schwager war nicht begeistert von mir als neuem Mitbewohner. Ich war immer noch der aufmüpfige Teenager, sah aus wie ein *Goth*, benahm mich unmöglich und leistete auch keinen finanziellen Beitrag zum Lebensunterhalt in meiner Gastfamilie.

In Australien war ich als Handyverkäufer in der IT-Branche tätig gewesen, aber in England fand ich keinen guten Job. Kurz nach meiner Ankunft durfte ich mich als Kellner in einer Bar versuchen, aber da passte ich nicht wirklich hinein. Über die Weihnachtsfeiertage 1997 schuftete ich als Vertretung für alle Mitarbeiter, die frei haben wollten. Kaum waren die Feiertage um, wurde ich entlassen. Das war schon schlimm genug, aber der Chef beschuldigte mich in einem Brief ans Arbeitsamt auch noch, selbst gekündigt zu haben. Das hatte zur Folge, dass ich kein Anrecht auf Arbeitslosengeld hatte, was mir als geborenem Engländer sonst zugestanden hätte.

Nach diesem Rauswurf war ich im Haus meines Schwagers gar nicht mehr willkommen; er und meine Halbschwester setzten mich einfach vor die Tür. Ich hatte zwar noch Kontakt zu meinem Vater, aber als Übergangslösung für mein Wohnungsproblem kam er nicht in Frage. Obwohl wir uns ein paar Mal getroffen hatten, waren wir uns fremd. Ich konnte mir nicht vorstellen, mit ihm unter einem Dach zu wohnen. Also zog ich von einem Bekannten zum nächsten. Ich schlief auf Sofas, Matratzen und Fußböden. Meinen Schlafsack hatte ich immer dabei und zog wie ein Nomade durch fremde Wohnungen und Häuser. Als mir zuletzt auch die Fußböden von Bekannten ausgingen, blieben mir nur noch die Straßen von London. Ich hatte nicht bemerkt, dass ich mich bereits im Sturzflug befand. Erst als ich auf der Straße aufschlug, stand ich fassungslos vor den Scherben meiner Träume.

Das Leben auf der Straße raubt dir deine Würde, deine Persönlichkeit und ... eigentlich alles. Du existierst nicht mehr, für nichts und niemanden. Als Obdachloser bist du unsichtbar für deine Mitmenschen. Das fand ich am schlimmsten. Niemand will etwas mit einem Penner zu tun haben. Wenn du auf der Straße landest, hast du keinen einzigen Freund mehr auf der Welt. Trotzdem habe ich es in dieser Zeit einmal geschafft, einen Job als Küchenhilfe zu ergattern. Sie waren zufrieden mit meiner Arbeit, aber als herauskam, dass ich keine Adresse angeben konnte, wurde ich gefeuert. Als Obdachloser kannst du dich auch nicht wehren.

Meine letzte Rettung wäre die Rückkehr nach Australien gewesen; immerhin hatte ich ein Rückflugticket. Aber zwei Wochen vor dem Abflug verlor ich meinen Pass. Ich hatte keine Papiere mehr und kein Geld für neue. Damit hatte sich meine Hoffnung auf eine Rückkehr zu meiner Familie in Australien in Luft aufgelöst. Sie verschwand in den grauen Nebelschwaden Londons, genau wie ich.

An die Zeit danach erinnere ich mich nur noch schemenhaft. Ich habe mich mit Alkohol und Drogen betäubt und irgendwie mit Kleinkriminalität über Wasser gehalten. Heroin wurde mein vermeintlicher Lebensretter.

Zuerst nahm ich es, um nachts auf der Straße schlafen zu können. Es vertrieb die Einsamkeit und die Kälte. Es nahm mich mit an einen besseren Ort. Aber leider hat es mir auch die Seele geraubt. 1998 war ich süchtig. Wahrscheinlich bin ich mehrmals nur knapp dem Tod entronnen, aber um die Wahrheit zu sagen, ich war immer so weggetreten, dass mir selbst das nicht aufgefallen wäre.

In all diesen schrecklichen Tagen, Wochen und Monaten habe ich nie daran gedacht, mich bei meiner Familie zu melden oder sie gar um Hilfe zu bitten. Ich war verschwunden, und es kümmerte mich einen Dreck. Jegliche Energie, die ich noch aufbringen konnte, steckte ich in den täglichen Kampf ums nackte Überleben. Heute kann ich nachvollziehen, was ich meiner Familie durch mein Verschwinden angetan habe. Meine Mutter wäre fast durchgedreht. Sie hatte mich als vermisst gemeldet.

Einen kleinen Eindruck von dem Schmerz, den ich meiner Familie zugefügt hatte, bekam ich, als ich etwa neun Monate nach meinem Verschwinden bei meinem Vater anrief. Seit meiner Ankunft in London war ein Jahr vergangen, und es war kurz vor Weihnachten. Seine Frau – meine Stiefmutter – war am Apparat. Zuerst wollte er gar nicht mit mir reden und ließ mich minutenlang warten. Als er sich so weit gefangen hatte, dass er den Hörer in die Hand nehmen konnte, schleuderte er mir seine ganze aufgestaute Wut entgegen: »Wo warst du denn, verdammt noch mal? Wir sind alle ganz krank vor Sorge!«, brüllte er ins Telefon. Ich versuchte ihn mit fadenscheinigen Ausreden zu beruhigen, aber er schnauzte mich weiter an.

So erfuhr ich von den verzweifelten Anrufen meiner Mutter, die von ihm wissen wollte, wo ich abgeblieben war, und damit wurde mir klar, was ich angerichtet hatte. Denn meine Mutter hatte seit der Scheidung eigentlich keinen Kontakt mehr zu meinem Vater. Fünf Minuten wütete er so weiter und knallte mir endlose Vorwürfe um die Ohren. Damals habe ich nicht einmal begriffen, dass sein Ausbruch eine Mischung aus Wut und Erleichterung war. Er hatte mich für tot gehalten, und in gewisser Weise war ich das ja auch gewesen.

Nach etwa einem Jahr auf der Straße sammelte mich eine Hilfsorganisation für Obdachlose auf. Sie schoben mich von einer Notunterkunft in die nächste. Eine davon hieß »Connections« und lag in der Nähe der St. Martin's Lane. Als Obdachloser war ich oft an diesem Haus vorbeigegangen, wenn ich nachts auf dem Markt nebenan untergekrochen war.

Schließlich wurde mein Name auf eine Notfallliste gesetzt. Auf diese Weise sollte ich schneller an eine freie Sozialwohnung kommen. Aber bis ich tatsächlich eine bekam, dauerte es fast zehn Jahre, die ich in zahllosen heruntergekommenen Herbergen und Frühstückspensionen verbrachte, auf engstem Raum mit Heroin- und Cracksüchtigen, die alles stahlen, was nicht festgenagelt war. Irgendwann hatte ich nichts mehr außer der Kleidung, die ich am Leib trug. Daraus habe ich gelernt, meine wichtigsten Habseligkeiten nachts immer am Körper zu verstecken. Es gab nur noch einen einzigen klaren Gedanken in dieser Zeit: Überleben!

Die Verzweiflung über meine schier aussichtslose Situation zerrte mich immer tiefer in den Drogensumpf. Mit fünfundzwanzig war ich so am Ende, dass mir eine Entziehungskur aufgezwungen wurde. Nach etwa zwei Monaten wurde ich aus der Klinik entlassen und an ein ambulantes Drogenrehabilitationszentrum weitergereicht. Für eine Weile waren der tägliche Gang zur Apotheke und die Busfahrt zwei Mal im Monat zur Drogenambulanz in Camden mein Lebensinhalt. Ich funktionierte wie auf Knopfdruck, stand morgens auf und erledigte meine Termine wie ein ferngesteuerter Roboter. Die Tage verstrichen wie in Trance; ich stand weiterhin komplett neben mir.

In der Drogenambulanz wurde ich psychotherapeutisch betreut. Endlos redete ich über meine Sucht. Wie alles angefangen hatte – und wie ich endlich davon loskommen würde.

Gründe und Ausreden für Drogensucht gibt es viele, aber ich weiß genau, was mich da hineingezogen hat. Es war die verdammte Einsamkeit. Heroin betäubt das hässliche Gefühl von Isolation. Es ließ mich vergessen, dass ich in diesem Land weder Familie noch Freunde hatte. Ich fühlte mich so allein. Auch wenn das für andere seltsam und unglaubwürdig klingen mag, aber das Heroin war mein einziger Freund.

Allerdings war mir auch bewusst, dass es mich umbringen würde. Deshalb habe ich mich letztendlich auf die Langzeittherapie mit Methadon eingelassen. Es ist die Ersatzdroge, die Morphium- und Heroin-Abhängigen den Entzug ermöglicht. Nach meinem Therapieplan sollte ich bis 2007 auch so weit sein, dass ich das Methadon absetzen könnte.

Ein wichtiger Schritt in die neue Unabhängigkeit war der Einzug in meine erste eigene Wohnung. Sie lag in einem unauffälligen Mietshaus in Tottenham, in dem ganz normale Singles und Familien wohnten. Ich war sicher, hier würde ich es endlich schaffen, mein Leben in dem Griff zu bekommen.

Ich wollte unbedingt einen Teil meines Lebensunterhaltes selbst aufbringen und fing an, in Covent Garden Straßenmusik zu machen. Viel brachte das zwar nicht ein, aber es reichte für meinen Bedarf an Lebensmitteln sowie für Gas und Strom. Vor allem aber war es eine tägliche Aufgabe für mich, die es zu bewältigen galt. Mein selbst geschaffener Job half mir, auf dem rechten Weg zu bleiben.

Es war meine letzte Chance, die Kurve zu kriegen. Diesmal musste es klappen. Wäre ich eine Katze gewesen, dann hätte ich bereits acht Leben verbraucht.

3
Die Kastration

Die Medikamente wirkten Wunder, und Bob blühte förmlich auf. Nach etwa zehn Tagen war seine Beinverletzung so gut wie verheilt, sein stumpfes, sprödes Fell war dichter und samtweich geworden. Er selbst wirkte rundum glücklicher. Seine Augen strahlten keck in diesem satten Gelbgrün, wie ich es noch nie bei einer Katze gesehen hatte.

Er war so gut wie gesund, und der beste Beweis dafür waren seine wilden Spielattacken. Zwar hatte er seine verrückten fünf Minuten von Anfang an mehrmals täglich ausgelebt, aber in den letzten beiden Tagen war er nur noch wild und übermütig. Ich hätte das nicht für möglich gehalten. Es gab Momente, da sprang und rannte er durch die Wohnung wie ein Irrer. Dabei hieb er seine ausgefahrenen Krallen in alles, was ihm unterkam. Auch ich wurde nicht verschont.

Meine Second-Hand-Möbel hatten allesamt schon unter seinem Übermut gelitten. Überall Kratzspuren; meine Hände und Arme sahen ähnlich mitgenommen aus. Aber ich nahm es ihm nicht übel, denn für ihn war alles nur ein Spiel ohne böse Absicht.

Bevorzugtes Opfer seiner Überfälle war die Küche. Er attackierte die Schranktüren wie ein Berserker, angetrieben von der Gier nach verbotenen Leckerbissen. Mir blieb nichts anderes übrig, als ein paar billige Kindersicherungen aus Plastik zu kaufen, um seine Einbrüche zu unterbinden.

Sein Spieltrieb war unersättlich. Ich durfte nichts herumliegen lassen, das ihm auch nur im Entferntesten zur Unterhaltung dienen konnte. Schuhe, Kleidung – alles war innerhalb von Sekunden zerkratzt oder gar zerfetzt.

Natürlich wusste ich, was mit ihm los war. Ich durfte die Anzeichen nicht länger ignorieren: junger Kater mit überschäumendem Testosteronspiegel. Der kleine Schnitt war überfällig. Zwei Tage vor Beendigung seiner Tablettenkur rief ich die Abbey-Tierklinik in der Dalston Lane an, um einen Termin für ihn zu vereinbaren.

Die Vor- und Nachteile dieses Eingriffes waren mir bekannt. Es tat mir wirklich leid für Bob, aber aus meiner Sicht der Dinge überwogen eindeutig die Vorteile. Dürfte er seine Männlichkeit behalten, würde er von seinen Hormonen gesteuert und wie von Sinnen weite Strecken zurücklegen, nur um empfängnisbereite Weibchen zu suchen. Er würde für Tage oder gar Wochen verschwinden. Die Wahrscheinlichkeit, in diesem Ausnahmezustand überfahren zu werden oder sich blutrünstige Kämpfe mit anderen Katern zu liefern, war hoch. Die Verletzung, die wir gerade auskurierten, war möglicherweise auch aus einem solchen Paarungsdrang entstanden. Männliche Streuner verteidigen ihr Revier bis auf die letzte Kralle. Sie markieren ihr Gebiet mit einem für uns übel riechenden Sekret, das Fremdkatzen vertreiben soll. Bob könnte in seinem jugendlichen Leichtsinn ein solches Revier betreten und dafür Prügel bezogen haben. Vielleicht war ich übervorsichtig, aber Bob konnte sich auf einer dieser ausgedehnten Streunertouren auch ansteckende Krankheiten wie FeLV, die Katzenleukose, oder FIV, das Katzen-HIV holen. Ein letzter, aber nicht unwichtiger Punkt, falls Bob bei mir bleiben sollte: Er wäre ein ruhigeres, viel ausgeglicheneres Haustier. Seine Anfälle von Katzen-Irrsinn würden verschwinden und mich und meine Möbel schonen.

Es gab nur einen Punkt, der gegen die Kastration sprach: Es war ganz einfach eine unangenehme Operation.

Kein Grund, länger darüber nachzudenken.

Ich rief die Tierklinik an und sprach mit einer netten Mitarbeiterin. Nachdem ich ihr meine finanzielle Lage erklärt hatte, wollte ich wissen, ob wir dort auch das kostenfreie Kastrationsprogramm in Anspruch nehmen konnten. »Solange er einen Impfpass von einem Tierarzt vorweisen kann, können wir das jederzeit machen«, bestätigte sie mir. Den Impfpass hatte ich bei unserem letzten Besuch in der RSPCA-Ambulanz bekommen.

Jetzt machte ich mir nur noch Sorgen wegen der Medikamente, die er noch einnahm. Aber auch die Antibiotika waren kein Problem. Sie gab uns einen Termin für den übernächsten Tag. »Am besten bringen Sie ihn gleich morgens vorbei. Wenn alles gut geht, können Sie ihn abends wieder abholen«, erklärte sie mir noch.

Am Operationstag stand ich früh auf, weil ich Bob bis spätestens zehn Uhr abliefern sollte. Zum ersten Mal seit unserem Besuch in der Höllenpraxis am Finsbury Park musste ich mit dem Kater eine längere Strecke zurücklegen. Seit damals waren nur die kurzen Gassi-Gänge vor dem Haus erlaubt gewesen, um die Heilung seiner Bisswunde nicht zu gefährden.

Ich verfrachtete ihn also, wie bei unserem letzten Tierarztbesuch, wieder in die ungeliebte grüne Recyclingbox aus Plastik. Das Wetter war scheußlich an diesem Tag, also legte ich den Deckel der Box lose oben drauf, sodass er noch Luft bekam. Natürlich fühlte er sich in diesem provisorischen Tragekorb genauso wenig wohl wie beim letzten Mal. Andauernd verschob er den Deckel und streckte neugierig den Kopf heraus, als hätte er Angst, irgendetwas zu verpassen.

Die Abbey-Tierklinik liegt mitten auf der Dalston Lane,

einer Einkaufsmeile, eingezwängt zwischen einem Zeitungskiosk und einer Arztpraxis. Wir waren früh dran für Bobs Termin, aber auch hier war der Warteraum bereits voll: das übliche Chaos von Tieren und Haltern. Hunde, die ungeduldig an ihren Leinen zogen und die Katzen in ihren schicken Tragekörben anknurrten. Unter all den Salonlöwen und Samtpfötchen fiel Bob in seiner ärmlichen Plastikbox ganz schön aus dem Rahmen. Die Hunde hatten ihn sofort zum kollektiven Feind auserkoren. Auch hier war wieder eine stattliche Anzahl von Bullterriern vertreten, deren Besitzer mich stark an Neandertaler erinnerten. Die meisten Katzen wären in dieser Situation ausgerissen, aber nicht Bob. Auf meiner Schulter fühlte er sich sicher, da war er der König.

Eine junge Operationsschwester rief meinen Namen auf. Sie hatte einen Fragebogen dabei und führte uns in einen Nebenraum. Dort wurden wir routiniert befragt und informiert.

»Diese Operation kann nicht rückgängig gemacht werden. Sind Sie sicher, dass Sie mit Bob auch in Zukunft nicht züchten wollen?«

»Ganz sicher«, bestätigte ich lächelnd und kraulte Bob zwischen den Ohren.

Die nächste Frage konnte ich leider nicht beantworten.

»Wie alt ist er?«

»Oh, das weiß ich nicht«, antwortete ich und schob eine Kurzfassung seiner Geschichte hinterher.

»Hm, lassen Sie mich mal sehen.« Sie erklärte mir, dass man bei unkastrierten Katzen das Alter noch ganz gut feststellen kann. »Katzen und Kater werden mit etwa sechs Monaten geschlechtsreif. Wenn sie in diesem Alter noch nicht kastriert sind, können sich die typischen körperlichen Merkmale ihrer Rasse noch ausprägen. Die männlichen Tiere bekommen den imposanten, runden Kater-Kopf. Sie werden vor allem an den Backen voller. Ihre Haut wird dicker, und sie werden viel größer als Kater, die schon früh unters Messer kommen. Er hier ist noch nicht ganz ausgewachsen, ich schätze, er ist etwa neun oder zehn Monate alt«, informierte sie mich.

Als sie mir die OP-Formulare aushändigte, machte sie mich darauf aufmerksam, dass es ein minimales Risiko für Komplikationen gäbe, auf das sie mich hinweisen müsse. »Wir werden ihn vorher auf jeden Fall gründlich untersuchen, gegebenenfalls machen wir auch einen Bluttest, bevor wir mit der Operation beginnen«, erklärte sie mir. »Falls es ein Problem geben sollte, werden wir sie anrufen.« Mein verschämtes »Okay« schnürte mir fast die Kehle zu. Ich hatte kein Guthaben auf meinem Handy; sie würden mich im Ernstfall nicht erreichen können.

Aber sie redete bereits weiter und erklärte mir die Operation: »Es ist ein Routineeingriff unter Vollnarkose. Durch zwei kleine Schnitte in den Hodensack werden die Hoden entfernt.«

»Autsch, Bob!«, entfuhr es mir. Unwillkürlich drückte ich ihn etwas näher an mich und kraulte ihn aufmunternd unter dem Kinn.

»Wenn alles gut geht, können Sie Bob in sechs Stunden wieder abholen«, informierte sie mich und sah auf ihre Uhr. »So um halb fünf, geht das?«

»Ja, klar!«, nickte ich zustimmend. »Vielen Dank und bis dann!«, verabschiedete ich mich von ihr. Bob bekam noch eine letzte beruhigende Umarmung. »Bis bald, mein Großer!«

Dann stand ich draußen. Der Himmel war bewölkt und grau. Es sah nach Regen aus.

Um in die Innenstadt zu fahren, reichte die Zeit nicht aus. Bis ich alles ausgepackt und ein paar Songs gesungen hätte, wäre es Zeit, wieder umzukehren. Also entschied ich mich, mein Glück an der nächsten U-Bahn-Station zu versuchen. Dalston Kingsland war nicht gerade der beste Standort, aber ein paar Pfund würde ich schon verdienen. Außerdem konnte ich mir damit die lange Wartezeit verkürzen. Gleich neben der Haltestelle war ein netter Schuster. Bei ihm würde ich Unterschlupf finden, falls es regnen sollte.

Ich versuchte, mich auf meine Musik zu konzentrieren und die Gedanken an Bob auszublenden. Ich wollte nicht daran denken, wie er auf dem Operationstisch lag. Da er zumindest vorübergehend auf der Straße gelebt hatte, könnte er alle möglichen Krankheiten haben. Ich kannte so viele Geschichten von Katzen und Hunden, die für kleinere Eingriffe betäubt worden waren und nicht mehr aufgewacht sind. Ich tat mein Möglichstes, keine Horrorszenarien in meinem Kopf zuzulassen. Die schwarzen Wolken am Himmel waren dabei nicht gerade hilfreich.

Die Zeit verging sehr, sehr langsam an diesem Tag. Als es endlich Viertel nach vier war, packte ich schnell meine Gitarre ein und machte mich auf den Rückweg. Die letzten Meter zur Klinik legte ich im Laufschritt zurück.

Die gleiche Tierarzthelferin, die mich morgens befragt hatte, stand an der Rezeption und unterhielt sich mit einer Kollegin. Sie begrüßte mich mit einem freundlichen Lächeln.

»Und? Wie geht es ihm? Hat er alles gut überstanden?«, keuchte ich, noch ganz außer Atem von meinem Sprint.

»Es geht ihm gut, keine Sorge!«, beruhigte sie mich. »Sobald Sie wieder Luft kriegen, bringe ich Sie zu ihm.«

In dem Moment konnte ich gar nicht auf ihren Scherz eingehen, denn irgendetwas schnürte mir die Kehle zu. Seit Jahren war ich nicht mehr so besorgt gewesen wie heute. Zum Glück führte mich die nette Assistentin ohne weitere Umschweife in einen der Beobachtungsräume der Klinik. Bob lag noch völlig weggetreten in einem sauberen, warmen Käfig.

»Hallo Bob, wie geht's dir denn?«, sprach ich ihn an.

Keine Reaktion. Ich setzte mich auf einen Stuhl und wartete. Der Geruch des frisch operierten Katers raubte mir fast den Atem.

Es dauerte noch eine Weile, bis er den Kopf heben konnte und mich erkannte. Er kam nur langsam zu sich. Irgendwann richtete er sich schwankend auf und tappte mit seinen Krallen kraftlos gegen die Gitterstäbe des Käfigs, als wollte er sagen: »Lass mich hier raus!«

Während die Assistentin ihn nochmals gründlich untersuchte, unterschrieb ich seine Entlassungspapiere. Sie überprüfte, ob er schon fit genug war, um die Klinik zu verlassen.

Sie war wirklich nett und sehr hilfsbereit, ganz anders als die Mitarbeiter in der Tierambulanz. Sie zeigte mir die Mini-Schnitte an Bobs Hinterteil. »Die beiden Stellen werden noch ein paar Tage geschwollen sein, aber das ist ganz normal«, versicherte sie mir. »Bitte sehen Sie hin und wieder nach, ob alles schön trocken bleibt und verheilt. Sollte Sekret austreten oder Ihnen sonst etwas Ungewöhnliches auffallen, bitte anrufen oder gleich mit ihm herkommen. Aber das wird nicht passieren, er ist ein ganz robuster Junge.«

»Wie lange wird es dauern, bis er sich ganz erholt hat?«, wollte ich wissen.

»Es kann schon ein paar Tage dauern, bis er wieder ganz der Alte ist. Das hängt von seiner Konstitution ab. Manche Katzen sind gleich wieder fit, andere sind ein paar Tage völlig apathisch. Aber nach achtundvierzig Stunden haben sich die meisten wieder berappelt«, spulte sie gut gelaunt ihren oft wiederholten Text ab. »Wahrscheinlich wird er morgen noch nicht viel fressen, aber länger lässt der Appetit meist nicht auf sich warten. Sollte er aber schläfrig und träge bleiben, bringen Sie ihn bitte wieder her. Es kommt zwar selten vor, aber manchmal können nach der Operation Infektionen auftreten.« Sie war wirklich sehr fürsorglich.

Ich holte die Recycling-Kiste hervor und wollte Bob hineinheben, aber sie bat mich, noch einen Moment zu warten. Sie verließ den Raum und kehrte mit einem wunderschönen, himmelblauen Tragekorb zurück. »Oh, der gehört uns nicht!«, wehrte ich ab.

»Den können Sie gerne mitnehmen, wir haben so viele davon. Es reicht, wenn Sie ihn irgendwann zurückbringen, wenn Sie in der Gegend sind.«

»Ehrlich?«, fragte ich verblüfft. War er vergessen worden? Oder hatte jemand seine Katze hierhergebracht, aber nicht mehr mit nach Hause nehmen können? Lieber nicht darüber nachdenken.

Die Operation hatte Bob sehr geschwächt. Auf dem Rückweg lag er matt und teilnahmslos in seinem Korb. Zu Hause angekommen, wankte er, obwohl ihm seine Beine noch nicht wirklich gehorchen wollten, ungeschickt zur Heizung und ließ sich dort schwerfällig auf seinen Lieblingsplatz plumpsen. Bis zum nächsten Morgen rührte er sich nicht mehr vom Fleck. Er hielt seinen Genesungsschlaf.

Am nächsten Tag ging ich nicht zur Arbeit. Der Tierarzt hatte empfohlen, ihn die nächsten vierundzwanzig bis achtundvierzig Stunden nicht allein zu lassen, für den Fall, dass Nebenwirkungen oder sonstige Probleme auftauchten. Besonders auf länger anhaltende Benommenheit sollte ich achten, das wäre ein schlechtes Zeichen. Es war Freitag, und eigentlich brauchten wir noch ein bisschen Geld für den Wochenend-Einkauf. Aber ich hätte es mir nie verziehen, wenn in meiner Abwesenheit etwas passiert wäre. Also blieb ich zu Hause und spielte Bob-Sitter rund um die Uhr.

Zum Glück gab es keine Komplikationen. Schon am nächsten Morgen wirkte er etwas munterer als am Vortag, er fraß sogar ein paar Happen, wenn auch ganz langsam und ohne rechten Appetit. Wie es die Tierarzthelferin vorhergesagt hatte, fiel er nicht über sein Futter her wie sonst. Langsam, fast bedächtig kaute er an seinem Lieblingsfutter herum und schaffte immerhin die Hälfte seiner normalen Portion. Das war doch ein gutes Zeichen. Danach machte er einen vorsichtigen, etwas steif wirkenden Spaziergang durch die Wohnung. Von Spaß und Übermut war er noch meilenweit entfernt.

Nach dem Wochenende ging es ihm aber schon wieder prächtig. Nur drei Tage nach der OP war er wieder genauso verfressen wie zuvor. Nur noch gelegentlich spürte er einen kurzen Schmerz. Dann blinzelte er überrascht oder hielt kurz in einer Bewegung inne, aber das war kein Grund zur Besorgnis.

Er würde weiterhin seine verrückten fünf Minuten und die wilden Spielattacken ausleben. Aber ich war sicher, ich hatte das Richtige getan.

4
Freifahrschein

Die zwei Wochen waren um, und ich musste mich mit dem Gedanken anfreunden, Bob freizulassen. Schwach und verletzt war er von der Straße in unser Mietshaus geflüchtet, aber jetzt war er wieder stark und gesund. Er hatte auch ganz schön zugenommen. Bestimmt hatte er schon Sehnsucht nach seinem alten Leben. Und nach seiner Freiheit.

Als er keine Tabletten mehr brauchte und auch die Kastration gut überstanden war, wartete ich noch zwei Tage. Am dritten Morgen nahm ich Bob mit nach draußen. Ich führte ihn vorbei an seinem Freiluft-Kistchen bis zur Umzäunung unseres Innenhofes. Vor dem Tor drehte ich ihn mit dem Gesicht zur Straße.

Aber anstatt freudig loszulaufen, blieb er wie angewurzelt stehen und bewegte sich nicht vom Fleck. Seine Körperhaltung drückte pures Unbehagen aus. Der verdatterte Blick, den er mir zuwarf, war fast anklagend: »Was willst du von mir?«

»Du kannst gehen! Geh nur! Geh!«, ermunterte ich ihn und wedelte aufmunternd mit erhobenen Armen Richtung »Freiheit«.

Aber Bob reagierte nicht.

Einen Moment lang starrten wir uns ratlos an. Dann drehte sich Bob um und zockelte gemächlich zurück auf die Wiese vor unserem Haus. Ich beobachtete ihn, wie er sich über die Grünfläche zu seinen Büschen trollte. Dort grub er ganz entspannt ein Loch, verrichtete sein Geschäftchen und deckte dann alles, penibel wie immer, mit Erde zu. Dann tänzelte er geschmeidigen Schrittes zu mir zurück.

Zufrieden und erwartungsvoll studierte er meine Reaktion, als wollte er sagen: »Okay, ich habe getan, was du wolltest. Und jetzt?«

In dem Moment dämmerte es mir. »Du willst also noch bleiben«, übersetzte ich sein Benehmen. Ein warmes Gefühl von Freude durchflutete mich. Ich war erleichtert, denn ich hatte ihn wirklich gern um mich. Bob hatte so viel Charme und Ausstrahlung! Dabei war mir klar, dass ich es eigentlich nicht zulassen durfte. Es war schwierig genug, für mich selbst zu sorgen. Ich war immer noch mitten im Drogenentzug, und das würde sich in nächster Zeit auch nicht ändern. Wie sollte ich mich dauerhaft um eine Katze kümmern? Auch wenn sie noch so intelligent und selbstbestimmt war wie Bob – es war für uns beide keine faire Lösung.

Schweren Herzens nahm ich mir vor, ihn langsam zu vertreiben. Ab sofort durfte er nicht mehr zu Hause bleiben, wenn ich morgens zur Arbeit fuhr. Ich nahm ihn mit auf die Grünfläche vor unserem Haus und überließ ihn dort sich selbst. Ich musste hart bleiben – aus Liebe zu ihm.

Aber das neue Spiel passte ihm gar nicht. Beim ersten Mal warf er mir einen vernichtenden Blick zu: »Verräter!«, sollte das wohl heißen. Als ich mit meiner Gitarre über der Schulter loszog, verfolgte er mich. Wie ein Geheimagent huschte er auf dem Bürgersteig hinter mir von einem Versteck zum nächsten. Er wollte nicht gesehen werden, tauchte auf und ab, pendelte in Zickzacklinien hin und her, aber sein leuchtend rotes Fell machte ihm einen Strich durch die Rechnung.

Jedes Mal, wenn ich ihn entdeckte, blieb ich stehen und ruderte abweisend mit den Armen, um ihn zur Umkehr zu bewegen. Er gehorchte kurzzeitig, aber nicht, ohne mein ohnehin schon schlechtes Gewissen mit seinen vorwurfsvollen Blicken noch mehr zu schüren. Irgendwann gab er auf und war wirklich verschwunden.

Als ich nach etwa sechs Stunden wiederkam, wartete er schon vor dem Hauseingang auf mich. Mein Verstand verbot mir, ihn mitzunehmen, aber mein Herz setzte sich durch. Mein Wunsch, ihn bei mir zu haben, war zu stark. Es tat einfach gut, ihn nachts als friedliches Pelzknäuel am Fußende meines Bettes zu spüren.

In den darauffolgenden Tagen wurde dieses Spiel zur neuen Gewohnheit. Jeden Morgen setzte ich ihn vor die Tür, und jeden Abend, wenn ich vom Musikmachen zurückkam, wartete er bereits auf mich. Entweder hielt er sich in einer Seitengasse kurz vor dem Haus auf oder – wenn er tagsüber Einlass gefunden hatte – er saß auf der Fußmatte vor meiner Wohnungstür. Offensichtlich wollte Bob nicht zurück in sein altes Leben.

Ich musste härtere Geschütze auffahren und ihn nachts draußen lassen. Am ersten Abend trieb er sich gerade bei den Mülleimern herum. Es war ziemlich albern von mir, zu glauben, ich könnte ins Haus gelangen, ohne von ihm entdeckt zu werden. Er war eine Katze! Er hatte mehr Sensoren in einem seiner Schnurrbarthaare als ich im ganzen Körper. Kaum hatte ich ultra-leise die Haustür geöffnet, da hatte er sich auch schon an mir vorbei ins Haus gequetscht. Ich blieb hart und ließ ihn auf dem Flur zurück. Aber als ich am nächsten Morgen meine Wohnungstür öffnete, war er immer noch da. Er hatte auf der Fußmatte geschlafen.

Schon bald hatte er auch dieses Spiel voll im Griff. Wann immer ich ausging, war Bob da, entweder im Hausflur oder draußen vor dem Haus. Irgendwie schaffte er es jeden Abend, ins Haus zu gelangen.

Es dauerte nicht lange, bis er der Meinung war, diese Schlacht gewonnen zu haben. Und ich hatte das nächste Problem am Hals: Bob fing an, mir bis zur Hauptstraße nachzulaufen.

Beim ersten Mal kam er nur bis zur Kreuzung mit und kehrte um, als ich ihn verscheuchte. Am nächsten Tag verfolgte er mich bis zu der stark befahrenen Straße, die zur Tottenham High Road führte. Dort hielt der Bus nach Covent Garden.

Wieder einmal hatte er es geschafft, mich in eine Zwickmühle zu bringen. Einerseits bewunderte ich seine Hartnäckigkeit und unerschütterliche Ausdauer. Aber ich war auch stinksauer, weil er sich einfach nicht abschütteln ließ.

Jeden Tag verfolgte er mich ein Stück weiter. Er wurde immer dreister. Ich hoffte, dass er eines Tages, wenn ich ihn abgehängt hätte, einfach weiterlaufen würde, um ein neues und besseres Zuhause zu finden. Aber jeden Abend, wenn ich heimkam, wartete er schon auf mich.

So konnte es nicht weitergehen. Aber was sollte ich tun? Während ich noch darüber nachdachte, setzte Bob sich durch.

Wie jeden Tag machte ich mich morgens fertig für die Arbeit. Ich packte meine schwarze Akustik-Gitarre mit den roten Ornamenten am Rand in ihre Tasche, schulterte sie zusammen mit meinem Rucksack und nahm den Lift nach unten. Bob saß in einer Seitenstraße und begrüßte mich sofort. Mit viel Aufwand verbot ich ihm die Verfolgung. »Bleib hier, du kannst nicht mitkommen!«, schärfte ich ihm ein.

Wie ein geprügelter Hund schlich er davon. Auf dem Weg zum Bus sah ich mich immer wieder um, konnte aber weit und breit keine Spur eines roten Schwanzspitzchens entdecken. Ich hoffte, es hätte endlich klick gemacht in seinem kleinen Katzenhirn.

Um zur Busstation zu gelangen, musste ich die Tottenham High Road überqueren, eine der befahrensten Hauptverkehrsstraßen im Norden von London. Wie immer wälzten sich Schlangen von ungeduldigen Autos, Lkws und Motorrädern durch den morgendlichen Berufsverkehr. Ich stand am Straßenrand und hielt angestrengt Ausschau nach einer Lücke, die ich nutzen konnte, um auf die andere Seite zu gelangen. Der Bus war schon zu sehen. Er quälte sich mühsam zwischen den schnittigen, flinken Autos vorwärts. Plötzlich fühlte ich eine nur zu vertraute Reibung an meinen Beinen. Mein Blick wanderte ungläubig nach unten. Es war Bob! Erschrocken erkannte ich, dass er genauso konzentriert wie ich nach einer Verkehrslücke suchte, um diese Todeszone für Katzen zu durchqueren. »Verdammt, was machst du denn hier?«, brüllte ich gegen den Verkehr an. Sein verächtlicher Blick sprach Bände. Wie konnte ich nur so dumm fragen.

Er ignorierte mich, fest entschlossen, es mir gleich zu tun und diese Straße zu überqueren. Dazu trippelte er vorsichtig noch weiter an den Rand des sicheren Bürgersteiges und spähte mit Argusaugen ins Verkehrsgewühl. Er war »auf dem Sprung«. Das konnte ich nun wirklich nicht zulassen. Diese Straße zu überqueren war nur etwas für Katzen mit Selbstmordgelüsten. Also packte ich ihn und setzte ihn mir auf die Schulter, wo er sich seit jeher sicher und wohlfühlte. Sofort kuschelte er sich zufrieden in meine Halsbeuge, während ich mich innerlich fluchend durch die Blechlawine auf die andere Straßenseite schlängelte.

»Okay, Bob, bis hierher und nicht weiter!«, beschwor ich ihn, während ich ihn von meiner Schulter holte. Ich setzte ihn auf den Gehweg und jagte ihn fort. Beleidigt verschwand er in der Menschenmenge. Er war jetzt ziemlich weit weg von meiner Wohnung. Vielleicht habe ich ihn heute zum letzten Mal gesehen, dachte ich noch.

Dann kam der Bus, und ich stieg vorne ein. Es war einer dieser alten roten Doppeldecker, bei denen man auch hinten aufspringen kann. Ich lief durch den Bus bis zur letzten Reihe, verstaute meine Gitarre im Gepäcknetz und wollte mich gerade hinsetzen, als ich ganz kurz etwas Rotes aufblitzen sah. Noch bevor ich Luft holen konnte, war Bob auf den freien Sitz neben mir gesprungen und hatte sich wie selbstverständlich dort ausgestreckt.

Fassungslos starrte ich ihn an und blickte dabei der Wahrheit ins Auge: *Diese Katze werde ich nie wieder los.* Als hätte Bob eine Sperre in meinem Kopf gelöst, konnte ich mir endlich eingestehen, dass er aus meinem Leben nicht mehr wegzudenken war.

Ich klopfte mit der Hand einladend auf meinen Oberschenkel, und Bob kletterte sofort auf meinen Schoß. Als die Schaffnerin kam, lächelte sie zuerst Bob an und dann auch mich. Sie war eine fröhliche Frau aus der Karibik.

»Ist das Ihre Katze?«, fragte sie, während sie Bob streichelte.

»Ich glaube, ja«, erwiderte ich und konnte mir ein Grinsen nicht verkneifen.

5
Im Mittelpunkt

In der nächsten Dreiviertelstunde drückte sich Bob das Näschen am Busfenster platt und beobachtete fasziniert, wie Busse, Fahrräder, Lastwagen und Fußgänger an uns vorbeiflogen. Bestimmt ein ungewöhnliches Schauspiel für eine Katze, aber Bob blieb cool wie immer.

Nur das hysterische Sirenengeheul von Polizei, Feuerwehr oder Krankenwagen war ihm unheimlich. Wenn ein solcher Wagen dem Bus und damit auch den empfindlichen Ohren des Katers zu nahe kam, riss er sich schleunigst vom Fenster los und drückte sich so lange schutzsuchend an mich, bis der laute Störenfried im Verkehrsgewühl wieder untergetaucht war. Für einen Londoner Straßenkater war Bobs Benehmen allerdings merkwürdig. Er musste die aufdringlichen Geräusche unserer Notdienste doch längst gewöhnt sein. Und schon grübelte ich wieder darüber nach, wie dieser seltsame Kater vor unserer Begegnung wohl gelebt haben könnte.

»Keine Angst, Bob!«, flüsterte ich und streichelte ihm beruhigend über den Rücken. »So klingt es immer im Zentrum von London. Daran musst du dich gewöhnen.«

Es war schon seltsam. Dieser Straßenkater war mir nichts schuldig. Ich hatte alles versucht, ihm das klarzumachen. In den letzten Wochen hätte er jederzeit verschwinden können. Aber jetzt war es an der Zeit, Bobs Entscheidung zu akzeptieren: Er war in mein Leben getreten, um zu bleiben. Ich hatte das Gefühl, dass wir diese Busfahrt noch sehr oft gemeinsam machen würden.

An der U-Bahn-Station Court Road mussten wir raus. Heute schulterte ich nicht nur Gitarre und Rucksack, als die Ausstiegsstelle näher kam, sondern nahm auch noch Bob auf den Arm. Auf dem Gehweg fischte ich in meinen Manteltaschen nach den Schuhbändern, die ich früher schon als Leine für ihn benutzt hatte. Sie waren noch da. Bob bekam die Behelfsleine umgebunden, denn es war zu gefährlich, ihn an dieser belebten Kreuzung von Tottenham Court Road und Oxford Street frei laufen zu lassen. Die Menschenmassen von Touristen, Leuten auf Shoppingtour und anderen, die ihrem Tagesgeschäft nachgingen, war Bob schließlich nicht gewöhnt. In diesem Getümmel hätte ich ihn leicht verlieren können. Im schlimmsten Fall wäre er noch von einem Bus oder Taxi überfahren worden.

Tatsächlich wirkte er nun doch etwas eingeschüchtert. Ein fremdes Revier, viele vorbeihastende Beine und keinerlei schützende Zufluchtsstellen in Sicht – zumindest nahm ich an, dass er so etwas dachte. Ich bahnte uns einen Weg durch die Menge. Seine Anspannung war deutlich zu erkennen, weil er ständig hilfesuchend zu mir aufsah. Es wurde Zeit, aus dem Gewühl zu verschwinden. Ich wollte über die ruhigeren Nebenstraßen nach Covent Garden. »Na, Bob, dann wollen wir mal abbiegen!«, versuchte ich ihn aufzumuntern.

Aber es half nichts, er fühlte sich weiterhin unbehaglich. Er lief zwar ohne Bocken und Zerren neben mir her, aber ich konnte die flehenden Blicke, die er mir dauernd zuwarf, nicht länger ertragen. Er wollte auf meine Schulter. »Okay, aber lass das nicht zur Gewohnheit werden!«, gab ich nach. Ich setzte ihn auf meine Schulter, wie beim Überqueren der Tottenham High Road. Schnell fand er eine bequeme Position: Hinterteil und Hinterpfoten auf meinem rechten Schulterblatt, seine linke Körperseite wärmte meine Halsbeuge, und mit den Vorderpfoten stützte er sich auf meinem rechten Oberarm ab. Von vorne sah er aus wie ein Späher im Aussichtskorb eines Piratenschiffes. Ich verbiss mir ein Lachen, weil ich mir vorkam wie Long John Silver. Nur hatte ich statt einem Papagei einen Kater auf der Schulter.

Sofort fühlte sich Bob wieder stark und sicher. Ich spürte sein leichtes Schnurren an meinem Hals, während ich weiter Richtung Covent Garden marschierte.

Hier in den Nebenstraßen waren nicht so viele Menschen unterwegs, und mit der Zeit vergaß ich vollkommen, dass Bob auf meiner Schulter saß. Mit den Gedanken war ich bereits bei der Arbeit und ging die üblichen Fragen durch: Würde es das Wetter zulassen, mindestens fünf Stunden zu spielen? Wahrscheinlich schon. Der Himmel war zwar bedeckt, aber die Wolken waren weiß und weit weg. Es würde wohl kaum regnen. Auf welches Publikum würde ich heute in Covent Garden treffen? Kurz vor Ostern waren schon viele Touristen in der Stadt. Wie lange würde es heute dauern, die 20 bis 30 Pfund zu verdienen, die mir – und jetzt natürlich auch Bob – reichen würden, um für die nächsten Tage einkaufen zu können? Beim letzten Mal hatte ich dafür fast fünf Stunden lang Gitarre spielen müssen. Mal sehen, vielleicht hatten wir heute Glück, vielleicht auch nicht. So ist das, wenn man sein Geld als Straßenmusiker verdient – man hat kein festes Einkommen und weiß nie, was kommt.

Ich war tief in Gedanken versunken, als mir plötzlich auffiel, dass wir angestarrt wurden. Normalerweise wurde ich nicht beachtet, kein Mensch würdigte mich eines Blickes. Ich war nur einer von vielen Straßenmusikern in London und als solcher immer noch unsichtbar. Ich war ein heruntergekommener Typ, den man meidet und dem man möglichst aus dem Weg geht.

Aber als ich an diesem Nachmittag die Neal Street entlang ging, wurde ich plötzlich wahrgenommen. Jeder, der uns entgegenkam, sah mir direkt ins Gesicht. Oder besser gesagt, die Leute starrten auf Bob.

Zuerst registrierte ich nur ein paar ungläubige und irritierte Blicke. Das konnte ich niemandem übel nehmen. Wir waren schon ein seltsames Paar: Ein großer, langhaariger Typ mit einem roten Kater auf der Schulter. Sogar für London etwas ungewöhnlich.

Aber die meisten Leute reagierten wohlwollend. Bob zauberte ein Lächeln auf die meisten Gesichter der Passanten, die uns entgegenkamen. Es dauerte nicht lange, und wir wurden zum ersten Mal angesprochen.

»Ah, lasst euch ansehen!«, rief eine gut gekleidete Dame mittleren Alters, die uns voll bepackt mit edlen Einkaufstüten entgegenkam. »Der ist aber süß! Darf ich ihn mal streicheln?«

»Aber ja!« Warum sollte ich es nicht erlauben? Eine Streicheleinheit von einer Fremden würde Bob schon nicht schaden, dachte ich.

Sie ließ ihre Tüten fallen und schmiegte ihr Gesicht ganz nahe an Bobs Katerkopf.

»Oh, bist du ein hübscher Kerl!«, schmeichelte sie ihm. »Es ist doch ein Junge, oder?«

Ich brachte ein verdattertes »Ja« heraus, denn so viel Nähe war ich wirklich nicht gewöhnt.

»Wie er da auf Ihrer Schulter sitzt! So brav! So etwas sieht man nicht oft. Der fühlt sich aber wirklich wohl bei Ihnen, nicht wahr?«

Kaum hatte sich die Dame verabschiedet, hielten uns zwei

junge Mädchen auf. Auch sie wollten Bob streicheln. Es waren zwei Teenies aus Schweden, die in London Urlaub machten.

»Wie heißt er denn? Dürfen wir ein Foto machen?«, überhäuften sie mich mit Fragen. Kaum hatte ich genickt, knipsten sie auch schon wild drauflos.

»Er heißt Bob«, gab ich Auskunft.

»Ah, Bob. Cooler Name!«

Wir unterhielten uns noch ein Weilchen. Eine der beiden hatte selbst eine Katze und sogar ein Foto dabei. Nachdem ich es ausgiebig bewundert hatte, entschuldigte ich mich höflich. Die Mädchen hätten Bob sonst noch stundenlang geknuddelt.

Ich wollte die Neal Street entlang Richtung Long Acre. Aber wir kamen nicht weit. Kaum war ein Bewunderer weg, stand schon der nächste vor uns, und der nächste, und der nächste … . Nach jedem Schritt war wieder jemand da, der Bob streicheln und mit ihm reden wollte.

Mein Stolz auf meinen beliebten Freund verflog mit der Erkenntnis, dass wir so unser Ziel nie erreichen würden. Normalerweise brauchte ich zehn Minuten von der Bushaltestelle bis zu meinem Lieblingsplatz in Covent Garden. Jetzt waren wir bereits eine halbe Stunde unterwegs und noch nicht mal in der Nähe des ehemaligen Blumenmarktes.

Erst gegen drei Uhr nachmittags erreichten wir endlich und mit einer geschlagenen Stunde Verspätung die U-Bahn-Station.

Vielen Dank auch, Bob, wetterte ich in Gedanken. Du kostest mich mit deinem Charme ein paar Pfund Tageseinnahme. Aber richtig böse konnte ich mal wieder nicht sein.

Trotzdem war die Lage ernst. Wenn Bob mich jeden Tag so aufhielt, konnte ich ihn nicht mehr mitnehmen, überlegte ich. Aber diesen Vorsatz würde ich ganz schnell wieder aufgeben.

Zu diesem Zeitpunkt war ich bereits seit eineinhalb Jahren in Covent Garden als Straßenmusiker unterwegs, täglich von zwei Uhr nachmittags bis circa acht Uhr abends. Meiner Erfahrung nach war das die beste Zeit, um sowohl Touristen als auch Leute zu treffen, die vom Einkaufen oder von der Arbeit kamen. Am Wochenende fing ich früher an und spielte über die Mittagszeit. Donnerstag, Freitag und Samstag machte ich Spätschicht, denn das waren die Ausgehtage der Londoner.

Ich hatte gelernt, mich nach meinem Publikum zu richten und genau dann und dort zu spielen, wo viele unterwegs waren. Der Gehweg auf der James Street, genau vor dem Ausgang der U-Bahn-Station Covent Garden, war mein Stammplatz. Dort war bis 18.30 Uhr immer viel los. Danach graste ich die Pubs ab, weil die Leute zum Rauchen und Trinken meist vor den Lokalen standen. In den Sommermonaten, wenn sich die Geschäftsleute nach einem harten Arbeitstag bei Bier und Zigaretten in der Abendsonne entspannten, waren sie meist auch in Spendierlaune.

Aber es war nicht alles eitel Sonnenschein. Manche Leute reagierten sehr ungehalten, wenn ich sie ansprach. Pöbeleien wie »Verpiss dich, du Schnorrer!« oder »Such dir einen richtigen Job, du faules ****« waren leider auch an der Tagesordnung. Aber so war das nun mal. Ich hatte mich daran gewöhnt und mir ein dickes Fell zugelegt. Es gab genug Leute, die meine Musik mochten und mir dafür ein Pfund zusteckten.

Meine Auftritte auf der James Street waren leider nicht ganz legal, denn mein Lieblingsplatz lag außerhalb der Zone für Straßenmusiker. Covent Garden war von den Behörden für Straßenkünstler in Kleinkunstviertel aufgeteilt. Die Verwaltung obliegt dem Stadtrat, dessen Mitarbeiter penibel auf die Einhaltung dieser Einteilung achten. Wir nennen diese Leute »Covent Guardians«, die Wächter von Covent Garden.

Der Platz, auf dem ich offiziell spielen durfte, lag im Osten des Viertels, in der Nähe des *Royal Opera House* und der Bow Street. Für die Covent Guardians ist das der Bereich für die Straßenmusiker. Die Westseite von Covent Garden war den Straßenkünstlern zugesprochen worden. Aber die Jongleure und Alleinunterhalter bevorzugten den Platz vor dem *Punch and Judy*, einem Pub mit ziemlich grobem Publikum, das sich aber gern unterhalten ließ.

In der James Street, wo ich am liebsten spielte, sollten eigentlich nur die menschlichen Statuen ihrem Erwerb nachgehen. Es gab einen Charlie Chaplin, der echt was drauf hatte, aber er war sehr selten da. Meist war sein Platz leer und nach meinem Verständnis somit frei für mich. Die Covent Guardians konnten mich natürlich jederzeit vertreiben, aber das Risiko ging ich gerne ein. Die Stelle war einfach ideal, weil die U-Bahn im Zehnminutentakt Horden von Passagieren ausspuckte. Wenn mir nur einer von tausend etwas in den Gitarrenkasten warf, konnte ich davon leben.

Es war kurz nach drei, als wir endlich an meinem Stammplatz ankamen. Gerade als ich in die James Street einbiegen wollte, wurden wir zum -zigten Mal angesprochen, diesmal von einem jungen Schwulen, der offenbar gerade aus dem Fitnessstudio kam. Jedenfalls trug er ziemlich verschwitzte Sportklamotten.

Er knuddelte Bob fast zu Tode und fragte tatsächlich – ich glaube, es war ein Scherz – ob er mir Bob abkaufen könnte.

»Oh nein, der ist nicht zu verkaufen«, wehrte ich höflich ab. Nur zur Sicherheit, falls er es doch ernst meinte. Als wir endlich weitergehen konnten, murmelte ich Bob kopfschüttelnd ins Fell: »So was gibt es nur in London, mein Freund! Nur in London!«

Als wir schließlich angekommen waren, peilte ich vorsichtig die Lage. Kein Covent Guardian in Sicht. Manchmal vertrieben mich auch die Sicherheitsleute des U-Bahnhofs, die natürlich auch die amtliche Einteilung kannten. Aber auch von denen war keiner in Sicht.

Ich setzte Bob auf den Gehweg, ganz hinten an die Mauer, öffnete den Reißverschluss meiner Gitarrentasche und zog meine Jacke aus. Es konnte losgehen.

Meistens brauchte ich um die zehn Minuten, bis ich die Gitarre gestimmt hatte, anfing zu spielen und die Aufmerksamkeit der vorbeihastenden Leute auf mich gelenkt hatte. Aber an diesem Tag war alles anders. Noch bevor ich den ersten Ton angeschlagen hatte, verlangsamten ein paar Leute ihr Tempo und warfen mir ein paar Münzen in den Gitarrenkasten. *Wie großzügig*, dachte ich, konzentrierte mich aber weiter auf das Stimmen meiner Gitarre. Und so dauerte es eine Weile, bis bei mir der Groschen fiel.

Ich stand mit dem Rücken zu den Leuten, hörte aber weiterhin das klimpernde Geräusch von Münzen, die beim Wurf in meinen Gitarrenkasten aufeinanderprallten. Erst als ich eine männliche Stimme hörte: »Hey, tolle Katze!«, drehte ich mich um. Vor mir stand ein junger Mann in Jeans und T-Shirt, der mir das »Daumen-hoch«-Zeichen zeigte und gleich darauf mit breitem Grinsen in der Menge verschwand.

Verdutzt sah ich nach unten und fand die Erklärung für die plötzliche Spendenfreudigkeit meiner Mitmenschen: Bob hatte sich mitten im leeren Gitarrenkasten gemütlich zusammengerollt. Ganz unbewusst hatte er sich charmant in Szene gesetzt. Der Anblick war herzerweichend!

Gitarre spielen habe ich mir als Teenager in Australien so gut wie selbst beigebracht. Freunde zeigten mir die verschiedenen Griffe, und ich habe so lange geübt, bis ich diverse Stücke spielen konnte. Da war ich etwa fünfzehn oder sechzehn. Das ist ziemlich spät, um ein Instrument zu erlernen. In einem Second-Hand-Laden in Melbourne kaufte ich mir eine E-Gitarre. Davor hatte ich nur auf den Akustik-Gitarren von Bekannten geübt. Aber ich wollte unbedingt eine elektrische, weil ich ein großer Fan von Jimi Hendrix war. Ich wollte genauso gut werden wie dieser fantastische Musiker.

Zu meiner Auswahl an Songs, die ich mir für meine Vorstellungen auf der Straße zusammengestellt hatte, gehörten viele alte Nummern, die ich seit Jahren gerne spielte. Kurt Cobain war auch einer meiner Helden, also spielte ich diverse Nirvana-Songs. Aber auch Bob Dylan und Johnny Cash. Eines der beliebtesten Stücke in meinem Repertoire war *Hurt.* Im Original von Nine Inch Nails, aber ich bevorzugte die Cover-Version von Johnny Cash, einem akustischen Stück. Auch *Man in Black* von Johnny Cash gehörte dazu. Ein tolles Stück für jeden Straßenmusiker, und es passte so gut zu mir, weil ich immer schwarz gekleidet war. Am besten kam jedoch *Wonderwall* von Oasis an. Dafür gab es immer die meisten Münzen, besonders abends, wenn ich die Pubs abklapperte.

Ich spielte fast immer dasselbe, tagein, tagaus. Die Leute wollten das so. Auch den Touristen gefiel meine Musikauswahl. Meist begann ich mit *About a Girl* von Nirvana, um meine Finger zu lockern. So auch an diesem Tag, als Bob vor mir saß und seelenruhig die vorbeiziehenden Massen beobachtete, die aus der U-Bahn-Station strömten.

Schon nach ein paar Minuten blieben ein paar Jugendliche bei uns stehen. Offenbar waren sie aus Brasilien, denn sie trugen alle brasilianische Fußballtrikots und sprachen portugiesisch. Ein Mädchen aus der Gruppe beugte sich vor und begann, Bob zu streicheln. »Ah, gato bonita«, hörte ich.

»Sie sagt, du hast eine wunderschöne Katze«, übersetzte einer der Jungs. Die Jugendlichen auf Bildungsreise in London waren fasziniert von Bob. Immer mehr Leute blieben stehen. Manche aus reiner Neugier, weil sie wissen wollten, was es da Besonderes zu sehen gäbe. Mindestens sechs der jungen Brasilianer und auch viele andere Passanten kramten in ihren Taschen nach Kleingeld. Ein wahrer Münzregen ergoss sich in meine Gitarrentasche rund um Bob.

»Hey, Bob, du machst dich gut als Partner! Du kannst gern öfter mitkommen«, grinste ich anerkennend.

Da Bobs Anwesenheit nicht geplant gewesen war, hatte ich nur meine Standardration an Leckerchen in meinem Rucksack. Davon steckte ich ihm zwischendurch immer wieder ein paar zu. Auf eine richtige Mahlzeit musste er genauso warten wie ich.

Am frühen Abend spuckte die U-Bahn die zur Stoßzeit üblichen Horden aus: Leute, die von der Arbeit kamen oder im Westend ausgehen wollten. Unglaublich viele von ihnen verlangsamten an diesem Tag ihren Schritt und beäugten verwundert die Katze im Gitarrenkasten. Bob war ein kleiner Publikumsmagnet.

Es wurde schon dunkel, als eine gut gekleidete Dame in den Vierzigern stehen blieb, um ein paar Worte mit mir zu wechseln.

»Wie lange haben Sie ihn schon?«, fragte sie, während sie sich zu Bob hinunterbeugte, um ihn zu streicheln.

»Oh, erst seit ein paar Wochen«, antwortete ich. »Wir haben uns zufällig gefunden.«

»Ihr habt euch gefunden? Das klingt aber interessant!«

Ich wurde misstrauisch. Vielleicht war sie ja eine Tierschützerin, die mir gleich erzählen würde, dass ich kein Recht hatte, ihn zu behalten, oder ähnliches. Aber ich tat ihr Unrecht. Sie war nur eine echte Katzenliebhaberin. Lächelnd hörte sie zu, als ich ihr kurz berichtete, wo ich ihn gefunden hatte und wie ich ihn erst einmal gesund gepflegt hatte.

»Ich hatte auch mal so einen roten Kater«, verriet sie mir und sah dabei ganz traurig aus. Einen Moment fürchtete ich, sie würde in Tränen ausbrechen. »Sie sollten sich glücklich schätzen, dass er Ihnen zugelaufen ist. Katzen sind wunderbare Gefährten. Sie sind beruhigend und klug. Sie haben jetzt einen wahren Freund an Ihrer Seite«, sagte sie.

»Ja, da haben Sie wohl recht«, erwiderte ich lächelnd.

Sie legte tatsächlich fünf Pfund in den Gitarrenkasten, bevor sie weiterging.

Frauen waren besonders angetan von Bob. An diesem Tag waren bestimmt 70 Prozent unserer Spender weiblich.

Bereits nach einer Stunde hatten wir so viel eingenommen, wie ich sonst an einem guten Tag einspielte – über 25 Pfund!

Das ist ja fantastisch, dachte ich.

Aber ich hatte das Gefühl, wir sollten weitermachen. Ich wollte versuchen, unsere Glückssträhne auf den Abend auszudehnen, weil ich immer noch an Bob zweifelte. Obwohl ich mich langsam mit dem Gedanken anfreundete, dass der Kater und ich füreinander bestimmt waren, gab es immer noch eine warnende innere Stimme, die mir fortwährend zuflüsterte: »Eines Tages verschwindet er aus deinem Leben, um seinen eigenen Weg zu gehen.« Verständlich, oder? So, wie er plötzlich in meinem Leben aufgetaucht war, würde er irgendwann wieder abtauchen. Oder sollte ich wirklich mal Glück haben im Leben? Viele Passanten blieben stehen, um Bob zu bewundern und zu streicheln. Ich beschloss, die Gunst der Stunde zu nutzen. Heu ernten, solange die Sonne scheint, oder so ähnlich.

Solange er gerne mitkommt und Spaß hat an unseren Ausflügen, werde ich es genießen, nahm ich mir vor. Und wenn ich dabei auch noch ein bisschen mehr verdiene, freue ich mich einfach darüber.

Am Ende des Abends war die Überraschung perfekt. Gewöhnlich erspielte ich mit meiner Gitarre etwa 20 Pfund pro Tag. Das reichte, um Lebensmittel zu kaufen und die sonstigen Ausgaben für die Wohnung abzudecken. Als ich an diesem Abend gegen acht Uhr Feierabend machte, waren viel mehr Münzen in meinem alten Gitarrenkasten, als ich je auf einem Haufen gesehen hatte. Ich brauchte ganze fünf Minuten, um all das Kleingeld vor mir zu zählen. Vor mir lagen Hunderte von Münzen in allen Größen und sogar mehrere Scheine.

Als ich endlich alles mühsam zusammengezählt hatte, schüttelte ich ungläubig den Kopf. An diesem Tag war die stattliche Summe von 63,77 Pfund zusammengekommen. Für die meisten Leute war das vielleicht nicht viel, aber für mich war es ein kleines Vermögen.

Ich schaufelte die Münzen mit den Händen in meinen Rucksack und warf ihn mir über die Schulter. Er war richtig schwer, und die Münzen klimperten in seinem Bauch wie in einem Riesen-Sparschwein. Ich war völlig aus dem Häuschen. So viel hatte ich als Straßenmusiker noch nie verdient. Dreimal so viel wie sonst an einem Tag!

Ich nahm Bob auf den Arm und kraulte ihm den Nacken. »Das hast du toll gemacht, mein Großer!«, lobte ich. »Das nenne ich einen gelungenen Arbeitstag!«

An diesem Abend konnte ich mir die Tour entlang der Pubs sparen. Außerdem waren wir beide ausgehungert. Wir mussten schnell nach Hause.

Auf dem Weg zur Busstation saß Bob wieder auf meiner Schulter. Ich war nicht unhöflich, aber ich ließ mich auf keine Gespräche mehr ein mit all den Leuten, die stehen blieben und uns anlächelten. Es ging nicht. Es waren einfach zu viele, und ich wollte möglichst noch vor Mitternacht zu Hause zu sein.

»Heute gönnen wir uns ein ganz besonderes Abendessen«, versprach ich Bob, als wir im Bus nach Tottenham einen Platz gefunden hatten. Aber mein Ladykiller hörte mir kaum zu und drückte sich lieber wieder die Nase am Fenster platt. Fasziniert beobachtete er die vorbeifliegenden hellen Lichter und den Verkehr.

Wir stiegen zwei Stationen früher aus als sonst. Ganz in der Nähe dieser Haltestelle auf der Tottenham High Road lag ein sehr gutes indisches Restaurant. Wie oft war ich daran schon vorbeigegangen! Bisher hatte es immer nur zum Lesen der verführerischen Karte gereicht, leisten konnte ich mir die köstlich klingenden Gerichte nie. Sie waren einfach zu teuer. Mehr als ein billiges Curry vom Take-Away-Inder aus der Nachbarschaft war nie drin gewesen.

Heute trat ich ein und bestellte, was mein Herz begehrte: Hühnchen Tikka Masala mit Zitronenreis, Saag Paneer als Beilage und Peshawari Naan zum Nachtisch. Die Kellner warfen mir komische Blicke zu, als sie Bob an der Leine neben mir entdeckten, also teilte ich den Herren mit, dass ich alles in zwanzig Minuten abholen würde. Ich wollte mit Bob in den Supermarkt auf der anderen Straßenseite. Auch er sollte heute schlemmen. Ich kaufte für ihn ein paar Beutel von dem teuren Katzenfutter, zwei Packungen von seinem

Lieblingstrockenfutter und Katzenmilch. Mir gönnte ich ein gutes Bier.

»Heute lassen wir's krachen, Bob«, teilte ich ihm mit. »Das war ein denkwürdiger Tag!«

Nachdem ich unser Essen abgeholt hatte, rannte ich so schnell wie möglich mit Gitarre, schwerem Rucksack, Bob und den Tragetaschen aus dem Nobelrestaurant nach Hause. Mein Magen knurrte wie verrückt, denn aus der Tüte stiegen köstliche Düfte in meine Nase. Zu Hause verschlangen Bob und ich unser Gourmet-Mahl, als hätten wir seit Monaten nichts gegessen. Tatsächlich hatte ich seit Ewigkeiten, vielleicht Jahren, nicht mehr so *gut* gegessen. Und Bob sicher auch nicht.

Danach machten wir es uns richtig gemütlich, ich vor dem Fernseher auf der Couch und Bob auf seinem Lieblingsplatz unter der Heizung. In dieser Nacht schliefen wir beide wie die Murmeltiere.

6
Ein Mann und seine Katze

Am nächsten Morgen wurde ich von einem plötzlichen Krachen unsanft aus dem Schlaf gerissen. Es dauerte einen Moment, bis ich meine fünf Sinne zusammengeklaubt hatte, aber dann wusste ich, was los war. Das metallische *Klonk* kam aus der Küche. Bob versuchte sich mal wieder als Küchenschrankknacker und hatte wahrscheinlich etwas umgeworfen.

Ich blinzelte schlaftrunken auf die Uhr. Es war bereits zehn Uhr vormittags. Nach all der Aufregung von gestern hatte ich mir erlaubt, auszuschlafen. Aber Bob hatte keine Lust mehr zu warten. So gab er mir zu verstehen: »Steh endlich auf, ich will Frühstück!« Das war sein Wink mit dem Zaunpfahl.

Pflichtbewusst wälzte ich mich aus meinem warmen Bett und tappte barfuß in die Küche. Der kleine Stahltopf, in dem ich immer Milch aufkochte, lag auf dem Boden.

Sobald ich auftauchte, trollte sich Bob zu seiner Schüssel und umkreiste sie mit hungrigem Blick. Das hieß: »Beeilung!«

»Ja, ja, ich mach ja schon!«, brummte ich, während ich die Schranktür öffnete und sein Lieblings-Menü »Hühnchen in feiner Soße« herausholte. Ich löffelte eine Portion in seinen Napf und sah ihm zu, wie er alles in wenigen Sekunden verschlang. Nachdem er wie ein Verdurstender nach einem Wüstenabenteuer sein Wasser aufgeschlabbert hatte, leckte er sich Gesicht und Pfoten sauber. Danach stolzierte er vollgefressen und sehr mit sich zufrieden ins Wohnzimmer zu seinem Platz an der Heizung.

Ich seufzte. Wenn unser Menschenleben doch auch so einfach wäre, dachte ich wehmütig.

Einen Moment lang spielte ich mit dem Gedanken, heute nicht arbeiten zu gehen, aber dann besann ich mich eines Besseren. Trotz unserer Glückssträhne von gestern würde das Geld nicht ewig reichen. Die nächste Strom- und Gasrechnung kam bestimmt. Und weil es in den letzten Wochen wirklich sehr kalt gewesen war, würde diese entsprechend hoch ausfallen. Außerdem gab es jetzt diese neue Verantwortung in meinem Leben. Es galt, ein zusätzliches, kleines Maul zu stopfen – ein ziemlich hungriges und sehr manipulatives noch dazu.

Also frühstückte ich schnell und packte meine Ausrüstung zusammen. Ich war nicht sicher, ob Bob wieder mitkommen würde. Vielleicht hatte er gestern nur seine Neugierde befriedigen und wissen wollen, wo ich so abhing, wenn ich das Haus verließ. Sicherheitshalber warf ich einen Katzensnack mit in den Rucksack. Nur für den Fall, dass er mir wieder folgen würde.

Am frühen Nachmittag zog ich los. Was ich vorhatte, war unschwer zu erkennen, ich hatte Rucksack und Gitarre geschultert. Immer, wenn er keine Lust hatte, die Wohnung mit mir zu verlassen – was allerdings äußerst selten vorkam – verkroch er sich unter dem Sofa. Einen Moment lang sah es aus, als wäre das heute mal wieder der Fall. Als ich die Sicherheitskette unserer Wohnungstür aushakte, lief er Richtung Sofa. Doch als ich die Tür von außen schließen wollte, quetschte er sich noch durch den Türspalt und folgte mir über die Treppen nach unten. Sein erster Weg führte ihn zu seiner Freiluft-Toilette. Obwohl ich auf ihn wartete, trottete er danach zu den Müllcontainern hinter unserem Haus.

Diese Tonnen hatten es ihm in letzter Zeit immer mehr angetan. Anscheinend war er nur mitgekommen, um sich seiner neuen Lieblingsbeschäftigung rund um den Abfall zu widmen. Begeistert war ich nicht gerade von dieser Leidenschaft für Müll. Wer weiß, was er dort fand – und fraß. Zur Sicherheit ging ich hinüber, um nachzusehen. Aber meine Sorge war unbegründet. Offenbar war die Müllabfuhr am Vormittag da gewesen. Die Container waren leer, und auch auf dem Boden lag keinerlei Abfall herum. *Nix zu holen für Bob*, dachte ich. Da würde er heute keine Freude haben.

Nun konnte ich beruhigt ohne ihn losziehen. Er würde einen Weg finden, wieder ins Haus zu gelangen. Inzwischen kannten ihn die meisten Nachbarn. Es gab sogar welche, die ihn betreuten und verwöhnten, wenn ich nicht da war. Die Frau, die genau unter mir wohnte, steckte ihm jedes Mal etwas Besonderes zu, wenn sie ihm begegnete.

Wahrscheinlich würde er vor meiner Wohnung im fünften Stock auf mich warten, wenn ich abends zurückkam. *Ist auch besser so*, dachte ich auf meinem Weg zur Tottenham High Road. Bob hatte mir am Tag zuvor einen riesigen Gefallen getan. Auf keinen Fall würde ich unsere Beziehung ausnutzen und ihn zwingen, jeden Tag mitzukommen. Er war mein Freund, nicht mein Angestellter.

Der Himmel war grau, und es fühlte sich an, als würde es bald regnen. Wenn es in der Innenstadt genauso aussah, war mein Aufwand heute reine Zeitverschwendung. Straßenmusik im Regen kann man vergessen. Man sollte meinen, die Passanten würden einem nassen Straßenmusiker etwas mehr Mitgefühl entgegenbringen, aber das ist leider nicht der Fall. Alle wollen nur rasch ins Trockene, sie hasten, ohne nach links oder rechts zu sehen, noch schneller vorbei als sonst. Ich beschloss, einfach umzukehren, wenn es in der Innenstadt regnen sollte. Dann könnte ich Bob von dem gestern verdienten Geld eine richtige Leine kaufen.

Ich war noch nicht weit gekommen, als es hinter mir verdächtig raschelte. Als ich mich umdrehte, zockelte tatsächlich ein mir sehr vertrauter roter Felltiger hinter mir her.

»Ah, da hat wohl jemand seine Meinung geändert«, begrüßte ich ihn. Bob legte seinen Kopf leicht schräg und schenkte mir einen mitleidigen Blick, der wohl so viel hieß wie: »Na, warum sollte ich denn wohl sonst hier rumstehen?«

Zum Glück hatte ich seine Leine aus Schuhbändern noch in der Manteltasche. Die band ich ihm um, bevor wir gemeinsam weiterzogen.

Die Straßen in Tottenham sind zwar nicht so voll wie die in Covent Garden. Aber auch hier wurden wir angestarrt. Die Blicke waren nicht immer freundlich. Bestimmt hielten mich manche Leute für verrückt, weil ich mit einer rote Katze an einer Schnur durch die Gegend lief.

»Wenn du öfter mitkommen willst, muss ich dir unbedingt eine richtige Leine besorgen«, flüsterte ich Bob beschämt zu.

Aber für jeden bösen Blick gab es ein halbes Dutzend freundliche Gesichter. Eine Frau aus der Karibik schenkte uns ein besonders breites Lächeln. Sie war bepackt mit Einkaufstüten und sprach aus, was ich auf den meisten Gesichtern lesen konnte: »Ihr seid aber ein hübsches Paar!«

Solange ich allein in meinem Apartment gewohnt hatte, war es nie zu einem Gespräch mit den Nachbarn gekommen, weder auf der Straße, noch im Haus. Dank Bob hat sich das alles geändert. Es war seltsam und sehr erstaunlich, ein bisschen so, als hätte er mir Harry Potters Unsichtbarkeitsumhang abgenommen.

Als wir zu der stark befahrenen Kreuzung an der Tottenham High Road kamen, warf mir Bob einen auffordernden Blick zu: »Komm schon, du weißt, was ich will!« Ich gehorchte und hob ihn auf meine Schulter.

Im Bus wählte ich einen Fensterplatz für Bob aus, den er unbedingt zum Rausschauen brauchte. Wir waren wieder unterwegs in die City.

Leider hatte ich recht mit meiner Wetterprognose. Noch während wir im Bus saßen, prasselte plötzlich Regen gegen die Scheibe und bildete komplizierte Muster, während Bob wieder seinen Kopf ans Fenster drückte. Draußen waren nur noch tanzende Regenschirme zu sehen. Die Leute rannten durch aufspritzende Pfützen die Straßen entlang, um dem Wolkenbruch so schnell wie möglich zu entkommen.

Zum Glück war der Spuk fast vorbei, bis wir das Zentrum von London erreicht hatten. Trotz des schlechten Wetters waren mehr Leute unterwegs als am Vortag.

»Lass es uns für ein paar Stunden versuchen«, schlug ich Bob vor, als ich ihn auf meine Schulter hievte und mich auf den Weg nach Covent Garden machte. »Aber wenn es wieder anfängt zu regnen, fahren wir sofort nach Hause. Versprochen!«

Sobald wir die Neal Street erreicht hatten, wurde unser Weg wieder zum Hindernislauf. Ständig wurden wir angesprochen und aufgehalten. Solange Bob die vielen Streicheleinheiten von Fremden nicht zu viel wurden, hatte ich nichts dagegen. Aber in den nächsten zehn Minuten wollten sechs Leute reden, fotografieren und Bob kraulen.

Ich durfte einfach nicht mehr stehenbleiben, sonst war ich von Menschen umringt, ehe ich mich's versah.

Am Ende der Neal Street passierte etwas Interessantes. Bob verstärkte plötzlich den Druck seiner Pfoten auf meiner Schulter, erhob sich und krabbelte auf meinen Arm. Dann sprang er auf den Gehweg und lief vor mir her, so weit die

Leine reichte. Er schien zu wissen, wo wir waren und wohin wir wollten. Er übernahm tatsächlich die Führung.

Bis zu meinem Stammplatz auf der James Street. Dort hielt er inne und wartete, bis ich die Gitarre aus dem Kasten geholt und diesen für ihn auf den Boden gelegt hatte. »Bitte sehr, Bob! Nur für dich«, lud ich ihn ein, Platz zu nehmen. Sofort sprang er in den Gitarrenkasten, trat sich das weiche Innenfutter genüsslich zurecht und ließ sich nieder. Er platzierte sich genau so, dass er seine Umgebung gut beobachten konnte. Interessiert und aufmerksam ließ er dann die Welt an sich vorüberziehen – und weil wir in Covent Garden waren, tat sie das auch.

Es gab Zeiten, da hatte ich den Traum, ein bekannter Musiker zu werden. Einer wie Kurt Cobain. Auch wenn das heute naiv und total verblödet klingt, aber als ich von Australien nach England kam, war das mein Plan.

Das habe ich meiner Mutter und auch jedem anderen erzählt, der es hören wollte. Und es gab tatsächlich eine Zeit, in der es aussah, als könnte ich diesen Traum verwirklichen.

Als mich die Obdachlosenhilfe 2002 von der Straße holte, brachten sie mich in einer Notunterkunft in Dalton unter. Dort traf ich ein paar Jungs, mit denen ich eine Band gründete. Wir waren vier Gitarristen und nannten uns »Hyper Fury«. Das heißt so viel wie »Unbändige Wut« und war eine passende Umschreibung für unseren damaligen Gemütszustand. Auf jeden Fall für meinen, denn ich war damals ein sehr zorniger junger Mann. Ich war unbändig wütend – auf das Leben an sich und vor allem über meine verpfuschte Existenz. Die Musik war mein einziges Ventil für diesen Frust. Deshalb waren unsere Songs auch nicht gerade Chart-tauglich. Sie waren düster und aggressiv, genau wie unsere Texte.

Kein Wunder, denn unsere Idole waren Bands wie Nine Inch Nails und Nirvana.

Trotzdem konnten wir zwei Alben, beziehungsweise Maxi-Singles, veröffentlichen. Die erste erschien im September 2003 und entstand in Zusammenarbeit mit einer zweiten Band namens Corrision. Sie hieß *Corrision versus Hyper Fury* und enthielt zwei Hardrock-Titel namens »Onslaught« und »Retaliator«, was man mit »Angriff« und »Der Rächer« übersetzen kann. Der Name war Programm in unserer Musikrichtung. Nach sechs Monaten, im März 2004, kam unser zweites Album auf den Markt. Es hieß *Profound Destruction Unit* – »Truppe für radikale Zerstörung« – und enthielt drei aussagestarke Titel: »Sorry«, »Profound« und eine neue Version von »Retaliator«. Wir haben zwar einige Exemplare verkauft, aber der grandiose Erfolg, von dem wir träumten, blieb aus. Zumindest hat uns niemand eingeladen, auf dem berühmten Glastonbury-Rockfestival, dem englischen Woodstock, aufzutreten.

Aber wir hatten Fans und auch diverse Auftritte. Meistens im nördlichen Teil von London und in Camden. Dort gab es eine starke Gothic-Szene, zu der unser Musik- und Kleidungsstil gut passte. Wir traten in Pubs und in besetzten Häusern auf, wir nahmen jede Buchung an. Für eine Weile schien es, als würden wir vorankommen. Unser größtes Konzert fand im Dublin Castle, einem berühmten Musik-Pub im Norden von London, statt. Von diesem Veranstalter wurden wir sogar ein paar Mal gebucht. Für einen Auftritt beim Gothic Summer Festival. Das war damals eine große Sache. Wir waren so gut im Geschäft, dass ich mit Pete, einem Bandmitglied von Corrision, als Partner ein eigenes Independent Label gründete. Wir nannten es »Corrupt Drive Records«. Leider hat es nicht funktioniert, oder besser gesagt, ich habe nicht funktioniert.

Damals waren meine beste Freundin Belle und ich für kurze Zeit ein Paar. Als Freunde verstanden wir uns bestens. Sie ist ein sehr fürsorglicher Mensch und hat sich immer um mich gekümmert, aber unsere Beziehung war von Anfang an zum Scheitern verurteilt. Sie war selbst drogenabhängig und als meine Partnerin auch noch co-abhängig. Unsere gleichzeitigen Versuche, von den Drogen loszukommen, halfen weder ihr noch mir. Wenn einer von uns gerade versuchte, clean zu werden, hing der andere an der Nadel und umgekehrt. Diese gegenseitige Co-Abhängigkeit war ein Teufelskreis. Ich versuchte, ihn zu durchbrechen, aber wenn ich ehrlich bin, war mein Wunsch, von den Drogen wegzukommen, nicht stark genug. Ich habe damals nicht wirklich an mich geglaubt und konnte mir nicht vorstellen, es jemals zu schaffen.

Vom Aufstieg in den Musikhimmel hatte ich mich mental bereits verabschiedet. Es war so viel einfacher, alten Gewohnheiten treu zu bleiben – im wahrsten Sinne des Wortes.

2005 hatte ich endgültig resigniert. Ich fand mich damit ab, dass die Band nur noch ein Hobby war, aber nie genug abwerfen würde, um davon zu leben. Pete hat unser Label allein weitergeführt, und soviel ich weiß, gibt es die Firma immer noch. Ich dagegen hatte solche Probleme mit meiner Sucht, dass ich mich wieder einmal selbst ausgebootet hatte. Eine weitere verpasste Chance, zerronnen zwischen meinen zittrigen Fingern. Ich werde wohl nie erfahren, wie mein Leben verlaufen wäre, wenn diese verdammte Sucht nicht gewesen wäre.

Trotzdem habe ich die Musik nie aufgegeben. Selbst dann nicht, als sich die Band aufgelöst hatte und ich die bittere Pille geschluckt hatte, dass ich als Profi-Musiker gescheitert war. Fast jeden Tag spielte ich stundenlang Gitarre und improvisierte Songs. Die Musik war immer noch mein Ventil. Gott allein weiß, was ohne die Musik aus mir geworden wäre. In den letzten Jahren habe ich mich mit Straßenmusik am Leben und auch finanziell über Wasser gehalten. Ich will nicht wissen, wie ich mir sonst mein Geld verdient hätte. Gar nicht auszudenken!

Als ich an diesem Spätnachmittag anfing zu spielen, waren sehr viele Touristen unterwegs. Zu meiner Überraschung wiederholte sich das kleine Wunder vom Vortag. Kaum hatte ich mich hingesetzt – oder, besser gesagt, kaum hatte Bob sich niedergelassen –, blieben viele Leute, die sonst gleichgültig an mir vorübergehastet wären, stehen, um sich mit ihm zu beschäftigen.

Wieder waren es vor allem Frauen, die nicht an ihm vorbeigehen konnten. Nach ein paar Minuten schlenderte eine Politesse auf uns zu. Ihre strenge Miene, die zu ihrem Beruf gehört wie die Uniform, entgleiste in ein warmes Lächeln, als sie Bob bemerkte. »Hey, wer bist du denn?«, fragte sie und ging in die Hocke, um Bob zu streicheln. Mich hat sie kaum beachtet, und sie hat mir auch nichts gegeben. Aber das war nicht der Punkt. Es bereitete mir viel Vergnügen, zuzusehen, wie Bob wildfremden Menschen im Vorbeigehen ein Lächeln ins Gesicht zaubern konnte. Es war eine Erfahrung, die ich nicht mehr missen wollte.

Zweifellos war er ein wunderschöner Kater, aber das war nicht der Grund für seine Anziehungskraft. Es war seine Aura, diese Mischung aus Charme gepaart mit ruhiger Ausgeglichenheit, die Leute in Scharen anzog. Allein durch seine Anwesenheit schenkte er den Menschen einen kleinen Glücksmoment.

Er war aber genauso in der Lage, Ablehnung auszudrücken, wenn er jemanden nicht mochte. An diesem Tag hatten wir so eine Begegnung mit einem sehr gut gekleideten, sichtlich wohlhabenden Geschäftsmann aus dem Nahen Osten. Er wollte achtlos an uns vorübergehen, aber seine Begleiterin, eine wunderschöne blonde Frau, die aussah wie ein Model, blieb stehen, als sie Bob sah. »Oh, sieh doch mal, was für eine wunderhübsche Katze!«, rief sie aus. Sie hielt ihn am Arm fest, sodass ihm nichts anderes übrig blieb, als ebenfalls stehenzubleiben. Der Schönling musterte uns mit geringschätziger Miene. Dazu machte er eine gelangweilte, abwertende Handbewegung, nach dem Motto: »Na und?«

In dieser Sekunde veränderte sich Bobs Körpersprache. Eine Spur von Katzenbuckel wurde sichtbar und sein Schwanz wurde buschiger. Gleichzeitig suchte er Körperkontakt mit mir, indem er sich leicht an mich drückte. Die Veränderung war minimal – aber für mich sprach sie Bände.

Ob der Kerl Bob an jemanden aus seiner Vergangenheit erinnert?, fragte ich mich, als das gut aussehende Paar weiterging. Vielleicht hatte mein Findelkater früher öfter solch verächtliche Blicke zu spüren bekommen.

Ich hätte viel dafür gegeben, Bobs Vorgeschichte zu kennen. Zu wissen, was ihn an jenem ersten Abend in den Flur unseres Mietshauses getrieben hatte. Aber das würde ich wohl nie erfahren. Es wird für immer ein Rätsel für mich bleiben.

Ich fing an, Gitarre zu spielen, und es war viel leichter, sich auf die Musik zu konzentrieren, als am Tag zuvor. Bob dabei zu haben hatte mich am Vortag doch ziemlich aus der Fassung gebracht. Heute konnte ich seine Anwesenheit schon genießen. Bisher hatte ich immer selbst dafür sorgen müssen, die vorbeihastenden Passanten auf mich aufmerksam zu machen. Musik und Entertainment – das war Schwerstarbeit.

Ihnen eine kleine Spende zu entlocken war noch schwieriger. Mit Bob war alles viel einfacher. Er war ein Publikumsmagnet. Zuerst war mir das fast unangenehm und ich setzte mich selbst unter Druck, ihn bei den vielen Leuten bloß nicht zu überfordern und gut auf ihn aufzupassen. Wie überall in London, laufen in Covent Garden eine Menge Verrückte herum. Ich hatte panische Angst, jemand könnte ihn schnappen und mit ihm in der Menge verschwinden.

Am Tag zwei waren wir schon ein eingespieltes Team und fühlten uns so sicher und geborgen, als wären wir in diesem Getümmel zu Hause.

Als ich zu singen begann und die Münzen wieder freundlich im Takt mitklimperten, dachte ich: *Das macht richtig Spaß!*

Es war wirklich sehr lange her, dass mir irgendetwas so viel Freude gemacht hatte.

Drei Stunden später auf dem Heimweg war mein Rucksack wieder schwer. Schon wieder über 60 Pfund. Diesmal wollte ich das Geld aber für etwas Nützlicheres ausgeben. Am nächsten Tag war das Wetter schlecht, und der Wetterbericht prophezeite starke Regenfälle für den Abend.

Das war die Gelegenheit, mit Bob einkaufen zu gehen, anstatt mit der Gitarre in der Hand am Straßenrand zu stehen. Damit er mich weiterhin überallhin begleiten konnte, brauchte mein Zauberkater dringend eine bessere Ausstattung. Meine Leine aus Schuhbändern war wirklich erbärmlich. Sie war unangenehm für Bob und vor allem auch gefährlich.

Also nahmen Bob und ich den Bus Richtung Archway. Dort gab es eine Zweigstelle der *Cat Protection Charity*, einer Katzenhilfsorganisation mit zugehörigem Katzen-Laden.

Bob merkte sofort, dass wir nicht die gleiche Route nahmen wie sonst. Er sah zwar wie immer aus dem Fenster, drehte sich aber öfter zu mir um, als wollte er fragen: »Wo fahren wir hin?« Er war nicht beunruhigt, sondern einfach nur neugierig.

Es war ein schicker und ganz modern eingerichteter Laden mit viel Schnickschnack, der das Herz eines Katzenbesitzers höher schlagen lässt. Spielzeug, Möbel, Kratzbäume und sogar Bücher über Katzen. Außerdem gab es massenweise kostenloses Informationsmaterial über alle Aspekte der Katzenhaltung. Von Mikrochips bis Toxoplasmose, Diättipps und Aufklärung über die Kastration von Katzen. Ich steckte ein paar Info-Blätter in meine Tasche, um sie zu Hause in Ruhe durchzulesen.

Es war wenig los im Katzenladen. Nur zwei Verkäuferinnen standen herum. Als ich mich, mit Bob auf der Schulter, ein bisschen im Laden umsah, kamen sie sofort zu uns. »Das ist aber ein hübscher Kerl!«, eröffnete eine von ihnen das Gespräch und streichelte Bob über den Rücken. Sie war ihm definitiv sympathisch, denn er lehnte sich mit seinem ganzen Gewicht gegen ihre Hand, während sie sein Fell kraulte und ihn mit Koseworten überschüttete. Wir unterhielten uns über Bob und wie ich ihn gefunden hatte. Dann erzählte ich ihnen noch von unseren gemeinsamen Ausflügen in die Innenstadt in den letzten beiden Tagen.

»Viele Katzen gehen gern mit ihren Besitzern spazieren«, nickte eine der Verkäuferinnen, und die andere ergänzte: »Aber die meisten beschränken sich dabei auf einen Park oder eine Grünfläche vor dem Haus. Seine Abenteuerlust ist schon ziemlich ungewöhnlich.«

Die andere Verkäuferin nickte bestätigend. »Sieht so aus, als hätten Sie da ein kleines Juwel gefunden. Ganz offensichtlich hat er beschlossen, Sie zu adoptieren.«

Es war schön, von den beiden zu hören, was ich mir bisher kaum einzugestehen wagte. Deshalb hatte ich immer wieder diese Zweifel, ob es richtig war, ihn zu behalten. Die Worte der beiden Fachfrauen waren Balsam für meine Seele.

Umso wichtiger war nun die Frage, wie ich Bob als ständigen Begleiter eines Straßenmusikers in den überfüllten Straßen von London am besten beschützen konnte. Covent Garden war ein gefährliches Pflaster für freiheitsliebende Pelztiger. Neben den vielen Autos gab es bestimmt noch viele andere drohende Gefahren, die man sich gar nicht ausmalen wollte und konnte.

»Am besten nehmen Sie so eine Garnitur«, riet mir eine der Verkäuferinnen und holte eine hübsche, himmelblaue Nylon-Kombination mit Leine vom Verkaufsständer. Dann erklärte sie mir die Vor- und Nachteile dieses Artikels: »Eine Katze sollte niemals eine Leine am Halsband tragen wie ein Hund. Ein Lederhalsband kann die Katze am Hals verletzen oder gar strangulieren. Ein Katzenhalsband muss immer elastisch sein, damit sich die Katze daraus befreien kann, falls sie irgendwo hängen bleibt. Deshalb ist es aber auch nicht für Leinen geeignet. Sonst stehen Sie früher oder später ohne Katze da. Ein Garnitur aus Geschirr und Leine gibt Katze und Halter dagegen Sicherheit und ist genau das Richtige für euch, wenn ihr viel unterwegs seid.«

»Wird es ihm nicht unangenehm sein?«, gab ich zu bedenken. »Bestimmt fühlt er sich damit eingeengt.«

Sie nickte: »Ja, er muss sich langsam daran gewöhnen. Es kann schon eine Woche dauern, bis er es akzeptiert. Erst mal nur für ein paar Minuten umlegen, bevor Sie morgens aus dem Haus gehen. Und dann täglich die Zeit mit Geschirr ausdehnen.«

Sie sah meinen grübelnden Blick und schlug vor: »Sollen wir es ihm mal anziehen?«

»Ja, warum nicht?«

Bob saß immer noch entspannt auf meiner Schulter und wehrte sich nicht. Aber er verstand nicht, was das alles sollte und fühlte sich mit Geschirr etwas unbehaglich.

»Er soll es anlassen, damit er sich an das Gefühl des Materials auf seinem Körper gewöhnt«, meinte die Verkäuferin leise, um Bob nicht noch mehr zu verwirren. Aber es hätte schon mehr gebraucht als einen Fremdkörper namens Katzengeschirr, um Bobs Vertrauen zu erschüttern.

Die Luxusgarnitur aus Geschirr, Leine und Halsband kostete stolze 13 Pfund und war eine der teuersten im Laden. Aber für Bobs Sicherheit war mir nichts zu teuer. Wäre ich ein Geschäftsmann und Geschäftsführer der *James & Bob GmbH*, dann wären zufriedene Mitarbeiter ein wichtiger Bestandteil meiner Firmenphilosophie. Also musste ich in mein Personal investieren. Und es handelte sich in diesem Fall eben um Katzenpersonal.

Es dauerte nur zwei Tage, um Bob an sein neues Schmuckstück zu gewöhnen. Zuerst trug er es nur zu Hause, manchmal sogar mit Leine am Geschirr. Anfangs irritierte ihn dieser verlängerte, am Boden hinter ihm her schleifende Schwanz doch ziemlich. Aber auch daran gewöhnte er sich schnell. Immer wenn er sein Geschirr trug, bekam er extra Lob und auch das eine oder andere Leckerchen. Schimpfen war in dieser Gewöhnungsphase absolut tabu, aber das tat ich auch sonst nie.

Nach zwei Tagen wagten wir bereits kleine Spaziergänge mit dem Geschirr im Hof. Bei meinen Sessions als Straßenmusiker trug er noch das vertraute alte Halsband aus Schuhbändern. Wir steigerten uns, indem er es immer öfter auf dem

Weg nach Covent Garden trug. Langsam aber sicher wurde es zu seiner zweiten Haut.

Bob kam immer noch jeden Tag freiwillig mit in die Stadt. Wir blieben nie allzu lang, denn ich wollte ihn nicht überfordern. Dabei war ich mir inzwischen sicher, dass er mir bis ans Ende der Welt folgen würde. Außerdem durfte er bei längeren Fußmärschen immer auf meiner Schulter sitzen, damit er nicht zu müde wurde.

Erst in der dritten Woche hatte er die Nase voll. Eines Morgens gab er mir klar zu verstehen, dass es ihm reichte. Normalerweise kam er sofort freudig angesprungen, wenn ich meine Jacke anzog und meinen Rucksack packte. Dann strich er mir erwartungsvoll um die Beine, bis ich ihm sein Geschirr anlegte. Nicht so an diesem Tag. Zuerst verschwand er unter dem Sofa und schlich später ziemlich antriebslos zu seinem Platz unter dem Heizkörper. Ich hatte verstanden. Das hieß wohl: »Ich mach heute blau!«

Er sah tatsächlich müde aus.

Ich kniete mich vor ihn hin und kraulte sein Fell.

»Na, Bob, keine Lust heute?«, fragte ich leise. Sein Blick war Antwort genug.

»Kein Problem, bleib ruhig hier!«, bestärkte ich seine weise Entscheidung. Dann ging ich in die Küche und füllte seine Schüssel mit Trockenfutter auf, damit er sich bis zu meiner Rückkehr am Abend stärken konnte.

Ich habe mal gelesen, dass man den Fernseher laufen lassen soll, wenn man sein Haustier allein lässt. Sie fühlen sich dann während der Abwesenheit ihrer Menschen nicht so einsam. Keine Ahnung, ob das stimmt, aber ich schaltete die Kiste ein und Bob robbte sofort auf seinen Fernsehplatz und starrte interessiert auf den Bildschirm.

Schon auf dem Weg in die Stadt wurde mir klar, wie sehr Bob mein Leben verändert hatte. Wenn er auf meiner Schulter saß oder an der Leine vor mir her lief, drehten sich dauernd Leute nach uns um. Ohne Bob war ich wieder unsichtbar.

Bei den Anwohnern rund um unseren Stammplatz waren wir freilich schon so bekannt, dass sie mich auch ohne Bob erkannten.

»Wo ist die Katze?«, fragte mich ein Budenbesitzer, als er an mir vorbeikam.

»Hat heute frei«, antwortete ich.

»Ah, gut, ich hatte schon Angst, dem kleinen Kerl wäre etwas zugestoßen«, erwiderte er und hob lächelnd den Daumen.

»Wo ist Bob?« So ging es den ganzen Tag. Sie waren froh, dass er nicht krank war, und gingen weiter. Wenn Bob dabei war, wollten viele Leute mit mir plaudern. Heute war das nicht der Fall. Das war etwas ernüchternd, aber ich musste mich damit abfinden: Der Star in unserem Duo war nun mal Bob.

Der Klang der Münzen, die eifrig in meinen Gitarrenkasten prasselten, war schnell zur Gewohnheit und zur Musik in meinen Ohren geworden, das kann ich nicht leugnen. Leider musste ich feststellen, dass diese Musik ohne Bob quälend langsam wurde. Meine Gitarre und ich gaben alles an diesem Tag, aber der Erfolg war eher mäßig. Obwohl ich einige Stunden länger spielte als sonst, hatte ich am Ende gerade mal halb so viel Bares wie an einem guten Tag mit Bob in der halben Zeit. Da waren sie wieder, die harten, alten Zeiten vor Bob. Aber ich war ja früher auch über die Runden gekommen.

Als ich an diesem Abend zu Fuß nach Hause marschierte, gelangte ich zu einer wichtigen Erkenntnis. In meiner Beziehung zu Bob ging es nicht ums Geldverdienen. Ich würde nicht verhungern, wenn er keine Lust mehr hatte mitzukommen. Bob hat mein Leben in viel wichtigeren Dingen bereichert, und nur das allein zählte.

Er war mein Freund und Partner. Alles mit ihm zu teilen und gemeinsam zu erleben, machte einfach viel mehr Spaß. Außerdem gab er mir den nötigen Antrieb, mein Leben wieder in den Griff zu bekommen.

Es ist nicht leicht, sein Geld als Straßenmusiker zu verdienen. Täglich der Verachtung seiner Mitmenschen ausgeliefert zu sein, macht auf die Dauer die Seele kaputt. Bevor Bob in mein Leben trat, habe ich oft versucht, mit meiner Gitarre auf Pub-Besucher zuzugehen. Aber noch bevor ich »Hallo« sagen konnte, wimmelten sie mich mit finsterem Blick und einem unfreundlichen »Nein, bitte nicht!« ab. Wenn ich jemanden nur nach der Uhrzeit fragen wollte, bekam ich zu hören: »Tut mir leid, kein Kleingeld!«, noch bevor ich den Mund aufmachen konnte. Das passierte dauernd. Sie wollten nichts mit mir zu tun haben.

Niemand will einem Typen wie mir zuhören. Sie sehen mich an und verurteilen mich sofort als Schmarotzer. Sie wollen nicht verstehen, dass ich für mein Geld arbeiten will und nicht betteln. Nur weil ich nicht in Anzug und Krawatte auftrete, weder Aktentasche noch Computer bei mir habe, nur weil ich weder Gehaltsabrechnung noch Steuernachweis vorlegen kann, bin ich doch noch lange kein Trittbrettfahrer!

Dank Bob hatte ich endlich die Chance, mit Leuten zu reden.

Sie wollten alles über Bob wissen, und das gab mir die Möglichkeit, ihnen meine Lage zu schildern. Ich konnte einfließen lassen, dass wir von der Straßenmusik unseren Lebensunterhalt bestritten. Dank Bob hörten sie mir gerne zu.

Als Katzenbesitzer war mein Ansehen bei meinen Mitmenschen gestiegen. Das ist sogar wissenschaftlich erwiesen.

Katzen sind bekannt dafür, dass sie in ihrem Umgang mit Menschen sehr wählerisch sind. Wenn eine Katze mit ihrem Besitzer nicht zufrieden ist, zieht sie los und sucht sich einen neuen. Darüber gibt es viele Geschichten. Sie suchen sich knallhart ein neues Zuhause. Sobald die Leute die enge Bindung zwischen Bob und mir erkannten, stieg mein Sympathie-Barometer. Er machte mich »menschlicher« nach all der Zeit der Entmenschlichung. Bob hatte mir wieder ein Gesicht gegeben. Bevor er zu mir kam, war ich Abschaum gewesen. Dank ihm war ich plötzlich wieder ein Teil der Gesellschaft. Ein Mensch wie jeder andere.

7
Zwei Musketiere

Dank Bob haben die Menschen ihre vorgefertigte Meinung über mich geändert, aber auch ich habe meine Einstellung anderen gegenüber überdacht. Ich hatte noch nie in meinem Leben Verantwortung übernehmen müssen. Als junger Mann in Australien hatte ich diverse Jobs, und in England spielte ich in einer Band. Dafür brauchte es nur wenig Teamgeist. Seit ich als Teenager von zu Hause auszog, war ich immer nur für mich selbst verantwortlich. Ich musste mich nie um jemand anderen kümmern, immer nur um mich. Und selbst das tat ich nur, weil niemand da war, der für mich sorgte. Was für ein selbstsüchtiges Leben ich bisher geführt hatte! Alle meine Gedanken drehten sich immer nur um meinen persönlichen Überlebenskampf.

Bob hatte mein Leben ganz schön umgekrempelt. Plötzlich war ich für ein anderes Lebewesen verantwortlich. Nur mit meiner Hilfe konnte er wieder gesund und glücklich werden. Ich wurde zum ersten Mal gebraucht.

Das war eine ziemliche Umstellung, aber ich habe es hingekriegt. Es hat mir Spaß gemacht und es hat mir gutgetan. Vielleicht klingt das seltsam, aber zum ersten Mal in meinem Leben konnte ich mir vorstellen, wie es wäre, ein Kind zu versorgen. Bob war mein Baby, und es war eine befriedigende Aufgabe, dafür zu sorgen, dass ihm nicht kalt war, dass er genug zu fressen hatte und dass es ihm gut ging. Aber es war auch beängstigend.

Dauernd machte ich mir Sorgen um ihn. Besonders, wenn wir in der Stadt unterwegs waren. Ob in Covent Garden oder sonst wo, immer hatte ich das Gefühl, Bob beschützen zu müssen. Bob hatte diesen Urinstinkt in mir ausgelöst, der mich zwang, ihn ständig im Auge zu behalten. Und ich hatte allen Grund dazu.

Obwohl alle Leute so nett waren, seit Bob bei mir war, blieb ich wachsam. In den Straßen von London sind nicht nur gutherzige Touristen und Katzenliebhaber unterwegs. Der Anblick eines Straßenmusikers mit Katze, die so ihr Geld verdienen, löst nicht bei jedem Freude aus. Mit Bob an meiner Seite wurde ich nicht mehr so oft beschimpft wie früher, aber es kam weiterhin vor. Meist waren es junge, betrunkene Burschen, die sich für etwas Besseres hielten, nur weil sie am Monatsende eine Gehaltsabrechnung bekamen.

»Steh auf und geh arbeiten, du langhaariger Penner«, war ein beliebter Satz. Und das war noch die harmloseste Version ihrer Pöbeleien.

Diese Beleidigungen prallten schon lange an mir ab. Ich war daran gewöhnt. Aber wenn jemand seine Aggressionen an Bob auslassen wollte, wurde ich zum Löwenvater, der sein Junges bis aufs Blut verteidigt.

Für manche Leute waren Bob und ich leichte Beute. Und wenn man auf der Straße sein Geld verdient, kommt man um solche Idioten einfach nicht herum. Sie machen abfällige Bemerkungen oder lachen über uns. Auch Drohungen sind keine Seltenheit.

Es war an einem Freitagabend, kurz nachdem Bob und ich angefangen hatten, gemeinsam aufzutreten. Ich spielte gerade Johnny Cash auf der James Street, als eine Gruppe von schwarzen Hooligans auf uns aufmerksam wurde.

Sie waren eine provokante Truppe und sichtlich auf der Suche nach einem Opfer. Als sie Bob neben mir entdeckten, versuchten zwei von ihnen, Bob mit »Wuff«- und »Miau«-Geräuschen zu erschrecken. Ihre Mitläufer-Kumpel fanden das sehr witzig.

Ich versuchte, ihr kindisches Gehabe zu ignorieren. Aber dann versetzte einer der Jungs dem Gitarrenkasten, in dem Bob saß, einen derben Fußtritt. Es war kein spielerischer kleiner Stupser, sondern ein brutaler Tritt. Der Kasten schlitterte – mit Bob! – den Gehweg entlang.

Bob erschrak ganz fürchterlich. Er stieß einen kehligen Schrei aus, der mir durch Mark und Bein ging, und sprang in Panik aus seinem sonst so sicheren Gitarrenkasten-Körbchen. Zum Glück hatte ich seine Leine daran festgebunden, sonst wäre er bestimmt in der Menschenmenge verschwunden, und ich hätte ihn nie wiedergefunden. So blieb ihm nichts anderes übrig, als sich mit empört aufgeplustertem Fell hinter meinem Rucksack zu verstecken.

»Hey, was soll das, verdammt noch mal!«, brüllte ich und baute mich so nah vor dem Übeltäter auf, dass kaum noch eine Handfläche zwischen uns gepasst hätte. Ich bin sehr groß, überragte ihn um einiges, aber er blieb unbeeindruckt.

»Ich wollte nur sehen, ob die Katze echt ist.« Er fand seine Antwort auch noch witzig und lachte sich schief. Ich dagegen kochte vor Wut.

»Du hältst dich wohl für sehr schlau, du verdammter Idiot«, presste ich zwischen den Zähnen hervor. Seine Kumpel begannen, uns einzukreisen. Einer rammte mir seine Schulter in die Rippen, ein anderer versuchte, mich mit einem Brustrempler zu beeindrucken. Aber ich blieb felsenfest stehen und knuffte zurück. Ein paar Sekunden lang standen wir da wie Kampfhähne vor dem Angriff. Dann deutete ich auf eine

Überwachungskamera, die an der Ecke installiert und genau auf uns gerichtet war.

»Los, traut euch! Aber ihr werdet gefilmt. Mal sehen, wie schnell sie euch kriegen!«

Das wechselnde Mienenspiel auf ihren Gesichtern war ein Bild für Götter, das ich gern festgehalten hätte. Auf der Überwachungskamera oder sonst wie. Die Jungs waren echte Rowdies, denn sie hatten ganz offensichtlich schon schlechte Erfahrungen mit Überwachungskameras gemacht. Denen musste keiner mehr sagen, dass Gewaltanwendungen von unseren Gesetzeshütern scharf geahndet wurden, vor allem wenn man Beweise auf Video hatte. Mit einer Kopfbewegung pfiff der Witzbold seine Kumpanen zurück. Mir knurrte er mit hasserfülltem Blick zu: »Wir kriegen dich noch!«

Mit wüsten Beschimpfungen und beleidigenden Gesten zogen sie endlich ab. Aber das kümmerte mich wenig. Hauptsache, ich war sie los.

Trotzdem wollte ich nicht länger bleiben. Ich packte alles zusammen, nahm Bob auf den Arm, und wir machten uns auf den Heimweg. Ich kannte solche Typen. Die konnten mit Niederlagen nur schwer umgehen. Ich wollte nicht riskieren, ihnen an diesem Tag noch mal zu begegnen.

Aus diesem Zwischenfall habe ich zwei Dinge gelernt: Seitdem mache ich nur noch in der Nähe einer Überwachungskamera Musik. Als ich neu war, hat mir ein Kollege schon mal diesen Rat gegeben. »Da bist du sicherer«, meinte er. Aber damals wusste ich ja alles besser und habe diesen Tipp gleich wieder verworfen. Eine solche Überwachungskamera könnte ja auch beweisen, dass ich an verbotener Stelle Gitarre spielte. Erst mit der Zeit habe ich den Sicherheitsaspekt der Kameras schätzen gelernt, und der Vorfall mit den Hooligans hat mich endgültig überzeugt.

Und die zweite Erkenntnis aus diesem unangenehmen Erlebnis: Die Geschichte hat mir leider auch gezeigt, wie allein ich in solchen Fällen dastehe. In diesem Moment war kein Polizist, kein Covent Guardian und auch kein Mitarbeiter der U-Bahn in Reichweite. Und von den vielen Passanten hat sich auch keiner eingemischt, als mich die Jugendbande bedrängte. Ganz im Gegenteil, die Leute haben einen großen Bogen um uns gemacht und sich redlich bemüht, in eine andere Richtung zu sehen. Niemand wollte uns helfen. Daran hat sich leider nichts geändert. Nur, dass ich jetzt auch für Bob verantwortlich war.

Als wir an diesem Abend im Bus nach Tottenham saßen, rollte sich Bob auf meinem Schoß zusammen. »Du und ich gegen den Rest der Welt«, flüsterte ich ihm zu. »Wir sind die zwei Musketiere.« Er schmiegte sich noch enger an mich und schnurrte zustimmend.

London war nun mal voll von Spinnern, vor denen wir uns in Acht nehmen mussten. Dazu kam noch das Hundeproblem, seit ich mit Bob unterwegs war. Wir begegneten täglich vielen Hunden, und zu unserem Leidwesen zeigten fast alle großes Interesse an Bob. Die meisten Hundebesitzer merkten selbst, wenn ihr Liebling Bob zu nahe kam, und zogen ihr Tier weg, aber es gab auch die gedankenlosen und gehässigen Halter.

Generell störte sich Bob überhaupt nicht an vorbeilaufenden Hunden. Er ignorierte sie einfach. Wenn sie sich an ihn heranschnüffeln wollten, schenkte er ihnen seinen Sphinxblick und plusterte seine Nackenhaare auf. Für die meisten Hunde war das eine klare Ansage und reichte aus, um sie das Weite suchen zu lassen. Diese Coolness im Umgang mit dem sprichwörtlichen »Feind« war für mich ein weiteres Indiz für Bobs Vorleben als Straßenkatze. Nur dort kann er gelernt haben, mit Hunden umzugehen. Wie gut er das konnte, zeigte er mir eine Woche nach dem Zwischenfall mit den Halbstarken.

Es war an einem späten Nachmittag auf der Neal Street, als ein Mann mit einem Staffordshire Bullterrier auf uns zukam. Arschlöcher in London haben immer Bullterrier, und dieser Hundebesitzer sah aus wie ein echtes Arschloch: Kahl geschorener Schädel, Jogginganzug und Bierdose mit extrastarkem Lager in der Hand. Er torkelte sichtlich betrunken die Straße entlang, obwohl es gerade erst vier Uhr am Nachmittag war.

Als er auf unserer Höhe war, wurde er langsamer, weil sein Hund an der Leine zerrte. Er hatte Bob erspäht und wollte ihn nur friedlich beschnuppern. Genauer gesagt, ging es dem Bullterrier mehr um das Trockenfutter neben Bob. Voller Vorfreude auf einen unerwarteten Leckerbissen schnüffelte er sich näher.

Doch er hatte nicht mit Kampfkater Bob gerechnet. Der bot uns jetzt ein unglaubliches Schauspiel.

Ich habe Bob schon oft im Umgang mit Hunden beobachtet; normalerweise sieht er hoch erhobenen Hauptes an ihnen vorbei. Aber einen Angriff auf seine Brekkies wollte er nicht durchgehen lassen. Mein friedlich schlummerndes Fellbündel sah erst hoch, als sich der Bullterrier gierig schnüffelnd seinem Futter näherte. Er erhob sich im Zeitlupentempo und zog dem Hund dann blitzschnell mit der Pfote eins über die Nase. Muhammad Ali wäre stolz auf ihn gewesen. Der Hund machte einen entsetzten Satz nach hinten und robbte in Bauchlage rückwärts weg von Bob. Dabei sah er aus wie ein Lakai, der seinem König huldigt.

Zuerst war ich genauso überrumpelt wie der Kampfhund. Dann brach ich in Gelächter aus. Der Anblick war zu komisch. Der Hundebesitzer sah erst mich an und dann seinen Hund. Er war so betrunken, dass er gar nicht kapierte, was gerade geschehen war. Alles war so schnell gegangen. Trotzdem verpasste er seinem Hund einen harten Schlag auf den Kopf und zog ihn dann unsanft an der Leine mit sich fort. Es war ihm bestimmt peinlich, wie sein angsteinflößender Kampfhund von einer Katze zur Schnecke gemacht worden war.

Bob sah seinem Gegner, der als geprügelter Hund davonschlich, emotionslos hinterher. Ein paar Sekunden später schlief er schon wieder, als wäre nichts geschehen. Für ihn war es nur eine unbedeutende Pfotenbewegung gewesen, nicht spannender als das Verscheuchen einer Fliege. Für mich war es ein Moment der Offenbarung. Ich hatte wieder etwas Neues über meinen Freund und seine Vergangenheit gelernt. Er konnte sich verteidigen und sehr gut auf sich selbst aufpassen. Wahrscheinlich hatte er schon früh Umgang mit Hunden gehabt, die keine Schoßhündchen waren!

Und wieder beschäftigten mich die alten Fragen: Wo ist er aufgewachsen? Welche Abenteuer musste er bestehen, bevor er sich mir angeschlossen hat und einer der zwei Musketiere wurde?

Mein neues Leben mit Bob war voller Abwechslung und Spaß. Mit ihm wurde es nie langweilig, wie der kleine Zwischenfall mit dem Bullterrier bewiesen hatte. Er war so eine starke Persönlichkeit! Er hatte die seltsamsten Eigenarten, und ich entdeckte jeden Tag neue.

Inzwischen war ich überzeugt, dass er auf der Straße groß geworden war. Nicht nur wegen seiner ausgeklügelten Kampftechnik, sondern auch wegen seiner rauen Manieren, die so gar nicht zu einem gezähmten Stubentiger passten.

Obwohl er nun schon über einen Monat bei mir lebte, verweigerte er immer noch das Katzenklo. Er hasste es abgrundtief. Sobald ich es demonstrativ in seiner Nähe aufstellte, nahm er Reißaus. Lieber hielt er alles ein, bis ich die Wohnung verließ und er zu seinen Büschen flitzen konnte. Das ging mir mit der Zeit ziemlich auf die Nerven. Es war wirklich lästig, mehrmals täglich fünf Stockwerke rauf und runter zu rennen, nur weil Mr. Sturkopf auf sein Freiluftklo bestand. Ich sah nur noch einen Ausweg, Bob dazu zu bringen, das Kistchen in der Wohnung endlich anzunehmen. Ich musste ihn zwingen. Aber wie macht man das bei so einer eigenwilligen Katze? Mein Plan war, so hart das klingen mag, vierundzwanzig Stunden Stubenarrest. So lange hielt es auch der störrischste Kater nicht aus. Dachte ich. Aber ich hatte die Rechnung mal wieder ohne Bob gemacht. Er hat durchgehalten, ohne Mauzen, ohne an der Tür zu kratzen. Mit stoischer Ruhe wartete er, bis ich aufgeben musste, weil ich einen Termin hatte. Sobald die Tür aufging, flutschte er aus dem Türspalt und stürzte sich geradezu die Treppen hinunter, um nach draußen zu gelangen. Spiel, Satz und Sieg für Bob! Diesen Kampf würde ich wohl nie gewinnen.

Bob hatte auch eine wilde Seite. Natürlich war er ruhiger als vor der Kastration, aber zeitweise tobte er immer noch wie eine übermütige Wildkatze durch die Wohnung und spielte mit allem, was er zwischen die Pfoten bekam. Einmal konnte ich zusehen, wie er sich über eine Stunde lang mit einem Flaschendeckel amüsierte. Er scheuchte ihn durch alle Räume, warf ihn hoch, fing ihn auf dem Rücken liegend wieder auf, fegte ihn unter den Teppich und buddelte ihn mit viel theatralischem Getue wieder hervor. Ein anderes Mal belauerte er eine Hummel, die sich in unsere Wohnung verirrt hatte. Mit einem kaputten Flügel krabbelte sie auf dem Wohnzimmertisch herum. Manchmal fiel sie auf den Rücken und surrte laut bei ihren verzweifelten Versuchen, sich wieder umzudrehen. Dabei fiel sie manchmal vom Tisch auf den Teppich. Immer wenn das passierte, hob Bob die Hummel ganz vorsichtig mit seinem Mäulchen wieder auf und legte sie zurück auf den Couchtisch. Es war wirklich beeindruckend, wie feinfühlig er es fertigbrachte, einen Flügel der Hummel zwischen seine Zähne zu nehmen. Er wollte sie unversehrt auf die Glasfläche zurücklegen, nur um sie hoch konzentriert weiter zu beobachten. Es war einfach zu komisch. Er wollte ihr nichts tun, er wollte einfach nur spielen.

Auch beim Fressen konnte er seine Straßenmanieren, den dort aufgeschnappten Futterneid, nicht verleugnen. Nach jedem Besuch seines Freiluftklos machte er einen Abstecher zu den Müllcontainern hinter dem Haus. Leider waren die großen Müllkippen auf Rädern immer wieder offen. Manchmal lagen die schwarzen Plastiksäcke sogar neben den Containern. Diese wurden dann von streunenden Hunden oder Füchsen aufgerissen. Wie unter einem inneren Zwang trieb es Bob immer wieder dorthin. Es könnten ja Essensreste herumliegen, die man trotz Gourmet-Katzendinner nicht verkommen lassen durfte. Einmal erwischte ich ihn dabei, wie er einen Hühnerschenkel davonzerrte, den die vierbeinigen Straßenräuber übersehen hatten. *Es ist eben schwer, alte Gewohnheiten abzulegen*, dachte ich nachsichtig. Wer konnte das besser verstehen als ich!

Obwohl er von mir zu festen Zeiten gefüttert wurde, konnte er nicht aufhören zu schlingen. Sobald ich ihm die Schüssel hinstellte, verschwand sein Gesicht tief in seinem Napf, und er fraß, als wäre es seine letzte Mahlzeit für lange Zeit.

»Langsam, Bob, genieß dein Futter«, beschwor ich ihn jedes Mal mit ruhiger Stimme, aber es war sinnlos. Wahrscheinlich hatte er sich früher jede Mahlzeit schwer erkämpfen müssen und nie gewusst, wann und wo er die nächste finden würde. Er hatte noch nicht begriffen, dass ihm bei mir zwei Mahlzeiten täglich sicher waren. Auch dieses Gefühl konnte ich nachvollziehen. Schließlich habe ich selbst lange auf der Straße gelebt. Ich kannte diese Angst.

Bob und ich hatten sehr viel gemeinsam. Deshalb war unsere Bindung von Anfang an so innig – und sie wurde immer stärker.

Das Einzige, was mich wirklich an Bob störte, waren die Haare, die er überall in der Wohnung verlor. Das war ganz normal, denn wir hatten inzwischen Frühling und er verlor sein Winterfell. Leider büschelweise. Und weil er diesen Fellwechsel beschleunigen wollte, rieb er sich an allem, was ihm zu Hause Widerstand bot. Trotz täglichem Staubsaugen waren die Katzenhaare ständig überall. Auf meiner Kleidung, auf der Bettwäsche, der Couch, an Schränken, Tisch- und Stuhlbeinen und natürlich auf dem Teppich. Es machte mich wahnsinnig.

Dabei war es ein gutes Zeichen. Sein Fell war nachgewachsen, und auch körperlich ging es ihm gut. Er war immer noch sehr schlank, aber man spürte keine Rippen mehr, wenn man ihn streichelte. Sein Fell war von Natur aus dünn, wahrscheinlich, weil ihm als Jungtier auf der Straße wichtige Nährstoffe gefehlt hatten. Aber es gab keine kahlen Stellen mehr, und durch das Antibiotikum war seine Beinverletzung so gut verheilt, dass neues Fell darüber gewachsen war. Er strotzte vor Gesundheit, und nichts erinnerte mehr an das Häufchen Elend, dass ich mal gefunden hatte.

Er brauchte auch kein Bad, um sauber zu bleiben. Die

sprichwörtliche Katzenwäsche ist absolut ausreichend, und Bob war ein Meister in dieser akrobatischen Disziplin. Ich sah ihm gerne zu bei diesem Ritual. Es hatte so etwas Friedliches, wenn er sich die Pfoten leckte, um sich dann damit das Gesicht zu waschen. Für die Ganzkörperwäsche nahm er sich alle Zeit der Welt, als gäbe es nichts Wichtigeres.

Ich fand die Katzenwäsche deshalb so faszinierend, weil es zeigte, wie stark die Hauskatze immer noch mit ihren wilden Vorfahren verbunden ist. Bobs Ahnen lebten in tropischem Klima, aber sie konnten nicht schwitzen. Durch das Ablecken wurde mehr Speichel produziert, und dieser verschaffte ihnen die notwendige Abkühlung. Gleichzeitig war dieser Speichelfilm auf ihrem Fell ein Geruchskiller. Ihr Tarnkleid, das sie unsichtbar machte.

Eigengeruch würde die Katze beim Jagen behindern. Sie überfallen ihre lebende Beute und müssen sich dafür so unauffällig wie möglich anpirschen können. Sie lecken sich deshalb so oft, weil ihr Speichel einen natürlichen Deodorantstoff enthält. Zoologen haben herausgefunden, dass Katzen, die sich regelmäßig ihren Geruch ablecken, länger überleben und mehr Nachkommen produzieren. Auf diese Weise entgehen sie auch ihren Feinden wie großen Schlangen, Waranen und anderen fleischfressenden Säugetieren.

Die Katzenwäsche erspart Bob und seinen Vorfahren auch den Katzendoktor. Sie hält sie gesund. Mit dem Ablecken verringern sie Parasitenbefall wie Läuse, Milben und Zecken, die eine Katze im schlimmsten Fall töten können. Der Speichel der Katze verhindert auch Infektionen in offenen Wunden, weil er ein Desinfektionsmittel enthält. Vielleicht nimmt es Bob mit seiner pingeligen Katzenwäsche auch deshalb so genau, weil er so krank war und weiß, dass er damit den Heilungsprozess beschleunigen kann.

Zu guter Letzt wäre da noch sein neues Laster, an dem ich nicht ganz unschuldig war: Er sah gerne fern. Zum ersten Mal fiel mir auf, dass er Dinge beobachtete, die sich auf einem Bildschirm bewegten, als ich in einer Bibliothek am Computer saß. An meinen freien Tagen ging ich oft dorthin, und Bob war natürlich dabei, seit er mir überallhin folgte. Er saß auf meinem Schoß und starrte mit mir gemeinsam auf den Bildschirm. Wenn ich die Maus bewegte, versuchte er, den sich bewegenden Pfeil mit der Pfote einzufangen.

Das wollte ich genauer erkunden. Deshalb machte ich zu Hause den Fernseher an und ging ins Schlafzimmer. Als ich wiederkam, hatte sich Bob tatsächlich auf der Couch niedergelassen und beobachtete das Fernsehbild.

Ein Freund hat mir mal erzählt, sein Kater wäre ein *Star-Trek*-Fan. Er war ganz verrückt nach der Serie *The Next Generation*. Immer, wenn er die Titelmusik hörte – Dah-Dah Dah Dah Dah-Dah Dah Dah –, kam er angerannt, sprang auf die Couch und sah sich die ganze Folge an. Ich habe es selbst gesehen. Mehrmals. Kein Scherz, es war irre komisch.

Bob war schon nach kurzer Zeit ein Fernseh-Junkie. Sobald ihm irgendetwas auf der Mattscheibe auffiel, blieb er daran kleben. Ich fand es viel lustiger, Bob beim Fernsehen zuzusehen, als selbst in die Glotze zu starren. So fand ich beim Zappen zufällig heraus, dass Bob Pferderennen total spannend fand. Ich konnte mich köstlich darüber amüsieren, wie er die Rennen gebannt auf dem Bildschirm verfolgte.

8
Offizielle Anmeldung

Ein paar Wochen nach der Gründung unseres Straßenmusiker-Duos stand ich an einem Donnerstag früher auf, machte Frühstück für uns beide und verließ dann mit Bob das Haus. Wir fuhren aber nicht in die Stadt, sondern stiegen an der Haltestelle Islington Green aus.

Ich wollte Bob einen Mikrochip einpflanzen und registrieren lassen, da er mich fast täglich in die Stadt begleitete. Früher war das ein ziemlich kompliziertes Unterfangen gewesen, aber inzwischen war es einfach. Der Tierarzt transportiert den Chip mit einer Spritze unter die Haut am Hals des Tieres. Darauf befindet sich eine Seriennummer, die zusammen mit den Kontaktdaten des Besitzers registriert wird. Wird ein herrenloses Tier mit Chip aufgefunden, kann der Tierarzt oder ein Mitarbeiter im Tierheim mit Hilfe eines Scan-Gerätes die Daten ablesen und den Besitzer ermitteln.

So wie Bob und ich lebten, war dieser Schritt unumgänglich. Ich hoffte, dass es nie nötig sein würde, aber falls wir uns wirklich mal verlieren sollten, wäre das die einzige Chance, Bob wiederzufinden. Schlimmstenfalls könnte auch mir jederzeit etwas zustoßen. Dann würde die Registrierung wenigstens beweisen, dass Bob kein total verwilderter Straßenkater war, sondern ein liebevolles Zuhause gehabt hatte.

Kurz nachdem Bob bei mir eingezogen war, hatte ich alles

über Mikrochips für Haustiere im Bibliothekscomputer recherchiert. Dabei war mir schnell klar geworden, dass ich mir das einfach nicht leisten konnte. Die meisten Tierärzte verlangten dafür 60 bis 80 Pfund. So viel Geld hatte ich nie übrig. Aber auch wenn ich gekonnt hätte, diesen Wucherpreis wollte ich prinzipiell nicht bezahlen.

Bis ich eines Tages mit meiner Nachbarin, der Katzenmutter von gegenüber, ins Gespräch kam. »Sie sollten an einem Donnerstag mit Bob nach Islington Green fahren«, riet sie mir. »Dort steht an diesem Tag immer der Blue-Cross-Bus mit der mobilen Tierarztpraxis. Dort zahlt man nur für den Chip. Aber Sie müssen früh da sein, der Andrang ist groß«, schärfte sie mir ein.

Heute war Donnerstag. Ich wollte früh dort sein, um in den zwei Stunden zwischen zehn und zwölf Uhr auch sicher dranzukommen.

Wie es die Katzenmutter vorausgesagt hatte, sahen wir schon von Weitem eine lange Warteschlange. Die Leute standen bis zur *Waterstone*-Buchhandlung an der nächsten Ecke. Zum Glück war es ein sonniger Morgen, sodass das Warten erträglich blieb.

Es war die übliche Mischung an Leuten, die man bei solchen sozialen Einrichtungen antrifft: Katzenbesitzer mit den praktischen Trageboxen, Hunde, die sich gegenseitig beschnupperten und miteinander herumalberten. Es war eine gesittete Ansammlung, und die Tierhalter waren viel angenehmer und netter als bei der RSPCA-Ambulanz, wo ich Bob wegen seines verletzten Beins hingebracht hatte.

Seltsam, aber Bob war die einzige Katze, die nicht in einem Katzenkorb weggesperrt war. Wir erregten deshalb viel Aufmerksamkeit. Ein paar ältere Damen waren ganz hingerissen von Bob, und er bekam viele Streicheleinheiten.

Nach eineinhalb Stunden in der Warteschlange waren wir endlich ganz vorne. Eine junge Tierarzthelferin mit Kurzhaarschnitt begrüßte uns freundlich.

»Was kostet es, ihm einen Mikrochip einsetzen zu lassen?«, fragte ich sie.

»15 Pfund«, gab sie lächelnd Auskunft. Sie sah mir wohl an, dass ich nicht gerade in Geld schwamm, und fügte hinzu: »Sie müssen das auch nicht auf einmal bezahlen. Wir können Ratenzahlung vereinbaren. Wie wäre es mit 2 Pfund pro Woche?«

Ich war angenehm überrascht. »Cool! Das schaff ich!«, stimmte ich erleichtert zu.

Zuerst sollte Bob noch kurz untersucht werden, wahrscheinlich um festzustellen, dass er gesund und flohfrei war. Nicht ohne Stolz ging ich davon aus, dass es keine Beanstandung geben würde. Es ging ihm besser denn je. Seit seiner Mauser war er ein schlanker, sehr athletischer Kater zum Vorschein gekommen.

Danach brachte uns die Assistentin zum Behandlungsraum, wo uns der Tierarzt bereits erwartete. Er war noch ziemlich jung, vielleicht Mitte zwanzig.

»Guten Morgen«, begrüßte er uns, bevor er sich mit seiner Assistentin in eine Ecke zur Beratung zurückzog. Ich beobachtete die beiden, während sie alle Utensilien zum Einsetzen des Chips zusammensuchten. Die junge Frau mit den kurzen Haaren suchte Papiere zusammen, während der Arzt Spritze und Nadel für die Einpflanzung vorbereitete. Beim Anblick der Nadelgröße stockte mir das Blut in den Adern. Aber das ließ sich wohl nicht vermeiden. Der Chip in Reiskorngröße brauchte eine entsprechend große Kanüle.

Leider hatte auch Bob die Riesenspritze gesehen und versuchte zu flüchten – zum ersten Mal bei einem Arztbesuch.

Ich konnte es ihm nicht verdenken. Zusammen mit der Assistentin versuchte ich, Bob festzuhalten und vom Tierarzt wegzudrehen, damit er die Spritze nicht kommen sah. Aber Bob war nicht dumm, er ahnte die Gefahr. So panisch hatte ich ihn noch nie erlebt. Er versuchte, sich aus meinem Griff zu befreien. Katzen können sich blitzschnell aufbäumen, winden und verbiegen, sodass man sie zu nichts zwingen kann. »Keine Angst, Bob, das ist gleich vorbei«, redete ich beruhigend auf ihn ein und streichelte ihm Bauch und Hinterbeine, während die Tierarzthelferin ihn im Spezialgriff vorne festhielt. Ich wollte ihn von dem näher kommenden Tierarzt ablenken.

Als die Nadel Bobs Haut durchstach, stieß er einen jämmerlichen, grellen Schrei aus, der mir durch Mark und Bein ging. Als es Bob vor Schmerzen schüttelte, trieb es mir die Tränen in die Augen. Aber kaum hatte der Arzt die Nadel herausgezogen, fing er sich wieder. Zum Trost gab ich ihm eines seiner Lieblingsleckerchen. Dann hob ich ihn vorsichtig hoch und trug ihn zurück zum Eingangsbereich.

»Das hast du gut gemacht, mein kleiner Kämpfer!«, flüsterte ich ihm zu.

Danach sollte ich noch ein paar kompliziert aussehende Formulare ausfüllen, aber zum Glück half mir die Tierarzthelferin dabei.

»Wir brauchen Ihre Kontaktdaten für die Datenbank«, erklärte sie mir. »Name, Adresse, Telefon?« Während sie meine Angaben in ihre Formulare schrieb, erkannte ich die Bedeutung dieses Augenblicks. Ich hatte endlich Nägel mit Köpfen gemacht.

»Werde ich jetzt als sein rechtmäßiger Besitzer registriert?«, fragte ich vorsichtig.

Sie sah von ihren Papieren hoch und lächelte.

»Ja, wenn das für Sie in Ordnung ist?«

»Aber ja, natürlich, das ist wunderbar!«, versicherte ich ihr. »Wirklich, ich freue mich sehr!«

Währenddessen hatte sich Bob auf meinem Arm schon wieder sichtlich erholt. Ich kraulte ihn am Kopf. Dabei passte ich auf, seinen Nacken nicht zu berühren. Ich wollte ihm nicht wehtun, aber auch vermeiden, dass er mir vor Schmerz versehentlich den Arm zerkratzte.

»Hast du das gehört, Bob?«, nuschelte ich leise zwischen seine Ohren. »Wir sind jetzt eine richtige Familie, ganz offiziell!«

Auf dem Weg zum Bus durch Islington wurden wir noch mehr angegafft als sonst. Das lag bestimmt an meinem Grinsen. Es war breiter als die Themse, und ich konnte es einfach nicht abstellen.

Bob hat mein Leben ganz schön umgekrempelt. Ihm zuliebe hat sich in meinem Singlehaushalt viel geändert.

Er hat mich nicht nur dazu gebracht, einen geregelteren Tagesablauf einzuhalten und Verantwortung zu übernehmen, sondern auch, mich selbst zu hinterfragen. Mit niederschmetterndem Ergebnis.

Bobs Besitzer war ein Drogenabhängiger auf Entzug. Einer, der täglich seine Ersatzdroge aus der Apotheke holte und zweimal im Monat zur Drogenambulanz pilgerte. Das alles war mir so peinlich, dass ich es tunlichst vermied, Bob zu diesen Terminen mitzunehmen. Es klingt vielleicht verrückt, aber ich wollte nicht, dass Bob diesen Teil meiner Vergangenheit kennenlernte.

Und doch war es sein Verdienst, dass ich meine Sucht inzwischen definitiv als Vergangenheit bezeichnen konnte.

Bob hatte mir den Glauben an eine drogenfreie Zukunft

und die Chance auf ein normales Leben zurückgegeben. Aber den langwierigen Prozess bis dahin wollte ich ihm unbedingt ersparen.

Leider stolperte ich immer noch über Erinnerungsstücke an meine dunklen Zeiten, die mir vor Augen führten, welch langen und steinigen Weg ich noch vor mir hatte. Ein paar Tage nachdem Bob seinen Mikrochip bekommen hatte, durchwühlte ich meine Kommode im Schlafzimmer. Ich war auf der Suche nach der neuen Oystercard, meiner elektronischen Fahrkarte für die öffentlichen Verkehrsmittel. Sie war vor ein paar Tagen mit der Post gekommen. Unter einem Stapel alter Zeitungen und ein paar T-Shirts stieß ich auf eine Tupperware-Box. Ich hatte sie längst vergessen, nicht aber ihren Inhalt. Den kannte ich, auch ohne sie zu öffnen. Sie enthielt all die Utensilien, die man als Heroinsüchtiger braucht: Injektionsnadeln, Spritzenkanülen und andere traurige Dinge für den täglichen Suchtbedarf. Mir lief ein Schauer über den Rücken, als würde mich ein böser Geist aus der Vergangenheit mit seinem kalten Atem streifen. Die unscheinbare Plastikbox war voller schlechter Erinnerungen. Wie bei einem Flashback zuckten mir scheußliche Bilder aus dunklen Tagen durch den Kopf. Bilder, die ich tief in meinem Unterbewusstsein weggesperrt hatte und nie wieder sehen wollte.

Die Box musste weg. Sofort und endgültig. Raus aus meiner Wohnung. Sie sollte mich nie wieder erinnern oder gar in Versuchung führen. Vor allem wollte ich sie nicht in Bobs Nähe wissen, auch wenn sie noch so gut versteckt war.

Bob saß neben der Heizung, sprang aber sofort auf, als ich meinen Mantel anzog. Er folgte mir nach unten und wich mir bis zu den Müllcontainern nicht von der Seite. Er ließ mich nicht aus den Augen, bis die Box im Eimer für Sondermüll gelandet war.

»So«, sagte ich erleichtert zu ihm. »Das war schon lange fällig.« Er schenkte mir einen seiner unergründlichen Blicke. Ich glaube, er war zufrieden mit mir.

9
Der Ausreißer

So etwas wie »Alltag« gibt es nicht auf der Straße. Man muss immer auf der Hut sein vor unerwarteten Veränderungen, das habe ich schnell gelernt. Sozialarbeiter sind immer gleich zur Stelle mit dem Wort »chaotisch«, wenn sie von Leuten wie mir reden. Sie nennen unser Leben chaotisch, weil es nicht in ihre von den gesellschaftlichen Normen geprägte Schablone passt. Aber für Menschen, die auf der Straße leben und arbeiten, gelten andere Regeln – und diese Lebensweise ist für uns »normal«.

So war ich auch nicht allzu überrascht, als nach einem tollen Sommer mit Bob der Herbst ins Land zog und unser Job in Covent Garden plötzlich schwieriger wurde. Ich hatte schon auf eine große Veränderung gewartet. Nichts bleibt wie es ist. Besonders nicht in meinem Leben.

Bob war immer noch eine Attraktion, besonders für die Touristen. Aus aller Herren Länder blieben Leute stehen, um mit Bob Kontakt aufzunehmen. Ich hörte Sprachen von überall her, von Afrikaans bis Walisisch. Vor allem das Wort »Katze« hatte ich bereits in all diesen Sprachen gelernt und viele Ausdrücke behalten: in Slowakisch *Kocka* und in Russisch *Koshka* oder in Türkisch *Kedi*. Mein absolutes Lieblingswort für Katze hatten die Chinesen: *Mao*. Es hat mich doch sehr überrascht, dass ihr großer Führer eine Katze war!

Aber egal wie seltsam oder melodisch jemand in seiner

Muttersprache auf uns einredete, es ging immer nur um eines: Alle liebten Bob.

Unter den Anwohnern der James Street hatten wir sogar Stammgäste: Leute, die täglich auf ihrem Heimweg von der Arbeit an uns vorbeikamen. Die blieben immer stehen, um Bob zu begrüßen. Manchmal bekam er sogar kleine Geschenke.

Aber leider gab es auch Leute, die uns keine Sympathie entgegenbrachten. Zuerst nahmen mich die Covent Guardians aufs Korn, weil ich immer wieder vor der U-Bahn-Station James Street Gitarre spielte. Einer von ihnen verwarnte mich immer wieder. Er berief sich auf die amtlichen Vorgaben, die meinen Lieblingsplatz den lebenden Statuen zugeteilt hatten. Dass keiner von denen da war, hieß für ihn leider nicht, dass ich diesen Freiraum belegen durfte. »Sie kennen die Regeln«, wiederholte er laufend in Ermangelung besserer Argumente.

Klar kannte ich die Regeln, aber Regeln sind da, um auch mal umgangen zu werden. Auch das ist ein Gesetz der Straße. Wenn wir uns immer an alle Regeln gehalten hätten, wäre die Straße wohl kaum unser Arbeits- und Lebensraum.

Deshalb verzog ich mich jedes Mal friedlich, wenn mich der Guardian verscheuchte, spielte für ein paar Stunden woanders und kam später ganz unauffällig zurück in die James Street. Dabei ging ich kein allzu großes Risiko ein, denn bisher hatten die Covent Guardians noch nie die Polizei geholt, weil jemand an verbotener Stelle eine Vorführung gab.

Viel penetranter waren die Angestellten der U-Bahn, denen es plötzlich auch nicht mehr passte, dass ich ihre Passagiere gleich am Ausgang mit Musik unterhielt. Besonders zwei Fahrscheinkontrolleure hatten es auf mich abgesehen.

Anfangs erntete ich nur böse Blicke und den einen oder anderen abfälligen Kommentar, wenn ich an der Außenmauer des Stationsgebäudes saß. Eines Tages jedoch kam ein extrem unsympathischer Kontrolleur auf mich zu. Er war dick und schwitzte sichtbar in seiner blauen Uniform, während er mich verwarnte.

Auf Bobs Menschenkenntnis konnte ich mich wirklich verlassen. Er hatte seinen sechsten Sinn dafür schon oft bewiesen. Mit seinem unsichtbaren Radar witterte er unangenehme Personen, lange bevor ich sie erspähte. So auch diesen Fettsack. Mein kleiner roter Held drückte sich bereits schutzsuchend an mich, noch bevor der Typ aufgetaucht war. Für mich war das ein Zeichen, auf der Hut zu sein.

»Hallo! Geht's gut?«, versuchte ich dem Widerling den Wind aus den Segeln zu nehmen.

»Nein, nicht wirklich«, war die schroffe Antwort. »Verpiss dich, oder es passiert was!«

»Was denn?«, trotzte ich seiner unbegründeten Wut auf mich.

»Wirst du schon sehen«, versuchte er mich einzuschüchtern. »Das ist eine Warnung!«

Er hatte keinerlei Befugnis außerhalb des U-Bahn-Bereiches, und ich hatte nicht vor, mich von ihm einschüchtern zu lassen. Trotzdem beschloss ich, meinen Lieblingsplatz für eine Weile zu meiden.

Zuerst zog ich um auf die Neal Street, Ecke Long Acre. Also immer noch ganz nahe an einer U-Bahn-Station, aber weit genug entfernt, um den übereifrigen Mitarbeitern nicht mehr in die Quere zu kommen. Leider war dort auch nicht so viel los, und die Passanten waren nicht so spendierfreudig wie in Covent Garden. Trotzdem trat immer wieder jemand gegen meinen Rucksack oder erschreckte Bob. Er fühlte sich hier gar nicht wohl. Sobald ich an dieser Ecke anfing zu spielen, rollte er sich zu einem abwehrenden Ball zusammen und beobachtete aus zusammengekniffenen Augen misstrauisch sein Umfeld. Seine Abwehrhaltung war eine klare Ansage: »Hier gefällt´s mir nicht!«

Nach ein paar Tagen gab ich nach. Wir stiegen ein paar Haltestellen früher aus und liefen durch Soho in Richtung Piccadilly Circus. Wir waren immer noch im Stadtzentrum, im Bezirk Westminster. So gab es auch hier Regeln und Einteilungen für Straßenkünstler. Bob zuliebe wollte ich mich daran halten. Ich hatte gehört, dass es östlich von Piccadilly Circus, auf der Straße Richtung Leicester Square, eine gute Stelle für Straßenmusiker gab. Dort wollte ich es an diesem Tag mit Bob versuchen.

Wir fanden gleich den perfekten Platz, ganz in der Nähe vom Haupteingang der U-Bahn-Station Piccadilly Circus und vor dem Eingang der Ausstellung *Ripley's unglaubliche Welt.*

Es war viel los an diesem Spätnachmittag und Abend. Hunderte von Touristen zogen auf ihrem Weg zu den Kinos und Theatern im Westend an uns vorbei. Wir machten schnell Kasse, obwohl die meisten Passanten auf dem Weg zur U-Bahn an uns vorbeihetzten. Trotzdem blieben viele von ihnen beim Anblick von Bob stehen oder wurden zumindest langsamer.

Bob war dieses Getümmel unheimlich. Er saß auf meiner Gitarre, während ich spielte und drückte sich dabei noch fester an mich als sonst. So viele Menschen und ein völlig unbekanntes Revier! In Covent Garden war er nie so anhänglich, aber dort waren ihm meine Stammplätze auch alle vertraut.

Wie immer war internationales Publikum auf den Straßen der Innenstadt unterwegs, um Londons Sehenswürdigkeiten zu bewundern. Viele Japaner, die beim Anblick von Bob kaum ihren Augen trauten. Schon bald kannte ich wieder ein neues Wort für Katze: *Neko.* Bis 18 Uhr lief alles hervorragend. Dann begann die Stoßzeit, und die Straßen wurden noch voller. Plötzlich trat ein Promoter von *Ripley's* auf die Straße. Er trug eines dieser aufblasbaren Plastikkostüme, die ihn so dick wie einen Sumo-Ringer machten. Er ruderte einladend mit den Armen, um Passanten zu einem Besuch der Ausstellung zu animieren. Was seine Verkleidung mit den Ausstellungsstücken zu tun haben könnte, war mir schleierhaft. Vielleicht Sehenswertes über den fettesten Mann der Welt? Oder über den peinlichsten Job der Welt?

Die monströse Figur machte Bob Angst. Sobald er aufgetaucht war, suchte Bob wieder meine Nähe. Der Riese war ihm unheimlich. Mit bangem Blick starrte er unverwandt zu ihm hinüber. Und mit Katzenaugen betrachtet, sah der Kerl ja auch wirklich zum Fürchten aus.

Ich behielt Bob im Auge, aber nach kurzer Zeit entspannte er sich wieder. Sollte der Dicke doch seinen Job machen, Bob kümmerte es nicht weiter. Ich sang gerade *Ring of Fire* von Johnny Cash, als der Plastik-Sumo plötzlich auf uns zukam. Er streckte die Hand aus, als wolle er Bob streicheln. Leider bemerkte ich ihn erst, als sich das Ungetüm bereits über Bob beugte. Zu spät.

Bob machte einen entsetzten Luftsprung. Dann war er weg. Er verschwand so schnell zwischen den Beinen der vielen Passanten, dass ich nur noch eine buschige Schwanzspitze und seine Leine hinter ihm herflitschen sah. Noch bevor ich Luft holen konnte, war er im U-Bahn-Eingang verschwunden.

Verdammt, dachte ich entsetzt und mein Herz klopfte wie wild. *Jetzt ist er weg. Jetzt habe ich ihn verloren!*

Nach der ersten Schrecksekunde kehrten meine Lebensgeister zurück. Ich sprang auf und lief hinter ihm her. Meine Habseligkeiten samt Gitarre waren mir in diesem Moment egal. Ich musste Bob einholen. Eine Gitarre kriege ich überall, aber Bob war unersetzlich!

Ich stürzte mich in die Menge. Müde Bürohengste auf dem Heimweg von der Arbeit, frühe Nachtschwärmer auf dem Weg ins Westend und natürlich Touristen über Touristen, manche mit Rucksack, andere, die sich an ihren Stadtplänen festklammerten und hier mitten im pulsierenden Herzen von London etwas überfordert schienen. Ich musste Zickzacklinien laufen, um schneller bis zum U-Bahn-Eingang durchzukommen. Dabei rempelte ich leider auch ein paar Leute an und prallte mit einer Frau zusammen.

In diesem Wust aus Leibern, die sich mir entgegendrückten, war es unmöglich, ein kleines Katertier zu finden. Vor allem, wenn er sich verstört in einer Ecke verkrochen hatte. Erst als ich am Ende der Treppe in der Bahnhofshalle ankam, lichtete sich das Getümmel. Es waren immer noch zu viele Leute, aber zumindest konnte ich stehenbleiben und mich umsehen. Ich ging in die Knie, um den Boden abzusuchen. Dafür erntete ich schiefe Blicke, aber das war mir egal.

»Bob! Bob, wo bist du?«, schrie ich verzweifelt. Aber der ohrenbetäubende Lärm der ein- und abfahrenden Züge übertönte alles. Ich konnte mich selbst kaum hören.

Mir blieb nichts anderes übrig, als auf gut Glück in irgendeine Richtung weiterzugehen. Sollte ich zu den Drehkreuzen gehen, die zu den Rolltreppen und Zügen führten, oder zu einem der vielen anderen Ausgänge? Was würde Bob tun? Ich verwarf den Weg zu den Zügen. Wir waren noch nie zusammen U-Bahn gefahren und die Rolltreppen wären ihm bestimmt unheimlich.

Also lief ich zu den Ausgängen auf der anderen Seite der Halle, die zum Piccadilly Circus führten.

Zwei Sekunden später sah ich auf einer Treppe etwas Rotes aufblitzen. Und dann den Zipfel seiner Leine, die über die Treppe nach oben schleifte.

»Bob!«, brüllte ich. »Bob!« Ich versuchte, die Leine zu erwischen, konnte mich aber nur mühsam gegen die mir entgegenkommende Flut an Neuankömmlingen durchquetschen. Höchstens zehn Meter trennten mich von Bob, aber ich kam nicht voran. Ich fühlte mich wie in einem dieser Albträume, in denen man läuft, aber nicht von der Stelle kommt, obwohl man fast stirbt vor Angst. Der Gegenstrom der Passagiere, die in die Bahnhofshalle drängten, hielt mich gefangen und drückte mich zurück. »Halten Sie ihn auf! Bitte, treten Sie auf seine Leine!«, brüllte ich, als das rote Fellbüschel im Abendlicht über mir nochmals aufleuchtete.

Aber niemand schenkte mir Beachtung, niemand hörte mir zu.

Die Leine war weg, Bob endgültig verschwunden. Bestimmt war er auf die Regent Street geflüchtet. Unbekanntes Revier für Bob, und kein Wunder, wenn er vor lauter Panik ziellos weitergelaufen war.

Meine Gedanken überschlugen sich. In meinem Kopf spielten sich die unmöglichsten Horrorszenarien ab. War er oben auf die Straße gelaufen? Hat ihn jemand gesehen und mitgenommen? Als ich mich endlich die Treppen hochgekämpft hatte und auf der Straße ankam, war ich selbst in Panik. Mir war nur noch zum Heulen zumute, denn ich war überzeugt, ich würde Bob nie mehr wiedersehen.

Was passiert war, hätte ich nicht verhindern können, trotzdem fühlte ich mich schrecklich. Warum, verdammt noch mal, hatte ich Bobs Leine nicht an meinem Rucksack oder an meinem Gürtel befestigt? Warum hatte ich seine Panik ignoriert, als das Ripley-Monster aufgetaucht war? Warum hatte ich mir nicht gleich einen anderen Platz gesucht? Ich war so wütend auf mich, dass mir übel wurde.

In welche Richtung könnte Bob gelaufen sein? Wieder musste ich mich entscheiden. Nach links zum Piccadilly oder etwa in den riesigen Laden von *Tower Records*? Instinktiv wäre er wahrscheinlich am ehesten geradeaus weitergerannt – auf dem breiten Gehweg der Regent Street.

Völlig aufgelöst klammerte ich mich an diesen Strohhalm und lief los. »Haben Sie eine rote Katze mit Leine gesehen?«, wiederholte ich dabei wie ein Mantra die Frage an alle, die mir entgegenkamen. Ich muss wie ein Verrückter gewirkt haben, denn ich erntete nichts als scheele Blicke. Einige Leute wichen mir aus, als wäre ich ein Amokläufer.

Zum Glück reagierten aber nicht alle Leute so. Nach etwa 500 Metern kam mir ein junges Mädchen mit einer großen Tüte vom Apple Store auf der Oxford Street entgegen. Sie kam also vom anderen Ende der Regent Street, wo ich hinwollte. Ich hielt sie auf und fragte, ob sie eine Katze gesehen hätte.

»Ja«, antwortete sie. »Da war eine Katze. Sie hat weiter oben versucht, sich einen Weg durch den Verkehr zu bahnen. Eine rote Katze. Sie hat ihre Leine hinter sich hergeschleift. Ein Mann hat versucht, auf die Leine zu treten, aber die Katze war zu schnell.«

Zuerst übermannte mich pures Glücksgefühl. Am liebsten hätte ich die Botin dieser guten Nachricht abgeknutscht. Kein Zweifel, das war Bob! Aber nur Sekunden später war ich wieder in Panik. Wer war der Kerl, der versucht hatte, Bob einzufangen? Was hatte er vor mit meinem Kater? Hatte er Bob noch mehr verschreckt? Vielleicht hatte sich mein armer Kater inzwischen irgendwo verkrochen, wo ich ihn nie wieder finden würde!

All diese Gedanken spukten mir beim Weiterlaufen durch den Kopf. Dabei steckte ich den Kopf in jeden verdammten Laden auf dem Weg. »Haben Sie eine rote Katze gesehen?« Die meisten Verkäuferinnen wichen beim Anblick eines verstörten, langhaarigen Hünen entsetzt zurück. Aber ich erntete nur ausdruckslose Blicke oder verständnisloses Kopfschütteln. Bestimmt hielten sie mich für einen Obdachlosen, den der Wind versehentlich von der Straße hereingeblasen hatte.

Nachdem ich diverse Geschäfte abgeklappert hatte, sank meine neu erwachte Hoffnung wieder auf den Nullpunkt. Ich hatte keine Ahnung, wie lange Bob nun schon verschwunden war. Für mich war die Zeit stehengeblieben. Ich saß fest in einem Albtraum, der in Zeitlupentempo ablief. Ich war kurz davor, aufzugeben.

Ein paar hundert Meter weiter die Regent Street hinunter kam eine Seitenstraße, die zurück zum Piccadilly Circus führte. Von dort aus könnte Bob in zwölf verschiedene Richtungen laufen: nach Mayfair oder über die Straße zur St. James oder zum Haymarket. Dann würde er nie wieder zurückfinden.

Ich wusste nicht weiter. Trotzdem steckte ich meinen Kopf auch noch in die letzte Boutique vor der Seitenstraße, bevor ich zum Piccadilly Circus zurückkehren würde.

»Haben Sie eine rote Katze gesehen?« Die beiden Verkäuferinnen beobachteten gerade etwas im hinteren Ladenbereich. Sie drehten sich zu mir um und ich sah ihre ratlosen Gesichter. Aber beim Wort »Katze« erhellten sich ihre Mienen.

»Eine rote Katze?«, fragte eine von ihnen.

»Ja, er hat ein Geschirr an mit, mit ... blauer Leine.« Meine Gedanken überschlugen sich.

»Er ist da hinten«, flüsterte die eine und gab mir Zeichen, hereinzukommen und die Tür zu schließen.

»Wir haben die Tür zugemacht«, erklärte die andere Verkäuferin, »weil wir Angst hatten, er könne überfahren werden.«

Und ihre Kollegin ergänzte: »Wir haben gehofft, dass ihn jemand suchen würde – wegen der Leine.«

Sie führten mich vorbei an vielen offenen Schränken, die mit schicken Kleidern gefüllt waren. Ich konnte ein paar Preisschilder entziffern. Da kostete ein Teil mehr, als ich in einem Monat verdiente. Und dann sah ich Bob – ein kleines, zusammengerolltes Fellknäuel in der hintersten Ecke des letzten Schrankes.

In den letzten Minuten, die auch Stunden gewesen sein konnten, hatte ich einen furchtbaren Gedanken verdrängt, der jetzt mit voller Wucht zuschlug: Vielleicht wollte er gar nicht zurück zu mir. Vielleicht hatte er die Schnauze voll von mir und diesem mickrigen Leben, das ich ihm bieten konnte. Vorsichtig näherte ich mich dem Schrank. Ich war auf alles gefasst. Was, wenn er bei meinem Anblick wieder die Flucht ergreifen würde? Mein Herz pochte laut und voller Angst, als ich langsam in die Knie ging.

»Hey, Bob! Ich bin's«, flüsterte ich leise.

Mit einem Klagelaut sprang er mir direkt in die Arme.

Laut schnurrend schmiegte er sich an mich und rieb seinen Kopf stürmisch an meiner Wange. Sofort waren all meine Ängste verflogen.

»Hast du mich erschreckt, mein Großer!«, schimpfte ich lachend. »Ich dachte schon, ich hätte dich verloren!«

Erst als ich hochsah, bemerkte ich, dass uns die beiden Verkäuferinnen beobachteten. Eine von ihnen wischte sich verstohlen über die Wange. Sie hatte Tränen in den Augen.

»Ich bin so froh, dass Sie hereingekommen sind«, stieß sie mit einem Seufzer aus. »Er ist so ein Süßer. Wir haben uns schon gefragt, was wir nach Geschäftsschluss mit ihm machen sollen, falls keiner nach ihm fragt.«

Sie kam näher und streichelte Bob. Wir unterhielten uns noch, bis die beiden so weit waren, den Laden zu schließen.

»Auf Wiedersehen, Bob«, verabschiedeten sie sich von ihrem Findling. Mit Bob sicher und geborgen auf meiner Schulter, bahnte ich mir einen Weg durch die Menge, zurück zum Piccadilly Circus.

Meine Gitarre lag tatsächlich noch da, wo ich sie achtlos hingeschmissen hatte. Vor *Ripley's wunderbarer Welt* stand jetzt wieder ein normaler Wachmann. Vielleicht hatte er ein Auge darauf gehabt, oder einer der Sicherheitsleute der U-Bahn-Station. Ein Streifenwagen der Polizei stand auch ganz in der Nähe. Bob war sehr beliebt bei den Polizisten. Keine Ahnung, welcher gute Samariter da Wache gehalten hatte. Egal. Wichtig war nur, dass Bob und ich wieder vereint waren.

Ohne Umschweife suchte ich meine Habseligkeiten zusammen, denn ich wollte nur noch nach Hause. Wir hatten heute kaum etwas verdient, aber das juckte mich wenig. Zielsicher steuerte ich auf dem Heimweg den nächsten Gemischtwarenladen an und kaufte von meinem letzten Geld einen Karabinerhaken. Den befestigte ich sofort an meinem Gürtel und hängte Bobs Leine ein. Ab sofort waren Bob und ich auf unseren gemeinsamen Ausflügen stets miteinander verbunden, das schwor ich mir. Im Bus setzte sich Bob auf meinen Schoß, anstatt wie sonst seinen eigenen Sitz neben mir zu beanspruchen. Mein Kater war oft undurchschaubar, aber manchmal verstand ich ihn auch ohne Worte. Wie in diesem Moment. Wir waren zusammen, und keiner von uns wollte jemals etwas daran ändern.

10
Der Weihnachtskater

In den Tagen und Wochen nach dem schrecklichen Verschwinden von Bob am Piccadilly Circus waren wir unzertrennlich. Wir klammerten uns aneinander wie zwei Ertrinkende an einen Rettungsring. Diese Geschichte hatte uns ganz schön zugesetzt.

Sie hatte mich auch dazu gebracht, lange und ausführlich über unsere Freundschaft nachzudenken. Sollte Bob mich je verlassen wollen, um wieder in Freiheit auf der Straße – oder wo auch immer er sonst hergekommen war – zu leben, dann könnte und sollte ich ihm das nicht verwehren.

Ich hatte noch nie darüber nachgedacht, was ich tun würde, wenn Bob eines Tages nicht mehr glücklich bei mir wäre. Wahrscheinlich würde ich ihn bei der RSPCA oder im Battersea-Heim für Hunde und Katzen abgeben. Die hatten ein sehr schönes Katzengehege. Schließlich wollte ich nicht sein Gefängniswärter sein. Ich hatte kein Recht, einen guten Freund wie ihn unglücklich zu machen. Das hätte er nicht verdient.

Aber zum Glück musste ich eine solche Entscheidung nie treffen.

Seit er fast verloren gegangen wäre, gab es Tage, an denen Bob lieber zu Hause blieb. Wenn er sich unter die Couch verkroch, sobald ich sein Geschirr vom Haken nahm, wusste ich, dass er nicht mitkommen wollte. Ich ließ ihm seinen Willen. Aber meistens kam er sofort angerannt, strich mir um die Beine und ließ sich schnurrend sein Geschirr anlegen. Aber etwas hatte sich geändert. Er ließ mich kaum noch aus den Augen, fühlte sich in meiner Nähe aber gut aufgehoben. Als wüsste er jetzt, dass ich ihn nie im Stich lassen würde.

Trotz seiner schlechten Erfahrungen mit Menschenmengen war er in solchen Situationen jetzt weniger ängstlich als vorher. Vielleicht gaben ihm auch meine Vorsichtsmaßnahmen mehr Sicherheit. Seine Leine war nun immer am Karabinerhaken meines Gürtels festgebunden. Dadurch blieb er in meiner Nähe, auch wenn wir uns in einer Menschentraube fortbewegen mussten. Und er war anhänglicher denn je. Unsere Freundschaft war auf eine harte Probe gestellt worden – und hatte sie bestanden.

Trotzdem war unser Leben kein Zuckerschlecken. Wenn man seinen Lebensunterhalt auf den Straßen von London verdient, kommt man um bedrohliche Situationen nicht herum. Etwa zwei Wochen nach der Begegnung mit dem aufgeblasenen Sumo-Monster trafen wir in Covent Garden auf eine Gruppe französischer Stelzenkünstler. Aus Katzenperspektive waren sie gigantisch, und mit ihren gruseligen Horrormasken und flatternden Gewändern waren sie Bob gar nicht geheuer. Er flüchtete auf meinen Schoß, während die langen Vogelscheuchen um uns herumstaksten. Ich konnte mich kaum auf das Singen konzentrieren, weil ich Probleme hatte, die Melodie auf der Gitarre beizubehalten. Bobs Schwanz peitschte vor lauter Aufregung hin und her. Immer wieder traf er damit das Griffbrett meiner Gitarre, sodass ich statt der Saiten nur noch Katzenhaare zwischen den Fingern hatte.

»Bob, hör auf damit«, schimpfte ich und entschuldigte mich bei zwei Touristen, die bei uns stehen geblieben waren, um zuzuhören. Aber die fanden Bobs Faxen äußerst unterhaltsam und hielten meine Patzer für einen Teil unserer

Show. Glaubten die wirklich, man könnte eine Katze dressieren?

Kaum waren die Stelzenkünstler weitergezogen, rückte Bob wieder von mir ab und machte ganz auf cooler Kater. Er hielt mich wohl für seinen Bodyguard. Und der war ich auch verdammt gerne.

Als das Weihnachtsfest 2007 näher rückte und unser erstes gemeinsames Kalenderjahr zu Ende ging, hatten wir uns prima zusammengerauft. Wir waren ein eingespieltes Team. Jeden Morgen, wenn ich aufstand, saß Bob bereits in der Küche vor seiner Schüssel und wartete geduldig auf seinen Dosenöffner. Sobald er sein Frühstück verschlungen hatte, wurden Gesicht und Pfoten fein säuberlich geleckt und das Fell auf Hochglanz poliert. Danach war meist der Besuch seines Freiluftkistchens angesagt, weil er sein Katzenklo in der Wohnung immer noch höchst ungern benutzte. Manchmal öffnete ich ihm nur die Wohnungstür, weil sich morgens meist jemand fand, der ihm unten die Haustür öffnete. Seine Lieblingsbüsche fand er auch ohne mich und dank um die Pfote gewickelter Nachbarn auch einen Türöffner für den Rückweg.

Nach meinem Frühstück und meiner Morgentoilette schnappte ich mir Rucksack und Gitarre, und wir machten uns auf den Weg in die Innenstadt.

Es waren nur noch wenige Tage bis zum 24. Dezember, und die Einkaufsstraßen waren entsprechend voll. Die Leute waren in vorweihnachtlicher Spendierlaune, und Bob wurde im wahrsten Sinne des Wortes mit Geschenken und Leckerchen überschüttet.

Es hatte schon immer Passanten gegeben, die Bob etwas mitbrachten. Sein erstes Geschenk kam von einer Büroangestellten, die in der Nähe der James Street arbeitete. Sie blieb immer stehen, wenn sie an uns vorbeikam, und wir unterhielten uns ein bisschen. Sie war ganz vernarrt in Bob, weil er sie an ihren roten Kater erinnerte, der leider nicht mehr lebte.

Kurz vor Weihnachten stand sie eines Abends mit einem schicken Tütchen aus einem vornehmen Katzengeschäft vor uns. »Ich hoffe, Sie sind mir nicht böse, aber ich habe Bob etwas Schönes mitgebracht«, strahlte sie.

»Natürlich nicht«, versicherte ich ihr.

»Es ist nur eine Kleinigkeit«, betonte sie unnötigerweise und fischte eine kleine Spielmaus aus der Tüte.

»Da ist ein bisschen Katzenminze drin«, erklärte sie mir. »Aber nur ganz wenig, keine Bange!«

Dabei war mir nicht wohl. Katzenminze ist ein Suchtmittel. Ich habe schon viel darüber gelesen und erinnere mich, dass es Katzen ganz verrückt macht, wenn sie einmal davon abhängig sind.

Schlimm genug, dass ich mich damit herumquälte, von den Drogen loszukommen. Ein süchtiger Kater hätte mir gerade noch gefehlt. Aber sie meinte es nur gut und wollte Bob eine Freude machen. Und ich wollte sie nicht enttäuschen. Sie blieb eine Weile stehen und genoss den Anblick von Bob, wie er mit der Maus spielte.

Je schlechter das Wetter wurde, desto mehr praktische Geschenke wurden für Bob abgegeben. Eines Tages steuerte eine verdammt gut aussehende Russin mit breitem Lächeln auf uns zu.

»Hallo, ihr zwei«, begrüßte sie uns. »Das Wetter ist so schlecht und es ist so kalt. Ich habe Bob etwas zum Warmhalten gestrickt.« Sie zog einen wunderschönen, hellblauen Schal in Katzengröße aus ihrer Handtasche.

Ich brachte nicht mehr als ein verblüfftes »Wow!« hervor. »Das ist toll!«, bedankte ich mich dann und wickelte Bob den

Minischal direkt um den Hals. Er passte perfekt, und mein Ladykiller sah wirklich gut damit aus. Unsere edle Spenderin war auch ganz angetan. Zwei Wochen später tauchte sie wieder auf, diesmal mit einem zum Schal passenden, blauen Mäntelchen. Ich bin zwar kein Mode-Experte, wie jeder leicht erkennen kann, aber sogar mir war klar, dass Bob in dieser Kombination einfach fantastisch aussah. Es dauerte nicht lange, und die Leute standen Schlange, um Bob in seinem modischen Outfit zu fotografieren. Wenn ich für jedes Foto Geld verlangt hätte, wäre ich inzwischen reich.

Seither bekam Bob immer mehr selbstgestrickte Schals und Mäntelchen geschenkt.

Eine Frau stickte sogar den Namen Bob auf seinen von ihr gestrickten Schal. Bob wurde zum Cat-Model. Er führte jede neue Kreation vor, die wir von seinen Fans geschenkt bekamen. Das Wort *Catwalk* bekam durch ihn eine völlig neue Bedeutung.

Diese Entwicklung bestätigte meine schon lang gehegte Vermutung: Ich war nicht der Einzige, der Bob große Zuneigung entgegenbrachte. Fast jeder wollte sein Freund sein. Ich beneidete ihn ein wenig um diese besondere Gabe. Mir ist es noch nie leichtgefallen, Freunde zu finden.

Aber niemand war mehr verliebt in Bob als meine Ex-Freundin Belle. Wir waren immer noch gute Freunde, verstanden uns besser als in der Zeit, als wir zusammen gewesen waren. Sie besuchte uns oft. Angeblich, um mit mir zu reden, aber ich glaube, sie kam vor allem wegen Bob. Die beiden konnten stundenlang auf dem Sofa miteinander spielen. Bob war auch ganz verrückt nach ihr.

Kurz vor Weihnachten stand sie eines Tages mit einer Plastiktüte vor meiner Tür. »Was hast du da?«, fragte ich misstrauisch.

»Das ist nicht für dich, sondern für Bob!«, wies sie mich zurecht.

Bob hatte friedlich auf seinem Lieblingsplatz unter der Heizung gelegen. Als er seinen Namen hörte, schoss sein Kopf mit einem fragenden »Grrrk?« hoch.

»Komm her, Bob, ich habe eine Überraschung für dich!«, lockte Belle den Kater und schmiss sich samt Tüte auf die Kuschelcouch. Wie alle Katzen war Bob sehr neugierig. Auch wenn er scheinbar unbeeindruckt zu ihr hinüberschlenderte, sein langer Hals beim Abschnüffeln der Tüte strafte ihn Lügen. Belle lachte und zog zwei Mini-T-Shirts hervor.

Auf einem prangte das Bild von einem süßen Katzenbaby. Das andere war rot mit grünen Umrandungen. Darauf stand in weißen, großen Buchstaben »Santa Paws« und darunter war der Abdruck einer weißen Katzenpfote.

»Ist das cool, Bob!«, rief ich beeindruckt. »Der perfekte Wärmespender für die Weihnachtszeit in Covent Garden. Damit würdest du sogar das Herz von Ebernezer Scrooge erweichen!«

Und genau so war es.

Ich weiß nicht, ob es an der Weihnachtsstimmung oder an Bobs niedlichem Santa-Paws-T-Shirt lag, jedenfalls waren alle entzückt über den Weihnachtskater.

»Oh, sieh mal, da ist Santa Paws!«, bekamen wir ständig zu hören. Viele Leute blieben stehen und warfen ein paar Münzen in meinen Gitarrenkasten. Andere wollten unbedingt Bob beschenken.

Wie diese elegante Dame, die gar nicht mehr aufhören wollte, Bob zu kraulen. »Was für ein außergewöhnlicher Kater!«, wandte sie sich nach einer Weile an mich. »Was wünscht er sich zu Weihnachten?«

»Keine Ahnung, Madam«, antwortete ich wahrheitsgemäß.

»Na, dann frage ich anders: Was könnte er brauchen?«

»Hmm, ein zweites Geschirr mit Leine wäre nicht schlecht. Oder ein wirklich warmer Mantel für die eisigen Tage. Oder Spielsachen. Jedes Kind wünscht sich Spielzeug zu Weihnachten, nicht wahr?«

»Alles klar.« Sie nickte und verschwand, nicht ohne Bob noch mal innig über den Rücken gestreichelt zu haben.

Ich dachte nicht weiter darüber nach, aber nach einer Stunde war sie wieder da. Mit glücklichem Lächeln überreichte sie mir einen handgestrickten Weihnachtssocken mit Katzenbild vorne drauf. Ich warf einen Blick hinein. Er war bis obenhin vollgestopft mit allem, was ein Katzenherz begehrt. Futter, Spielzeug und vieles mehr.

»Sie müssen mir aber versprechen, den Socken nicht vor Weihnachten auszupacken. Legen Sie ihn bitte für Bob bis zur Bescherung unter den Christbaum.« Ich hatte nicht das Herz, ihr zu sagen, dass ich mir weder Christbaum noch Weihnachtsdekoration leisten konnte, um unser Zuhause festlich zu schmücken. Mehr als ein elektrisch beleuchteter Mini-Baum aus Plastik, den ich in einem Secondhandladen erstanden hatte, war nicht drin.

Ein paar Tage später änderte ich jedoch meine Meinung. Sie hatte recht. Ich sollte mir dieses Jahr ein richtiges Weihnachtsfest gönnen. Schließlich hatte ich etwas zu feiern: Ich hatte Bob und war nicht mehr allein!

Seit Jahren hatte mir Weihnachten nichts mehr bedeutet; ich fand, es gab für mich keinen Grund, dieses Fest zu feiern. Ich gehörte zu den Leuten, die Weihnachten eher fürchten.

In den letzten zehn Jahren hatte ich Weihnachten meist in Notunterkünften verbracht. Die Hilfsorganisationen meinten es gut mit uns, und die weihnachtlichen Festessen waren durchwegs fröhliche Veranstaltungen. Aber ich hatte an diesen Abenden immer einen Kloß im Hals, den ich nur mühsam unterdrücken konnte. Weil mich dieses Fest immer daran erinnerte, was mir fehlte: ein Zuhause und eine Familie. Es führte mir »alle Jahre wieder« schmerzlich vor Augen, wie sehr ich mein Leben verpfuscht hatte.

Einmal habe ich Heiligabend auch allein verbracht. Da war es noch schwerer, zu vergessen, dass meine Familie am anderen Ende der Welt lebte. Zumindest der Großteil meiner Familie. Ein anderes Mal war ich bei meinem Vater. Nachdem ich ein Jahr von der Bildfläche verschwunden war und auf der Straße gelebt hatte, hielt ich wieder losen Kontakt zu ihm. Manchmal rief ich ihn an, und diesmal lud er mich ein, Weihnachten mit ihm und seiner neuen Familie in seinem Haus im Süden von London zu verbringen. Es war kein schöner Abend. Mein Vater ließ mich deutlich spüren, was er von mir hielt. Ich konnte es ihm nicht verdenken. Ich war kein Sohn, auf den man stolz sein konnte.

Ich war dankbar für das gute Essen und vor allem für die Gesellschaft. Trotzdem sind wir uns nicht einmal an diesem Abend nähergekommen. Wir haben diese Art von »Familienfest« nie wiederholt.

Aber diesmal war alles anders. Ich lud Belle ein, am Heiligabend auf einen Drink vorbeizukommen. Für den ersten Weihnachtstag hatte ich mich in Unkosten gestürzt und fertig zubereitete Truthahnbrust mit sämtlichen Beilagen gekauft. Ich konnte nicht richtig kochen und mir fehlten die nötigen Küchenutensilien. Für Bob hatte ich ein paar besondere Leckerbissen und seine Lieblingssorte »Hühnchen in feiner Soße« besorgt.

Wir standen relativ früh auf an diesem Tag und machten gleich einen kleinen Spaziergang, damit Bob seine Geschäftchen erledigen konnte. Dabei trafen wir mehrere Nachbarn, die auf dem Weg zu Verwandten waren. Wir wünschten uns »Frohe Weihnachten« und schenkten uns ein fröhliches Lächeln. Diese flüchtigen Begegnungen gaben mir ein warmes Gefühl der Zugehörigkeit. Kein Vergleich mit den Weihnachtsfesten der letzten Jahre.

Als wir nach Hause kamen, bekam Bob seine Santa-Socke. Er hatte sie schon vor Tagen entdeckt und wusste genau, dass sie für ihn war. Ich holte jede Überraschung einzeln für ihn hervor. Da waren Leckerchen, Spielmäuse, Bälle mit Glöckchen und kleine, weiche Kissen, die mit Katzenminze gefüllt waren. Er war überglücklich und fing sofort an, mit seinem neuen Spielzeug zu spielen. Er benahm sich wie ein aufgeregtes Kind unter dem Weihnachtsbaum. Es war ein hinreißender Anblick, und ich war glücklich, ihn so zu sehen.

Gegen Mittag machte ich den Truthahn warm. Dann setzte ich uns beiden ein Weihnachtsmützchen auf, gönnte mir eine Dose Bier und machte es mir für den Rest des Tages vor dem Fernseher gemütlich. Es war mein schönstes Weihnachtsfest seit Jahren.

11
Die Verwechslung

Im Frühling und Sommer des Jahres 2008 wurde es immer schwieriger, ja fast unmöglich, in London als Straßenmusiker zu überleben.

Dafür gab es gleich mehrere Gründe. Die meisten Leute glauben, dass Straßenkünstler nicht von der aktuellen Wirtschaftslage abhängig sind. Aber da irren sie sich gewaltig. Die schwere Wirtschaftskrise in diesem Jahr machte auch vor mir und meinen Straßenkünstler-Kollegen nicht Halt. All die gutherzigen Leute, die bisher über das Kleingeld, das sie uns in den Gitarrenkasten schnippten, nicht weiter nachdenken mussten, hatten plötzlich nichts mehr für uns übrig. Ein paar nette »Stammkunden« sprachen es sogar aus. Sie hatten Angst, ihre Arbeit zu verlieren. Was sollte ich da noch sagen? Die Konsequenz für mich war, mehr Stunden auf der Straße zu spielen. Trotzdem verdiente ich meist weniger als früher, um Bob und mich über Wasser zu halten.

Das hätten wir noch verkraftet, aber gleichzeitig starteten die Behörden einen erbitterten Kleinkrieg gegen alle Straßenkünstler, die es wagten, außerhalb ihres zugeteilten Stadtteils aufzutreten. Keine Ahnung, warum sie gerade in dieser schweren Zeit damit anfingen. Ich zerbrach mir nur noch den Kopf darüber, wie ich mit Bob weiter überleben sollte.

Die meisten der Covent Guardians waren bisher ganz umgänglich gewesen. Natürlich hatte ich öfter Ärger mit den Strengsten von ihnen, aber mehr als den obligatorischen

Platzverweis gab es bisher nicht zu befürchten. Doch ihr Umgangston änderte sich jetzt schlagartig. Sie konfiszierten unser Handwerkszeug, um ernst genommen zu werden. Ich glaube nicht, dass sie neue Befugnisse hatten; es war wohl eher der Befehl von oben, härter durchzugreifen.

Außerdem hatten sie Verstärkung bekommen. Einer dieser neuen Radikalen hatte schon ein paar Mal gedroht, mir die Gitarre wegzunehmen. Zum Glück bin ich nicht auf den Mund gefallen und konnte es ihm wieder ausreden. Jedes Mal versprach ich, mir im Bereich der Straßenmusiker einen Platz zu suchen oder nach Hause zu gehen. Aber ich gehorchte nur für eine halbe Stunde, dann schlich ich mich wieder zurück in die James Street.

Daraus wurde ein zermürbendes Versteckspiel, bis mir irgendwann die Verstecke ausgingen. Die neuen Covent Guardians hatten Argusaugen; sie spürten mich überall auf. Fast täglich wurde ich verscheucht oder verwarnt. Es laugte mich aus. Meine Zeit als Straßenmusiker ging zu Ende, auch wenn ich es noch nicht wahrhaben wollte. Bis ein Ereignis im Mai das Fass zum Überlaufen brachte.

Alles begann damit, dass mir auch die Mitarbeiter der U-Bahn-Station Covent Garden verstärkt zusetzten. Sie waren wirklich extrem schlecht auf mich zu sprechen. Ich weiß nicht, warum sie sich an meiner Musik gegenüber der U-Bahn-Station so störten. Sie überquerten extra die Straße, nur um mich zu beschimpfen.

Das hätte mich nicht weiter gestört, denn Pöbeleien gehören zu meinem Job. Aber sie hatten sich gegen mich verschworen und einen Plan ausgeheckt, um mich für immer zu vertreiben: mit Hilfe der Polizei. Deshalb hatte ich jetzt auch noch die Ordnungshüter am Hals, die jedes Mal umständlich meine Papiere überprüften und eine Verwarnung aussprachen. Ich reagierte auf diese höhere Gewalt wie immer: Ich packte zusammen, versprach, nie wiederzukommen, um genau das zu tun, sobald die Luft rein war. Als Vergehen sah ich das nicht, denn schließlich schadete ich doch niemandem, oder?

Aber eines Nachmittags eskalierte die Situation.

Bob und ich waren wie immer auf dem Weg nach Covent Garden. Wir hatten damals gerade Besuch von Dylan, den ich noch aus der Band kannte. Man hatte ihm fristlos die Wohnung gekündigt, weil er sich geweigert hatte, eine horrende Mieterhöhung seines neuen, skrupellosen Vermieters zu akzeptieren. Er brauchte für ein paar Wochen ein Dach über dem Kopf, bis er etwas Neues gefunden hatte. Da ich selbst schon in einer solchen Notlage gewesen war, konnte ich das nicht ablehnen. Er schlief auf meinem Sofa.

Zuerst war Bob gar nicht begeistert von unserem neuen Mitbewohner. Wahrscheinlich hatte er Angst, ich würde ihm nicht mehr genug Aufmerksamkeit schenken, wenn da noch ein Zweibeiner rumhing. Aber das hielt nicht lange an, denn Dylan war ein großer Tierfreund, und Bob hat schnell begriffen, dass er mehr Zuwendung bekam denn je. Bob stand sehr gern im Mittelpunkt.

An diesem Nachmittag wollte Dylan mit uns in die Stadt kommen und sich Covent Garden ansehen. Es war sonnig und warm, genau das richtige Wetter für einen Ausflug. Während ich an meiner Lieblingsecke in der James Street meine Gitarre auspackte, spielte er mit Bob. Rückblickend bin ich immer noch froh und dankbar, dass Dylan an diesem Tag dabei war.

Gerade als ich mir den Gitarrenriemen über den Kopf zog, bog mit hoher Geschwindigkeit ein Polizeibus um die Ecke und hielt mit quietschenden Reifen vor uns am Straßenrand. Drei uniformierte Beamte sprangen heraus und kamen zielstrebig auf uns zu.

»Was ist denn jetzt los?«, fragte Dylan verdattert.

»Keine Ahnung, die übliche Verwarnung, nehme ich an«, antwortete ich noch ganz gelassen. Natürlich würde ich ihnen wieder versprechen, hier nicht mehr zu spielen.

Aber diesmal fuhren sie schwerere Geschütze auf.

»Okay, Sie! Sofort mitkommen!«, sagte einer der drei Polizisten streng.

»Wieso das denn?«, fragte ich verdattert.

»Wir verhaften Sie wegen des Verdachts auf Nötigung.«

»Was? Wen soll ich denn genötigt haben? Was, verdammt noch mal ...« Sie ließen mich gar nicht ausreden. Einer hielt mich fest, der zweite las mir meine Rechte vor, und der dritte legte mir Handschellen an.

»Wir klären das auf der Wache! Wir nehmen Ihre Sachen mit, und Sie steigen in den Bus, bevor wir ungemütlich werden«, drohte mir einer der drei Beamten.

»Und was wird aus meinem Kater?«, fragte ich entsetzt und deutete auf Bob.

»Wir haben Hundezwinger auf der Wache, da stecken wir ihn gerne rein«, antwortete ein anderer ungerührt. »Außer es gibt jemanden, der ihn mitnehmen kann.«

In meinem Kopf drehte sich alles. Ich verstand das alles nicht. Es dauerte ein paar Sekunden, bis mir Dylan wieder einfiel. Er stand etwas abseits und sah betreten weg. Ganz offensichtlich wollte er nicht in die Sache hineingezogen werden.

»Dylan, bitte kümmere dich um Bob!«, rief ich ihm zu. »Bring ihn nach Hause. Die Schlüssel sind im Rucksack!«

Erleichtert sah ich, dass er nickte. Er hob Bob hoch und

sprach beruhigend auf ihn ein. Bob wirkte total verstört. Er verstand nicht, warum mich die Männer von ihm trennten. Durch das vergitterte Rückfenster des Busses beobachtete ich die kleiner werdende Silhouette von Dylan und Bob auf dem Gehweg, bis die Entfernung sie verschluckte.

Sie brachten mich zur Polizeiwache. Ich wusste immer noch nicht, worum es eigentlich ging. Ein Polizist schubste mich unsanft an den Empfang, wo mir ein Schreibtischhengst befahl, meine Taschen zu leeren. Dann verfrachteten sie mich in eine Zelle. Dort sollte ich warten, bis ein Polizeibeamter für mich Zeit hätte.

Die karge Zelle war mit Graffiti übersät, und der Fußboden stank nach eingetrocknetem Urin. Der Geruch rief unangenehme Erinnerungen in mir wach. Es war nicht meine erste Begegnung mit einer Polizeiunterkunft. Vor meinem Drogenentzug war ich öfter wegen Bagatell-Diebstählen verhaftet worden.

Wer auf der Straße lebt oder ein Drogenproblem hat, versucht immer irgendwie Geld aufzutreiben. Ladendiebstahl ist die einfachste Lösung. Mein Spezialgebiet war Fleisch. Ich klaute Lammkeulen und teure Filetsteaks. Jamie Oliver Steaks. Lammschenkel. Geräucherten Schinken. Das Zeug hatte den höchsten Wiederverkaufswert. Nur kein Hühnerfleisch. Das war zu billig und brachte nichts ein. Für hochwertiges Fleisch bekam ich die Hälfte des ausgezeichneten Ladenpreises. Pubs sind willige Abnehmer für diese Ware. Wenn sie teures Fleisch billig kriegen können, nehmen sie es. Pubs machen gern solche Geschäfte, das weiß jeder.

Zum ersten Mal habe ich 2001 oder 2002 gestohlen, um meine Drogen bezahlen zu können. Davor habe ich dafür gebettelt. Ich hatte bereits ein Methadon-Programm hinter mir, war aber nur kurzfristig clean. Nach diesem ersten Entzug steckten sie mich in eine schäbige Notunterkunft, in der jeder auf Drogen war. Alles dort war schmuddelig: die Zimmer, die Bettlaken, die Duschen und vor allen Dingen die Bewohner. Es war ein unerträglicher und menschenunwürdiger Ort. Bevor ich mich versah, war ich rückfällig geworden.

Ich erinnere mich noch gut daran, wie ich zum ersten Mal beim Stehlen erwischt wurde. Es war bei *Marks and Spencer's* an der Angel Station in Islington. Ich achtete sehr darauf, bei meinen kleinen Raubzügen nicht aufzufallen. Ich zog mich gut an und bändigte meine Rockmusiker-Mähne mit einem Lagerfeld-Zopf. Ich sah aus wie ein Postbote, der nach getaner Arbeit kurz in den Supermarkt schlüpft, um sich auf dem Heimweg noch schnell mit Milch zu versorgen. Aussehen war alles. Ich hatte sogar eine Postbotentasche mit dem Royal-Mail-Abzeichen drauf, die ich mir lässig über die Schulter hängte. Sie verlieh mir den nötigen Vertrauensbonus, sodass kein Mensch von mir Notiz nahm. Heute ist diese Tasche kein Freifahrtschein mehr, aber damals war es eine gute Masche, um unbehelligt zu klauen. Wäre ich mit einem Rucksack oder einer Einkaufstasche herumgewandert, hätte ich keine Chance gehabt, auch nur einen Kaugummi aus dem Laden zu schmuggeln. Aber an diesem Tag bei *Marks and Spencer's* haben sie mich geschnappt. Mit Fleisch im Wert von 120 Pfund.

Auf der Tolpuddle Street im Stadtteil Angel kam ich zum ersten Mal in Polizeigewahrsam. Sie haben mich wegen Diebstahls zu 80 Pfund Strafe verdonnert. Aber ich wurde nicht verhaftet, weil es mein erstes Vergehen war.

Leider war mir dieser Zusammenstoß mit der Polizei keine Lehre. Die Sucht ließ mir keine andere Wahl – irgendwie musste ich an Geld kommen. Ich brauchte meine tägliche Dosis Heroin und manchmal auch ein bisschen Crack. Kein Geld für Drogen zu haben ist viel schlimmer als das

Risiko, erwischt zu werden. Niemand will ins Gefängnis. Aber die Sucht ist stärker als alles andere. Jegliche Schuldgefühle werden von dieser unkontrollierbaren Gier ausgelöscht. Man versucht sich rauszureden, man belügt sich und andere. Niemand glaubt dir – weil du dir selbst nicht mehr glauben kannst. Wenn du ganz unten bist, kommst du nicht mehr hoch.

Die Straßenmusik war meine Rettung. Es war eine legale Einkommensquelle. Ich hatte keine kriminellen Verzweiflungstaten mehr nötig. Und trotzdem saß ich jetzt wieder in einer Zelle. Das war ein Schlag in die Magengrube.

Eine halbe Stunde ließen sie mich in der Zelle schmoren, dann öffnete sich die Tür, und ein Beamter in weißem Diensthemd gab mir Handzeichen, mitzukommen. »Los, komm schon«, bellte er.

»Wohin bringen Sie mich?«, wollte ich wissen. »Sie werden schon sehen«, war die unbefriedigende Auskunft. Er schubste mich in einen kleinen, kahlen Raum mit einem Tisch und ein paar Plastikstühlen. Zwei Beamte warteten schon auf mich. Sie machten einen ziemlich gelangweilten Eindruck.

Als sie anfingen mich zu verhören, bekam ich es mit der Angst zu tun.

»Wo waren Sie gestern Abend gegen 18.30 Uhr?«, fragte einer.

»Ähhm, ich habe in Covent Garden Gitarre gespielt«, antwortete ich.

»Wo?«

»In der James Street gegenüber vom U-Bahn-Ausgang«, antwortete ich wahrheitsgemäß.

»Haben Sie die U-Bahn-Station irgendwann an diesem Abend betreten?«, fragte mich einer der beiden Polizisten.

»Nein, ich gehe nie in die Bahnhofshalle, ich fahre immer mit dem Bus«, gab ich Auskunft.

»Wie kommt es dann, dass wir mindestens zwei Augenzeugen haben, die behaupten, dass Sie in der U-Bahn-Station eine Kontrolleurin beschimpft und bespuckt haben?«

»Keine Ahnung«, antwortete ich entsetzt.

»Unsere Zeugen haben gesehen, wie Sie mit dem Aufzug nach oben kamen und dann versuchten, über das Drehkreuz zu springen, weil Sie keine Fahrkarte hatten!«

»Also, wie gesagt, das war ich ganz sicher nicht!«, wehrte ich ab.

»Und als eine Mitarbeiterin Sie ansprach, wurde diese von Ihnen beschimpft …«

Ich saß da und schüttelte den Kopf. Das konnte doch alles nicht wahr sein!

»… dann wurden Sie von der Mitarbeiterin zum Schalter geführt und aufgefordert, eine Fahrkarte zu kaufen«, ergänzte der andere Beamte.

»Sie kauften also gegen ihren Willen eine Fahrkarte und spuckten dann auf das Schalterfenster.«

Bei dieser lächerlichen Anschuldigung platzte mir der Kragen.

»So ein Blödsinn! Ich habe es bereits gesagt: Ich war weder gestern Abend noch sonst irgendwann in dieser oder sonst einer U-Bahn-Station. Ich fahre niemals mit der U-Bahn. Mein Kater und ich fahren immer und ausschließlich mit dem Bus!«

Die beiden Polizeibeamten starrten mich ungläubig an. Ihren Blicken nach waren sie überzeugt, dass ich sie anlog. Dann fragten sie, ob ich meine Aussage zu Protokoll geben wolle. Ich gab an, dass ich den ganzen Abend draußen vor der Angel Station Gitarre gespielt hatte und dass die Bilder der Überwachungskameras dies bestätigen würden. Währenddessen spielten sich in meinem Hinterkopf ganz andere Szenarien ab. Mein Herz raste vor Angst und ich konnte nur hoffen, dass die beiden Bullen meine Panik nicht bemerkten.

Vielleicht war das eine Falle? Wenn nun jemand die Überwachungsbilder des Vortages manipuliert hatte? Was passierte, wenn diese Geschichte vor Gericht landete und meine Aussage gegen die von drei vertrauenswürdigen Angestellten der Londoner U-Bahn-Gesellschaft stand?

Aber meine größte Sorge galt Bob.

Was würde aus ihm, wenn ich ins Gefängnis musste? Wer sollte sich um ihn kümmern? Würde er bei Fremden bleiben oder abhauen und in den Straßen von London verloren gehen? Könnte er allein auf der Straße noch überleben? Ich bekam pochende Kopfschmerzen von all diesen schrecklichen Gedanken.

Sie behielten mich noch mehrere Stunden auf dem Revier. Ich verlor jegliches Zeitgefühl. Der Verhörraum hatte kein Fenster, und ich hatte keine Ahnung, ob es draußen noch hell war oder schon dunkel. Irgendwann kam eine Polizistin in Begleitung eines schlecht gelaunten männlichen Kollegen herein.

»Ich brauche einen DNA-Test«, informierte sie mich. Ihr Begleiter baute sich mit verschränkten Armen in einer Ecke auf und starrte mich böse an.

»Kein Problem«, gab ich zur Antwort und ignorierte ihren Wachhund. Mein Gewissen war rein. »Was soll ich tun?«, fragte ich sie.

»Einfach sitzen bleiben und den Mund aufmachen. Ich nehme mit diesem Stäbchen etwas Speichel aus Ihrem Mund«, erklärte sie mir.

Sie öffnete einen kleinen Koffer, der voller Tupfer und Teströhrchen war.

»Mund bitte weit öffnen«, befahl sie, und ich fühlte mich plötzlich wie beim Zahnarzt. Aber die Prozedur war lange nicht so schmerzhaft. Die Beamtin steckte mir ein langes Wattestäbchen in den Mund und drehte es ein paar Mal an meiner Wangeninnenseite.

»Das war's auch schon!« Sie verschloss das Wattestäbchen in einem ihrer Teströhrchen, schrieb meinen Namen auf einen Aufkleber und verstaute es in ihrem Koffer.

Kurz darauf durfte ich endlich gehen. Am Empfang bekam ich den Inhalt meiner Taschen wieder und musste dafür unterschreiben. Außerdem musste ich einen Schriftsatz unterzeichnen, der mich darauf hinwies, dass ich auf Bewährung entlassen war. Außerdem verpflichtete ich mich mit meiner Unterschrift, in zwei Tagen wieder zu erscheinen.

»Und wann werde ich wissen, ob man mich anklagt?«, fragte ich den Beamten hinter dem Tresen. Eigentlich erwartete ich keine Antwort. Aber ich bekam die Auskunft, dass dies in den nächsten beiden Tagen geklärt würde.

»Echt jetzt?«, fragte ich ungläubig nach.

»Höchstwahrscheinlich«, bestätigte er mir.

Ich wusste nicht, ob ich mich darüber freuen oder davor fürchten sollte. Zumindest würde ich schnell erfahren, ob ich ins Gefängnis müsste oder nicht. Bei dem Gedanken, eventuell weggeschlossen zu werden – noch dazu für etwas, was ich definitiv nicht getan hatte – lief mir ein kalter Schauer über den Rücken.

Als ich wieder auf der Straße stand, fand ich mich in einer stockdunklen Nebenstraße der Warren Street wieder. Ich erkannte die Umrisse von mehreren Gruppen Obdachloser, die – versteckt in Toreinfahrten – ihr Nachtlager aufgeschlagen hatten.

Es war kurz vor 23 Uhr. Erst gegen Mitternacht erreichte ich die U-Bahn-Haltestelle Seven Sisters. Es waren nur noch Betrunkene und Nachtschwärmer unterwegs, die um diese Zeit aus den Pubs geworfen wurden.

Als ich endlich zu Hause ankam, atmete ich erleichtert auf. Dylan sah fern, und Bob hatte sich auf seinem Lieblingsplatz unter der Heizung zusammengerollt. Kaum hatte ich die Wohnungstür aufgeschlossen, sprang er auf und kam federnden Schrittes auf mich zu gelaufen. Dabei sah er mich mit schief gelegtem Kopf erwartungsvoll an, als wollte er sagen: »Na, wo kommst du denn jetzt her?«

»Hallo, mein Freund, alles okay?«, fragte ich, während ich in die Knie ging, um ihn zu streicheln. Er sprang sofort an mir hoch und rieb seinen Kopf an meiner Wange.

Dylan verschwand in der Küche. Als er zurückkam, reichte er mir wortlos eine kalte Dose Bier, frisch aus dem Kühlschrank.

»Ah, das brauche ich jetzt! Vielen Dank!«, seufzte ich, riss die Dose auf und genehmigte mir einen großen Schluck.

Wir saßen noch lange zusammen und redeten. Während Bob selig über meine Rückkehr auf meinem Schoß schlief, zerbrachen sich Dylan und ich den Kopf darüber, was da heute gelaufen war. Auch wenn die gesamte U-Bahn-Belegschaft nicht gerade glücklich über meine Auftritte als Straßenmusiker vor der James Station war, konnte ich nicht glauben, dass sie mich für ein Verbrechen büßen lassen würden, das ich nicht begangen hatte.

Dylan versuchte mich zu beruhigen: »Nicht mal die würden es schaffen, deine DNA so zu manipulieren, dass sie mit der auf dem Schalterfenster übereinstimmt!«

Da hatte er zwar recht, aber ich war trotzdem ziemlich verunsichert.

In dieser Nacht konnte ich nicht schlafen. Die Verhaftung hatte mich mehr mitgenommen, als ich dachte. Egal, wie oft ich mir vorsagte, dass alles gut gehen würde, ich konnte die dunklen Vorahnungen nicht abschütteln. Ich sah es buchstäblich vor mir, wie mein mühsam aufgebautes »normales« Leben zusammenbrach, wie ein Kartenhaus beim ersten Luftzug. Eine innere Stimme, die ich nicht abstellen konnte, raunte: »War's das? Stürzt du jetzt wieder ab?« Ich fühlte mich so hilflos und wütend – und ich hatte eine Scheiß-Angst.

Am nächsten Tag machte ich einen großen Bogen um Covent Garden. Bob und ich spielten in der Neal Street und versuchten noch zwei weitere Plätze in der Nähe der Tottenham Court Road. Aber ich war nicht bei der Sache. Dauernd musste ich daran denken, was am nächsten Tag bei meinem Termin auf der Polizeistation passieren würde. Auch in der folgenden Nacht fand ich wenig Schlaf.

Mein Termin auf der Polizeistation war um zwölf Uhr mittags. Ich fuhr früh los, denn ich wollte nicht zu spät kommen und die Beamten noch mehr verärgern. Bob ließ ich zu Hause, nur für den Fall, dass es wieder Stunden dauern sollte. Mein feinfühliger kleiner Mitbewohner war genauso zappelig wie ich. Er spürte, dass ich nervös war, vor allem, weil ich mein Frühstück im Stehen einnahm. Ich konnte einfach nicht still sitzen. Wie ein eingesperrter Tiger lief ich in der Küche auf und ab, während ich meinen Toast hinunterwürgte. Bob lief immer hinter mir her oder zwischen meine Beine, sodass ich mehr als einmal stolperte.

»Keine Angst, Bob«, verabschiedete ich mich von ihm. Auf sein fragendes »Krrrk?« versicherte ich ihm: »Ich bin bald wieder da.« Ich wollte ihn nicht noch mehr beunruhigen. Wenn ich mir nur so sicher wäre, wie ich klang!

Ich brauchte eine Weile, um die Polizeistation wieder zu finden, die sich in einer kleinen Gasse parallel zur Tottenham Court Road versteckte. Hingefahren war ich in einem Polizeibus, und als ich rausgekommen war, war es finstere Nacht gewesen. Da war es nicht weiter verwunderlich, dass ich suchen musste. Trotz allem war ich zwanzig Minuten früher da. Bis zu meinem Termin stand und saß ich auf dem Korridor herum, unfähig, mich auch nur auf einen einzelnen Gedanken zu konzentrieren.

Endlich wurde ich in einen Raum gebeten, in dem zwei Beamte auf mich warteten: ein Mann in den Vierzigern und eine jüngere Frau.

Auf dem Tisch vor den beiden türmten sich Akten, die nichts Gutes verhießen. Hatten die etwa alles über meine Vergangenheit ausgegraben? Gott allein weiß, welche Leichen in diesem für mich nebulösen Keller meiner Drogenzeit zu finden waren.

Der ältere Mann teilte mir ohne Umschweife mit, dass die Vorwürfe gegen mich fallen gelassen wurden.

»Der DNA-Test war wohl negativ? Mein Speichel hat nicht zu dem am Schalter gepasst, was?« Die gute Nachricht hatte mir wieder Leben eingehaucht und eine Portion meines alten Selbstbewusstseins zurückgegeben.

Er gab mir keine Antwort, sondern sah mich nur mit der schmallippigen Andeutung eines Lächelns an. Er durfte dazu nichts sagen, das wusste ich. War auch nicht nötig. Sie mussten jetzt meine Version der Geschichte glauben. Jemand von den U-Bahn-Mitarbeitern hatte versucht, mich zu verleumden, zum Glück ohne Erfolg.

Sie ließen mich nur kurz durchschnaufen. Dann zogen sie ihr Ass aus dem Ärmel. Die junge Beamtin teilte mir mit, dass ich stattdessen wegen »illegalem Musizieren auf der Straße«

oder, um es formell auszudrücken, wegen »Belästigung« angeklagt würde.

Sie schoben mir ein Blatt Papier unter die Nase und wiesen mich darauf hin, dass ich in einer Woche bei Gericht zu erscheinen hatte.

Total erleichtert verließ ich das Polizeirevier. »Belästigung« war ein Ordnungsdelikt, kein Vergleich mit Nötigung. Mit ein bisschen Glück käme ich mit einer kleinen Geldstrafe davon, sozusagen als erzieherischer Klaps auf die Finger. Bei Nötigung hätte ich schlechte Karten gehabt. Das ist wie versuchte Körperverletzung, ein schweres Vergehen, das entsprechend bestraft wird. Dafür hätte ich tatsächlich im Knast landen können. Das Ganze war gut ausgegangen, so musste ich es sehen und so wollte ich es sehen. Trotzdem war ich sauer über die Ungerechtigkeit, die mir da widerfahren war. Die Polizei hatte mir das Protokoll ausgehändigt, und es gab überhaupt keine Ähnlichkeit zwischen mir und dem von Zeugen beschriebenen Spucker. Ich nahm mir vor, diese Papiere aufzuheben. Vielleicht konnte ich sie wegen unrechtmäßiger Verhaftung verklagen.

Von Erleichterung beflügelt, machte ich mich auf den Heimweg. Ich hatte gerade noch mal die Kurve gekriegt. Ich wusste nur noch nicht, wohin sie führen würde.

Jetzt musste ich nur noch den Gerichtstermin überstehen. Deshalb fuhr ich in den nächsten Tagen zu einem Bürger-Beratungszentrum, um mich rechtlich beraten zu lassen. Wahrscheinlich hätte ich das schon früher tun sollen, aber meine Verhaftung hatte mich so verstört, dass ich keinen klaren Gedanken mehr hatte fassen können. Es stellte sich heraus, dass mir kostenfreier Rechtsbeistand zustand, weil ich als Teilnehmer eines Drogen-Entzugsprogrammes und Mieter einer Sozialwohnung die Bedürftigkeitskriterien erfüllte. Einen Anwalt, der mich vor Gericht vertrat, fand ich aber für meine Sache zu übertrieben. Ich wollte nur hören, wie ich mich bei Gericht verhalten sollte.

Es klang ganz einfach. Ich musste mich schuldig bekennen, also zugeben, dass ich illegal Straßenmusik gemacht hatte. Und dann darauf hoffen, dass der Richter kein Sadist war, der Straßenmusiker hasste.

Am Tag der Verhandlung zog ich über mein frisches T-Shirt mit der Aufschrift »Extrem unglücklich« auch noch ein sauberes Hemd und rasierte mich. Die Wartezone vor dem Gerichtssaal war überfüllt. Da waren finstere Gestalten mit kahlen Skinhead-Köpfen, die sich mit osteuropäischen Akzenten unterhielten, aber auch ein paar Geschäftsmänner im Anzug, die auf ihre Verhandlung wegen Fahrdelikten warteten.

»James Bowen. Das Gericht ruft Mr. James Bowen« tönte nach kurzer Wartezeit eine vornehme Stimme über den unsichtbaren Lautsprecher. Ich holte tief Luft und betrat den Gerichtssaal.

Der Friedensrichter beäugte mich wie ein Stück Dreck, das versehentlich von der Straße in seinen sauberen Gerichtssaal geblasen worden war. Aber nach dem Gesetz konnte er mir nicht viel anhaben. Vor allem, da dies mein erstes Vergehen dieser Art war.

Sie entließen mich mit drei Monaten auf Bewährung und ohne Geldstrafe. Der Richter schärfte mir aber ein, dass ich beim nächsten Mal mit einer Geldstrafe oder sogar einer Verhaftung zu rechnen hatte.

Belle und Bob warteten vor dem Gerichtsgebäude auf mich. Als Bob mich kommen sah, sprang er von Belles Schoß und kam mir entgegen. Er bemühte sich sehr, cool zu bleiben. Aber seine übermütig blitzenden Augen verrieten mir, wie froh er war, mich zu sehen.

»Und? Wie ist es gelaufen?«, wollte Belle wissen.

»Drei Monate auf Bewährung, aber wenn sie mich noch mal erwischen, bin ich dran«, informierte ich sie.

»Oh! Und was machst du jetzt?«, fragte sie.

Ich sah sie nur an, dann wanderte mein Blick hinunter zu Bob. Die Antwort stand mir wohl ins Gesicht geschrieben.

Ich war am Ende. Meine Zeit als Straßenmusiker war vorbei. Fast zehn Jahre hatte ich vorwiegend davon gelebt. Aber die Zeiten hatten sich geändert, genau wie mein Leben. Vor allem, seit Bob bei mir war. In letzter Zeit hatte ich schon oft darüber nachgedacht, die Straßenmusik an den Nagel zu hängen. Manchmal reichte das Geld nicht mehr für das Nötigste. Und immer öfter gerieten wir in Situationen, die mich – und vor allem auch Bob – in Gefahr brachten. Dazu kam jetzt auch noch diese Bewährungsauflage, die mich noch mehr einschränkte. Sollten sie mich noch einmal erwischen, würden sie mich ins Gefängnis stecken. Das war mir die Sache nicht wert.

»Ich weiß nicht, was ich tun werde, Belle«, antwortete ich nachdenklich. »Aber eines weiß ich bestimmt: Ich hänge die Straßenmusik an den Nagel!«

12
Nummer 683

In den nächsten Tagen rauchte mir der Kopf vom vielen Nachdenken. Ich war immer noch wütend wegen der Ungerechtigkeit, die mir widerfahren war. Ich hatte tatsächlich meine Existenz verloren, nur weil sich ein paar missgünstige Mitmenschen gegen mich verschworen hatten. Trotzdem versuchte ich, die Sache als Glück im Unglück zu betrachten.

Mir war schon lange klar, dass ich nicht für den Rest meines Lebens als Straßenmusiker durch London ziehen konnte. Mit den Liedern von Johnny Cash und Oasis, die ich an belebten Straßenecken zum Besten gab, würde ich es nicht weit bringen. Meine Gitarre würde mir auch nicht helfen, von meiner Ersatzdroge Methadon loszukommen. Endlich begriff ich, dass ich am bedeutendsten Wendepunkt meines Lebens stand. Hier war sie, meine Chance, endlich mit der Vergangenheit abzuschließen. So weit war ich schon öfter in meinem Leben gewesen, aber zum ersten Mal war ich bereit und mehr als willig, sie zu ergreifen.

Ich hatte die richtige Entscheidung getroffen. Aber den Vorsatz in die Tat umzusetzen, eine neue Perspektive zu finden, das war schwierig. Ich kannte die brutale Wahrheit: Ich hatte nicht viele Möglichkeiten, denn mir fehlte die Ausbildung. An dieser Hürde war ich schon oft gescheitert. Die zentrale Frage war: Wie sollte ich Geld verdienen? Wer würde mir Arbeit geben? Nicht, dass ich dumm war. Durch meinen einstigen Job in der IT-Branche in Australien hatte ich Computerkenntnisse. Auch in England hatte ich immer wieder viel Zeit am Laptop von Freunden oder am Computer der Bibliothek verbracht. Ich hatte mich auf dem Laufenden gehalten. Aber mit Referenzen oder nachweisbarer »Erfahrung« konnte ich nicht aufwarten. Und wenn ich tatsächlich bis zu einem Bewerbungsgespräch kommen sollte, würde ich früher oder später die Frage beantworten müssen, wo ich in den letzten zehn Jahren gearbeitet habe. »Weder bei Google noch bei Microsoft.« Diesen Traum konnte ich abhaken.

Es hatte auch keinen Sinn, sich um eine Computer-Fortbildung zu bewerben. Ich steckte immer noch im Drogen-Rehabilitationsprogramm, lebte in einer Sozialwohnung und hatte keinen Schulabschluss. Selbst wenn das Arbeitsamt wollte, sie hätten mir nicht helfen können. So sehr ich mir auch den Kopf zerbrach, letztendlich musste ich mir eingestehen, dass ich für jeden normalen Job unvermittelbar war. Was man auch immer unter »normal« verstehen mag.

Es gab nur eine realistische Alternative. Denn leider konnte ich es mir nicht leisten, mich entspannt zurückzulehnen und auf ein Wunder zu warten. Ich musste Geld verdienen – für mich, aber auch für Bob. Nach zwei Tagen, die ich grübelnd zu Hause verbracht hatte, schnappte ich Bob und fuhr mit ihm nach Covent Garden, zum ersten Mal seit Jahren ohne meine Gitarre. Auf der großen Piazza angekommen, steuerte ich zielstrebig auf die Stelle zu, an der ich Sam vermutete. Sie war die Bezirksleiterin für Covent Garden der Obdachlosenzeitung *The Big Issue*.

Von 1998 bis 1999 hatte ich schon mal versucht, als Zeitungsverkäufer zu arbeiten. Das war die Zeit, als ich gerade auf der Straße gelandet war. Ich holte mir meine Zulassung und arbeitete in dem Gebiet zwischen Charing Cross und Trafalgar Square. Ich war nicht sehr erfolgreich. Es war schwierig, die Zeitschriften loszuwerden, und ich habe nur ein paar Monate durchgehalten.

Mein größtes Problem bei dem Versuch, *The Big Issue* zu verkaufen, war schon damals die Unfreundlichkeit der Leute. Immer wieder musste ich mir blöde Kommentare anhören wie: »Such dir einen Job!«

Damals hat mich das fertiggemacht. Die Leute haben nicht kapiert, dass Zeitungsverkäufer ein Job ist. Mehr als das, denn als *Big-Issue*-Verkäufer ist man selbstständiger Geschäftsmann. Ich hatte Kosten, denn ich musste die Zeitschriften kaufen, um sie weiterverkaufen zu können. Vom Verkaufserlös musste ich den Einkaufspreis für die nächsten Magazine abziehen. Denn neue Zeitschriften gab es nur gegen Bargeld. Wie jeder Selbstständige musste ich erst Geld investieren, um Geld zu verdienen.

Leider glauben die meisten Leute, dass dies ein Wohltätigkeitsjob ist und die Verkäufer die Zeitungen geschenkt bekommen. Wenn das der Fall wäre, würde jeder viel mehr Exemplare zum Verkaufen vor sich liegen haben. *The Big Issue* verfolgt eine ganz andere Strategie. Sie wollen Menschen helfen, sich selbst zu helfen. Bei meinem ersten Anlauf war ich nicht sicher, ob ich Hilfe wollte. Ich war noch nicht soweit.

Ich erinnere mich noch gut an die vielen kalten Tage, die ich, vom Regen durchnässt, an einer windigen Straßenecke saß. Mit Engelszungen habe ich versucht, vorbeihastende Londoner zu überreden, sich von ihrem wertvollen Kleingeld zu trennen und mir ein Magazin abzukaufen. Das ging echt auf die Psyche – und nicht nur, weil ich damals noch ein Junkie war. Trotz freundlichster Bemühungen regnete es Beschimpfungen oder sogar den einen oder anderen Stoß in die Rippen. Der Job raubte mir den letzten Rest an Selbstwertgefühl.

Aber damals gehörte ich ja auch noch zu den Unsichtbaren. Ich war nicht vorhanden. Wenn jemand versuchte, einen Bogen um mich zu machen, war das für mich schon ein Erfolgserlebnis, weil man mich wahrgenommen hatte. Die Idee mit der Straßenmusik war aus reiner Verzweiflung entstanden. Mit der Musik konnte ich die Menschen erreichen, sie auf mich aufmerksam zu machen. So wurde ihnen zumindest bewusst, dass ich ein atmendes, menschliches Wesen war – auch wenn ich nicht ihren Normen entsprach. Aber auch der Straßenmusiker wurde von den meisten Passanten ignoriert.

Mit Bob war das Glück bei mir eingezogen. Er hat mir Erfolg als Straßenmusiker beschert und mir den Lebenswillen zurückgegeben. Ohne meinen kleinen Zauberkater hätte ich nie den Mut aufgebracht, es nochmals als *Big-Issue*-Verkäufer zu versuchen. Es gab nur ein kleines Problem: Ich musste meine ehemaligen Arbeitgeber davon überzeugen, mir noch mal eine Chance zu geben.

Sam war tatsächlich noch da, an derselben Stelle in einer Seitenstraße, die von der Piazza in Covent Garden abgeht. An diesem Verteilerstandort treffen sich täglich die *Big-Issue*-Verkäufer der Umgebung, um ihre Zeitschriften zu erwerben. Es standen nur wenige Männer herum. Den einen oder anderen kannte ich sogar noch. Einer davon war Steve, der schon lange als Fahrer für das Magazin arbeitete. Ich habe ihn manchmal rund um Covent Garden gesehen, wenn er montags die neue Ausgabe der *Big Issue* ablieferte.

Wir haben uns bei diesen seltenen Gelegenheiten eher misstrauisch beäugt als freundlich gegrüßt. Auch in diesem Moment hatte ich den Eindruck, dass er nicht gerade erfreut war, mich zu sehen. Aber das juckte mich nicht weiter. Schließlich war ich nicht seinetwegen hier, ich wollte Sam sprechen.

Kaum hatte sie uns gesehen, begrüßte sie uns freundlich:

»Hallo! Keine Straßenmusik heute?« Sie streckte die Hand nach Bob aus und kraulte ihn zwischen den Ohren.

»Nein, ich hab die Gitarre an den Nagel gehängt«, antwortete ich, dankbar für dieses Stichwort. »Ich hatte ein bisschen Stress mit den Bullen. Wenn sie mich noch mal an nicht genehmigter Stelle erwischen, stecken sie mich in den Knast. Das kann ich nicht riskieren, ich muss mich doch um Bob kümmern, nicht wahr, Kumpel?«

»Ooookeeey?«, war ihre vorsichtige Reaktion. Sie wusste sofort, worum es hier ging.

»Und deshalb ...«, zögerte ich und trat von einem Bein auf das andere, »... wollte ich mal fragen ...«

Sam erlöste mich mit einem Lächeln und den Worten: »Kommt drauf an, ob du die Bedingungen erfüllst.«

»Aber ja«, freute ich mich, denn *The Big Issue* durfte nur von Bedürftigen verkauft werden. Das heißt, von Leuten, die nachweislich obdachlos sind oder in einer Sozialwohnung leben.

»Die Formalitäten kann ich dir aber nicht ersparen«, sagte Sam. »Du musst in unser Büro in Vauxhall fahren, dich dort anmelden und den Papierkram erledigen!«

»Kein Problem«, grinste ich.

»Weißt du noch, wo das Büro ist?«, wollte sie wissen und drückte mir eine Visitenkarte in die Hand.

»Bin nicht sicher«, gab ich zur Antwort, denn die Adresse auf der Karte war mir unbekannt. Wahrscheinlich war die Redaktion umgezogen.

»Du nimmst den Bus bis Vauxhall und steigst am Bahnhof aus. Das Büro liegt schräg gegenüber in der Einbahnstraße neben dem Fluss«, erklärte sie mir. »Sobald du deinen Ausweis hast, kommst du wieder und wirst von mir eingewiesen.«

Ich steckte die Visitenkarte in meine Jackentasche und fuhr mit Bob zurück nach Hause. »Jetzt müssen wir noch einiges organisieren, Bob«, erklärte ich meinem Rotpelzchen. »Wir haben ein Bewerbungsgespräch.«

Dafür musste ich schnellstens die nötigen Papiere zusammensuchen. Vor allem brauchte ich eine Bestätigung vom Wohnungsamt. Da sollte ich mich sowieso regelmäßig melden. Ich erzählte meiner Sachbearbeiterin von meinen Schwierigkeiten mit der Polizei und was ich vorhatte. Sie stellte mir sofort die nötige Bescheinigung aus. Darüber hinaus schrieb sie mir eine persönliche Empfehlung: Ein Job wie der Verkauf der Obdachlosenzeitung würde mir helfen, mein Leben wieder in den Griff zu bekommen.

Am nächsten Morgen gab ich mir Mühe mit meinem Aussehen. Ich wollte einen guten Eindruck machen. Ich zog ein Hemd an statt dem sonst üblichen T-Shirt und band die Haare mit einem Gummi zusammen. Dann machte ich mich mit dem ganzen Papierkram auf den Weg nach Vauxhall. Bob war natürlich auch dabei. Ich war sicher, er würde mir beim Zeitungsverkaufen genauso helfen wie beim Gitarrespielen. Er war sozusagen mein bester Mitarbeiter. Deshalb wollte ich für ihn auch einen Verkäufer-Ausweis beantragen.

Redaktion und Büro des *Big-Issue*-Magazins liegen in einem unscheinbaren Bürogebäude am südlichen Ufer der Themse, ganz in der Nähe der Vauxhall-Brücke und dem M16-Gebäude.

Schon beim Betreten der Eingangshalle fiel mein Blick auf ein riesiges Schild »Hunde müssen draußen bleiben«. Früher waren Hunde erlaubt gewesen, aber oft liefen so viele herum, dass sie miteinander kämpften. Ich nehme an, dass Hunde deshalb jetzt verboten waren. Zum Glück stand da nichts von Katzen.

Nachdem ich ein paar Formulare ausgefüllt hatte, durfte ich mich in den Empfangsbereich setzen und warten. Kurze Zeit später wurde ich aufgerufen. Der Personalchef war ein sympathischer Mann. Unser Gespräch hatte mehr von einer Unterhaltung als von einem Jobinterview. Er hatte vor Jahren selbst auf der Straße gelebt. *The Big Issue* war sein Trittbrett zurück ins normale Leben gewesen.

Ich schilderte ihm meine Lebenssituation, und er war sehr verständnisvoll. »Ich weiß, was da draußen abgeht, James, das kannst du mir glauben«, nickte er.

Schon nach ein paar Minuten hatte ich seine Zusage in der Tasche. Er schickte mich weiter ins Nachbarbüro, wo der Ausweis ausgestellt wurde. Ich sollte fotografiert werden und dann auf meinen laminierten Ausweis mit Foto und Verkäufer-Nummer warten. Ich fragte den zuständigen Mitarbeiter, ob Bob auch einen Ausweis haben könnte.

Der Angestellte schüttelte bedauernd den Kopf: »Tut mir leid, aber das geht wirklich nicht. Haustiere kriegen keinen Ausweis. Diese Frage wird öfter gestellt. Allerdings bisher nur wegen Hunden. Eine Katze war noch nie dabei.« Beim letzten Satz musste er grinsen.

Aber so schnell gab ich nicht auf: »Kann er vielleicht mit mir zusammen auf dem Ausweisfoto sein?«

Der Fotograf verzog gequält das Gesicht, aber letztendlich gab er nach.

»Okay, Foto mit Katze!«, grinste er.

»Lächeln!«, flüsterte ich Bob ins Ohr, als wir vor der Kamera saßen.

Während wir auf die Entwicklung des Fotos warteten, erledigte ich die restlichen Formalitäten. Jeder *Big-Issue*-Verkäufer erhält seine eigene Registrierungsnummer. Diese Kennzahlen werden aber nicht fortlaufend vergeben, sonst wären sie inzwischen bereits im fünf- oder sechsstelligen Bereich. So viele *Big-Issue*-Verkäufer hat es schon gegeben. Aber die meisten verschwinden früher oder später ohne Abmeldung auf Nimmerwiedersehen. Deshalb werden die Ausweisnummern neu vergeben, wenn ein Verkäufer über einen längeren Zeitraum in den Umsatzlisten nicht mehr auftaucht.

Nach einer Viertelstunde war unser Ausweis fertig. Beim Anblick des Fotos konnte ich mir ein breites Grinsen nicht verkneifen. Bobs Kopf links neben meinem: Wir waren als Team registriert. Die *Big-Issue*-Verkäufer mit der Lizenz Nr. 683.

Der Rückweg nach Tottenham dauerte lange: eineinhalb Stunden Fahrt mit zwei Bussen. Um mir die Zeit zu vertreiben, las ich in der Broschüre, die ich vom Personalchef in die Hand gedrückt bekommen hatte. Vor zehn Jahren habe ich das Handbuch zwar überflogen, aber so gut wie nichts davon behalten. Damals hatte ich den Job auch nicht so ernst genommen; die meiste Zeit war ich sowieso zugedröhnt. Diesmal war ich hochmotiviert und wollte alles richtig machen.

Gleich auf der ersten Seite ging es um die Zielsetzung des Magazins: »*The Big Issue* wurde gegründet, um Obdachlosen und Menschen in sozialen Wohnprojekten die Möglichkeit zu geben, mit dem Verkauf des Magazins auf legale Weise ihr Geld zu verdienen. Wir glauben an Hilfe zur Selbsthilfe statt der Vergabe von Almosen, um ihnen die Möglichkeit zu geben, ihr Leben selbst in die Hand zu nehmen.« *Genau das brauche ich*, dachte ich: *Hilfe zur Selbsthilfe. Und diesmal werde ich sie annehmen!*

Auf der nächsten Seite stand alles über die Probezeit, die ich durchlaufen musste, und dass man die Einhaltung der Verhaltensregeln per Unterschrift bestätigen musste. An die

Probezeit erinnerte ich mich noch: Man arbeitet an einem vom Bezirksleiter zugewiesenen Platz und wird von den Vorgesetzten vor Ort beobachtet und bewertet. Erst wenn man sich dort bewährt hat, bekommt man seine eigene Verkaufsstelle zugewiesen, erklärt die Broschüre.

Als Einstiegshilfe erhält man zehn Magazine umsonst. »Ab diesem Zeitpunkt ist der Verkäufer als selbständiger Unternehmer tätig« las ich weiter. »Es liegt an ihm, was er aus dieser Starthilfe macht. Sobald die Freiexemplare verkauft sind, zahlt man 1 Pfund pro Magazin im Einkauf und verkauft es für 2 Pfund. Der *Big-Issue*-Verkäufer verdient somit 1 Pfund pro Zeitschrift.«

Eine weitere Regel war die Selbstständigkeit der Verkäufer. »Nicht verkaufte Ausgaben werden nicht zurückgenommen. Dies bedeutet, dass jeder selbst für seine Verkäufe und Finanzen verantwortlich ist. Diese Aufgabe zusammen mit dem Selbstbewusstsein und der eigenen Wertschätzung, die unsere Verkäufer durch ihre Arbeit erlangen, sind von entscheidender Bedeutung für die Wiedereingliederung von Obdachlosen und Sozialhilfeempfängern in die Gesellschaft.«

Das war das einfache Erfolgskonzept der Macher von *The Big Issue*. Aber ganz so leicht war es nicht, wie ich schon bald herausfinden sollte.

Gleich am nächsten Morgen fuhren wir wieder nach Covent Garden, um Sam zu treffen. Ich konnte es gar nicht abwarten mit meiner »Probezeit« loszulegen.

»Und? Ist alles gut gelaufen in Vauxhall?«, rief sie uns entgegen, sobald sie Bob und mich erspähte.

»Ich denke schon. Immerhin habe ich jetzt den hier«, grinste ich stolz und holte meinen laminierten Ausweis aus der Jackentasche.

»Super!«, lobte Sam und fing an zu lachten, als sie das Foto von Bob und mir sah. »Dann könnt ihr beiden ja gleich loslegen!« Ohne weitere Umschweife zählte sie mir die zehn kostenlosen Exemplare vom Stapel. Beim Überreichen meines Startkapitals vergewisserte sie sich noch: »Du weißt, dass du alle weiteren Exemplare kaufen musst?«

»Ja, hab ich verstanden«, bestätigte ich ihr.

Sie nickte zufrieden und überflog dabei eine Liste, die vor ihr auf dem Tresen lag. »'tschuldige, aber ich schau nur, welchen Probeplatz ich dir geben kann.«

Schon nach ein paar Sekunden erhellte sich ihre nachdenkliche Miene.

»Und? Was gefunden?«, drängelte ich aufgeregt.

»Ich denke schon«, antwortete sie langsam.

Was dann kam, war Ironie des Schicksals vom Feinsten.

»Ja, ich denke, dieser Platz ist frei«. Ihr Zeigefinger ruhte auf einem Punkt im Stadtplan von Covent Garden, den ich nur zu gut kannte. Auf der James Street, ein paar Meter entfernt von der U-Bahn-Station.

Ich konnte mir das Lachen nicht verkneifen.

»Ist das ein Problem? Bist du okay?«, fragte Sam leicht verwirrt. »Ich kann dir auch einen anderen Platz geben.«

»Nein, auf gar keinen Fall«, sagte ich schnell. »Ein toller Platz mit vielen Erinnerungen. Ich werde sofort anfangen.«

Ich verlor keine Zeit mehr und lief hinüber zu meinem alten Stammplatz. Ich legte eine Decke auf den Boden für Bob, platzierte meinen Rucksack daneben und legte los. Es war früher Vormittag. Als Straßenmusiker hatte ich immer erst gegen elf Uhr angefangen, aber auch um diese Zeit waren schon viele Leute unterwegs, vor allem Touristen. Es war ein heller, sonniger Tag, und aus meiner langjährigen Erfahrung wusste ich, dass bei gutem Wetter alle viel besser gelaunt waren und das Kleingeld lockerer saß als bei schlechtem Wetter.

Wenn ich genau an diesem Platz als Straßenmusiker saß, hatte ich ständig die Behörden im Nacken. Als *Big-Issue*-Verkäufer hatte ich eine Genehmigung, hier zu sein. Ich konnte es mir nicht verkneifen, mich so nah wie möglich an den Ausgang der James Station zu setzen, gerade noch außerhalb der Bahnhofshalle.

Während ich *The Big Issue* anbot, spähte ich immer wieder in die Halle. Ich suchte nach einem der Kontrolleure, die mir früher das Leben so schwer gemacht hatten. Schon nach kurzer Zeit sah ich den fetten Riesen mit dem Schweißproblem. Er trug sein blaues Uniformhemd und war so beschäftigt, dass er mich gar nicht wahrnahm. *Ich bin noch länger da*, schmunzelte ich voller Genugtuung.

In der Zwischenzeit konzentrierte ich mich auf den Verkauf meiner zehn Freiexemplare von *The Big Issue.* Mir war klar, dass ich diesen Standort bekommen hatte, weil er für die meisten Verkäufer ein Albtraum war. Vor dem U-Bahnhof hat keiner Zeit, sich auf jemanden einzulassen, der etwas verkaufen will. Die Leute haben es eilig, weil sie die nächste U-Bahn erwischen wollen. Wenn sie herauskommen, haben sie ein Ziel oder eine Verabredung. Ein Zeitungsverkäufer, der es an diesem Standort schafft, einen von tausend Leuten herauszuziehen, ist ein wahrer Künstler. Es war ein wirklich undankbarer Probeplatz. Beim Gitarrespielen auf der anderen Straßenseite hatte ich eine ganze Reihe von *Big-Issue*-Anfänger beobachtet, wie sie vergeblich versuchten, die Aufmerksamkeit von Fahrgästen zu erhaschen. Ich kannte das Problem unseres Standorts.

Aber ich war ja kein normaler Verkäufer. Ich hatte eine Geheimwaffe: Meinen Mitarbeiter Bob, der bisher die Passanten von Covent Garden verzaubert hatte. Und es dauerte nicht lange, bis seine Magie auch hier wirkte.

Bob saß neben mir auf meinem Rucksack. Wie eine kleine Sphinx beobachtete er zufrieden und gelassen die vorbeiströmenden Massen. Viele der eiligen Passanten übersahen Bob, während sie mit Handy am Ohr in ihren Taschen nach der Fahrkarte kramten. Aber zum Glück nicht alle.

Kaum hatten wir es uns gemütlich gemacht, blieben schon zwei amerikanische Touristinnen vor uns stehen. Ungläubig zeigten sie auf Bob.

»Ooooh!«, machte eine und griff zu ihrer Kamera.

»Dürfen wir ein Foto von Ihrer Katze machen?«, fragte ihre Begleiterin höflich.

»Aber klar doch!«, gab ich zurück. Es freute mich, dass sie den Anstand hatten zu fragen.

»Wollt ihr vielleicht die neueste Ausgabe von *The Big Issue* kaufen? So als Beitrag für unser Abendessen.«

»Aber natürlich!«, versicherte mir das junge Mädchen fast verlegen, weil sie nicht selbst auf die Idee gekommen war.

»Wenn ihr kein Geld habt, ist es auch okay«, beeilte ich mich, sie zu beruhigen. »Keine Verpflichtung!«

Aber bevor ich weiterreden konnte, hatte sie mir schon eine Fünf-Pfund-Note in die Hand gedrückt.

»Oh, es tut mir leid, ich glaube ich kann nicht wechseln, ich habe eben erst angefangen.« Das war mir jetzt wirklich peinlich. Bestimmt glauben viele Leute, dass alle Verkäufer der Obdachlosen-Zeitschrift versuchen, so ihren Umsatz zu erhöhen. Aber ich hatte tatsächlich kaum Geld in der Tasche. Ich zählte ihr mein mageres Kleingeld auf die Hand. Es war weniger als 1 Pfund.

»Nein, nein!«, wehrte die kleine Amerikanerin ab. »Ich

will kein Wechselgeld, bitte kauf deiner Katze davon heute Abend etwas Leckeres.«

Kaum waren die beiden weitergegangen, blieb schon die nächste Gruppe Touristen vor uns stehen. Es waren Deutsche, die Bob mit Babysprache und Streicheleinheiten überschütteten. Eine Zeitschrift kauften sie nicht, aber das war auch okay. Die zehn Exemplare würde ich auf jeden Fall verkaufen. Ich war sogar überzeugt, ich würde mir später bei Sam noch Nachschub holen können.

Tatsächlich hatte ich bereits nach einer Stunde sechs Zeitschriften verkauft. Die meisten Leute zahlten den korrekten Kaufpreis, aber ein älterer Gentleman in einem Tweed-Anzug gab mir auch fünf Pfund. Dieser Erfolg war die Bestätigung, die ich brauchte. Ich hatte die richtige Entscheidung getroffen. Natürlich war mir bewusst, dass es nicht immer so gut laufen würde und dass es auch in diesem Job gute und schlechte Tage geben würde. Aber ich hatte einen großen Schritt gewagt und etwas Neues angefangen.

Ich dachte nicht, dass dieser Tag noch besser werden könnte, aber zweieinhalb Stunden später wurde er noch durch ein Sahnehäubchen gekrönt. Ich hatte inzwischen acht Zeitschriften verkauft. Plötzlich bemerkte ich leichte Unruhe in der Bahnhofshalle. Kurz darauf entdeckte ich eine ganze Gruppe U-Bahn-Mitarbeiter, die wild gestikulierend die Halle durchquerten. Zwei von ihnen brüllten aufgeregt in ihre Walkie-Talkies.

Sofort musste ich daran denken, wie sie hinter mir her gewesen waren. Ob es wieder einen Zwischenfall gegeben hatte? Welchen armen Tropf hatten sie jetzt im Visier? Wen wollten sie diesmal ins Unglück stürzen? Aber die Panik der U-Bahn-Kontrolleure legte sich nach kurzer Zeit, und die Gruppe löste sich auf.

Just in diesem Moment entdeckte uns der große, schwitzende Fahrkartenkontrolleur am Ausgang. Im Eilschritt stürmte er aus der Halle.

Er bebte vor Wut. Sein Gesicht war rot angelaufen. Es heißt, Rache ist eine Delikatesse, die man kalt genießen soll. Ich blieb also ganz cool.

»Was, zum Teufel, tust du denn hier?«, brüllte er unbeherrscht. »Ich dachte, du schmorst im Knast! Du hast hier nichts verloren!«

Ich gab ihm keine Antwort. Stattdessen kramte ich langsam und genüsslich meinen Verkäuferausweis hervor. Dann hielt ich ihm meine Trophäe unter die schweißtriefende Nase: »Ich mache hier nur meine Arbeit, Kollege«, erklärte ich gelassen. »Und ich schlage vor, du gehst zurück zu deiner!« John Wayne wäre stolz auf mich gewesen.

Die Mischung aus Fassungslosigkeit und hilfloser Wut, die sich in diesem Moment auf seinem Gesicht widerspiegelten, war, mit Verlaub, die Krönung eines erfolgreichen Tages.

13
Der perfekte Standort

Leider kann ich nicht behaupten, dass ich in meinem Leben immer die richtigen Entscheidungen getroffen habe, ganz im Gegenteil: In den letzten zehn Jahren habe ich jede Chance, die mir geboten wurde, total vermasselt. Diesmal sollte mir das nicht passieren. Als *Big-Issue*-Verkäufer zu arbeiten, war die richtige Entscheidung, und mit Hilfe von Bob würde ich diese Chance auch nutzen.

Der neue Job hatte Auswirkungen. Er gab unserem Alltag noch mehr Struktur. Schließlich hatte ich nun einen Job von Montag bis Freitag, oder eigentlich sogar bis Samstag.

In den ersten beiden Wochen arbeiteten Bob und ich von Montag bis Samstag in Covent Garden, also all die Tage, an denen die Wochenausgabe verkauft wurde. Die neue Auflage erschien immer montags.

Wir waren von morgens um zehn bis abends um sieben an unserem Platz und blieben immer so lange, bis wir einen Stapel Zeitschriften verkauft hatten.

Durch Bob hatte ich gelernt, Verantwortung zu übernehmen. Das kam mir als *Big-Issue*-Verkäufer zugute, auch wenn es hier um etwas ganz anderes ging. Dieser Job erforderte eine Menge Disziplin und Organisationstalent, um Gewinn abzuwerfen. Wenn ich mich verkalkulierte, hätten Bob und ich kein Geld für unsere bescheidenen Mahlzeiten. Ich musste also schnell lernen, unseren Standort als Wirtschaftsunternehmen zu führen.

Das war ein großer Schritt für jemanden, der in den letzten zehn Jahren ziel- und planlos in den Tag gelebt hat. Ich konnte auch nie mit Geld umgehen. Bisher war das nicht weiter tragisch, denn ich habe immer nur von der Hand in den Mund gelebt. Umso mehr hat es mich überrascht, wie gut ich mit dieser neuen Herausforderung zurechtkam.

Mein neuer Job hatte nur einen Nachteil: Nicht verkaufte Exemplare von *The Big Issue* wurden nicht zurückgenommen und auch nicht rückvergütet. Ich lernte schnell, mit Bedacht einzukaufen, denn wenn man am Samstagabend noch fünfzig Zeitschriften übrig hat, steht man kurz vor dem Ruin und wird alles tun, damit das nie wieder passiert. Die neue Auflage am Montag gibt es nur gegen Bargeld, egal wie viel Pfund von seinem sauer verdienten Geld man gerade als Altpapier entsorgt hatte. Genauso schlimm ist es, wenn einem die Zeitungen zu früh ausgehen. Das schmälert den Gewinn und verprellt kaufwillige Kunden. Im Grunde genommen hatte ich die gleichen Probleme wie die Geschäftsleitung von *Marks and Spencer's* – nur in kleinerem Rahmen.

Es gab noch einen Punkt, den ich beim Einkauf berücksichtigen musste: den Inhalt der Zeitschrift. Meist brachten sie spannende Artikel, die jeden interessierten, aber es gab auch langweilige Ausgaben. Besonders wenn das Titelblatt mal keinen berühmten Schauspieler oder Musiker zeigte, lief der Verkauf schleppend und äußerst mühsam. Es hat eine Weile gedauert, bis ich diesen wöchentlichen Kalkulationsakt einigermaßen durchschaut hatte.

In dieser Testperiode lebten wir weiterhin von der Hand in den Mund. Alles, was ich zwischen Montag und Samstag verdient hatte, war nach dem Wochenende weg. Manchmal hatte ich für den Einkauf meiner Ware am Montag kaum noch etwas übrig. Wenn Sam da war, bat ich sie, zehn Zeitschriften für mich zu kaufen. Ein Kurzzeitdarlehen, das ich noch am selben Tag zurückgab, sobald ich die Exemplare verkauft hatte. Diesen Gefallen tat Sam nicht jedem, sondern nur wenigen vertrauenswürdigen Mitarbeitern. Zwei oder drei Mal hat sie mir so aus der Patsche geholfen, und nach ein paar Stunden bekam sie alles zurück. Schließlich wusste ich, dass sie mir ihr eigenes Geld vorstreckte und nicht das des Verlages.

Von meinen Einnahmen konnte ich dann weitere Zeitungen erstehen, und so baute ich mir nach und nach wieder einen Gewinn auf, mit dem Bob und ich klar kamen.

Genau genommen verdienten wir als *Big-Issue*-Verkäufer weniger als mit der Straßenmusik. Aber das war mir der legale Job wert. Ich brauchte weder vor Guardians noch sonstigen Verrückten auf der Hut sein. Und wenn mich die Polizei aufhielt, zeigte ich meinen Ausweis, und sie ließen mich in Ruhe. Nach meiner Verhaftung war das ein enormer Pluspunkt meiner Arbeit.

Die nächsten beiden Monate in unserem neuen Job vergingen wie im Flug. Unser Kundenstamm hat sich seit meiner Zeit als Straßenmusiker nicht wirklich geändert: vorwiegend Frauen aller Altersgruppen, Schwule und Touristen aus aller Welt.

Im Herbst 2008 hatten wir eine Begegnung mit einem mega-cool gekleideten jungen Mann. Er hatte blond gesträhnte Haare, trug teure Jeans, Cowboystiefel und eine Lederjacke, die bestimmt ein Vermögen gekostet hatte. Er sah aus wie ein amerikanischer Rockstar, und wahrscheinlich war er das auch.

Er blieb sofort stehen, als sein Blick an Bob hängenblieb.

»Hey! Ist das ´ne coole Katze!«, rief er überrascht aus. Sein Slang bestätigte meine Vermutung. Er war Amerikaner.

Er kam mir so bekannt vor, aber ich kam nicht auf seinen

Namen. Am liebsten hätte ich ihn gefragt, aber das wäre aufdringlich gewesen. Ich bin froh, dass ich mich zurückgehalten habe.

Er kauerte lange vor Bob und streichelte ihn, bis er sich wieder an mich wandte: »Wie lange seid ihr zwei schon ein Team?«

»Oh, mal sehen«, stotterte ich überrumpelt. Ich musste tatsächlich nachrechnen. »Wir kennen uns seit Frühling letzten Jahres – also eineinhalb Jahre.«

»Cool! Ihr seht aus wie Seelenverwandte …« Er lächelte und legte den Kopf schief, als würde er über seine eigenen Worte nachdenken. Dann nickte er: »… als würdet ihr wirklich zusammengehören.«

»Danke«, gab ich lächelnd zurück. Innerlich ärgerte ich mich, weil mir nicht einfallen wollte, wer er war.

Aber bevor ich ihn doch noch fragen konnte, sah er auf die Uhr und sprang auf.

»Hey, ich muss weiter, bis bald mal!« Dabei holte er ein Bündel Scheine aus seiner Jackentasche und gab mir zehn Pfund für eine *Big Issue.*

Ich kramte nach Wechselgeld, aber er hob abwehrend die Hände: »Passt schon! Ich wünsche euch beiden einen wunderschönen Tag!«

»Den werden wir haben«, versprach ich ihm. Und so war es auch.

Meine »Aufenthaltsgenehmigung« für den Platz vor der Angel Station war ein Segen für mich. Die Kontrolleure konnten mir nichts mehr anhaben. Die schiefen Blicke von einigen wenigen ignorierte ich einfach, aber die meisten waren freundlich. Da ich weder störte noch jemanden belästigte, ließen sie mich in Ruhe.

Aber neue Feinde waren bereits im Anmarsch. Scheinbar

hatten wir, Bob und ich, uns bei einigen *Big-Issue*-Kollegen unbeliebt gemacht.

Das war absehbar, denn die Gesetze der Straße sind hart. Wer meint, dass auf der Straße alle zusammenhalten, täuscht sich sehr. Füreinander da sein war in diesem Haufen von Einzelkämpfern ein Fremdwort. Jeder war nur auf seinen eigenen Vorteil bedacht. Trotzdem sei gesagt, dass die meisten Kollegen »den Neuen mit der Katze auf der Schulter« sehr freundlich aufgenommen haben.

Verkäufer mit Hunden hatte es immer schon gegeben. Einige von ihnen waren auch kleine Herzensbrecher. Aber ein Verkäufer mit Katze war neu – nicht nur in Covent Garden, sondern in ganz London.

Einige Kollegen zeigten aufrichtiges Interesse. Sie wollten Bob streicheln und alles über ihn wissen: Wie wir uns gefunden hatten und ob ich seine Vorgeschichte kannte. Aber seine Herkunft ist und bleibt im Dunkeln. Bob, der mysteriöse Findelkater, der aus dem Nichts aufgetaucht war und – vielleicht gerade deshalb – die Herzen der Menschen eroberte wie kein anderer.

Für mich interessierte sich natürlich keiner. Wann immer wir einen Kollegen trafen, hörte ich: »Wie geht's Bob heute?« Niemand fragte je nach meinem Befinden. Ich war nicht eifersüchtig. Nein, ich hatte nichts anderes erwartet. Ich wusste, dass diese aufgesetzte Freundlichkeit nicht lange währen würde. So ist das immer auf der Straße.

Es stellte sich heraus, dass ich – mit Bob als Verkaufsmanager – zwischen dreißig und fünfzig Zeitschriften pro Tag absetzen konnte. Bei dem damaligen Preis von zwei Pfund pro Zeitschrift konnten wir damit ganz gut leben, besonders weil auch noch Trinkgeld dazukam. Bobs Trinkgeld.

Eines frühen Abends im Herbst saß Bob auf meinem Rucksack und genoss die letzten Strahlen der Abendsonne. Unter den vielen Passanten, die an uns vorbeiliefen, entdeckte ich ein Paar in edler Abendgarderobe. Sie sahen aus, als wären sie auf dem Weg ins Theater oder in die Oper. Er im Smoking mit Fliege, sie in einem schwarzen, raffiniert geschnittenen Seidenkleid.

»Sie sehen sehr elegant aus«, versuchte ich über ein ehrliches Kompliment Kontakt aufzunehmen, als die beiden stehen blieben, um Bob zu hofieren. Sie schenkte mir daraufhin ein Lächeln, aber ihr Begleiter ignorierte mich weiter.

»So ein hübscher Kater«, sagte die Lady in Black. »Seid ihr schon lange zusammen?«

»Ja, ziemlich lange«, gab ich bereitwillig Auskunft. »Wir sind uns sozusagen auf der Straße begegnet.«

Ihr Begleiter zupfte plötzlich seine Brieftasche aus der Innentasche seiner Smokingjacke und drückte mir einen Zwanzig-Pfund-Schein in die Hand. Noch bevor ich mein Wechselgeld hervorholen konnte, winkte er ungeduldig ab. »Behalten Sie den Rest«, sagte er und sah seiner Begleiterin mit einem Lächeln tief in die Augen.

Der Blick, den sie ihm für seine Großzügigkeit schenkte, sprach Bände. Für mich sah es aus wie die erste Verabredung der beiden. Sonst wäre die elegante junge Dame von der Großzügigkeit ihres Begleiters nicht so beeindruckt gewesen.

Als sie weitergingen, sah ich hinter ihnen her. Zuerst lehnte sie sich beim Gehen gegen ihn und himmelte ihn an. Er legte daraufhin den Arm um ihre Schulter. Ob die Zuneigung der beiden echt war oder nicht, war mir egal. Weil er sie beeindrucken wollte, hatte ich zum ersten Mal in meinem Leben 20 Pfund geschenkt bekommen. Das war echt abgefahren!

Nach ein paar Wochen am U-Bahnhof James Station

wusste ich, dass dieser »schwierige« Standort für Bob und mich geradezu ideal war. Deshalb war ich sehr enttäuscht, als Sam mir mitteilte, dass sie uns einen anderen Platz zuteilen wollte.

Aber es wunderte mich nicht. In der großen Familie der *Big-Issue*-Verkäufer kriegt jeder mit, was der andere umsetzt. Die Listen mit den Einträgen, wer wie viele Zeitschriften einkauft, liegen am Standort der Bezirksleiter für jeden einsehbar herum. Jeder kann sich informieren, wer zehn, zwanzig oder noch mehr Exemplare pro Tag abnimmt. Somit kannten alle Kollegen auch meine Absatzzahlen der letzten Wochen an der Angel Station.

Es wurde schnell deutlich, dass mein Erfolg so manchem Kollegen ein Dorn im Auge war. Schon in der zweiten Woche wurden die anfangs freundlichen Kollegen immer zurückhaltender.

Unser neuer Platz war zum Glück immer noch in der Nähe der U-Bahn, jetzt aber vor einem Schuhgeschäft namens *Size*, an der Kreuzung Neal Street und Short's Garden.

Ich hatte das Gefühl, dass besonders die alten Hasen unter den Kollegen nicht mehr gut auf Bob und mich zu sprechen waren, weil wir an einem von allen verpönten Ort so guten Umsatz machten. Aber ich hielt den Mund und beschwerte mich nicht über den Standortwechsel. »Wähle deine Kämpfe mit Bedacht, James«, sagte ich mir. Und wie sich herausstellte, war ich damit gut beraten.

14
Angeschlagen

Der Herbst in diesem Jahr war extrem kalt und nass. Die Bäume waren in kürzester Zeit kahl, weil Wind und Regen sie blitzschnell entblättert hatten.

Eines Morgens, als wir unseren Wohnblock verließen, um uns auf den Weg zur Bushaltestelle zu machen, hielt sich die Sonne versteckt und es nieselte leicht.

Bob hasst den Regen, und so schob ich die Lustlosigkeit, mit der er hinter mir her trottete, auf das Wetter. Langsam und vorsichtig setzte er einen Fuß vor den anderen, fast wie in Zeitlupe. Ich hatte den Eindruck, er wäre am liebsten zurück nach Hause gelaufen. *Vielleicht stimmt es ja, dass Katzen schlechtes Wetter schon lange spüren, bevor wir es am Himmel aufziehen sehen*, überlegte ich. Mein Blick nach oben schien das zu bestätigen. Eine gigantische, stahlgraue Wolkenbank hatte sich aufgebaut und hing wie ein gewaltiges Raumschiff aus einer unbekannten Galaxie über Nordlondon. Die würde bestimmt den ganzen Tag nicht aufreißen. Und wenn sie sich entlud, würde der Regen nur so auf uns herunterklatschen. Vielleicht sollte ich auf Bob hören und umdrehen, dachte ich kurz. Aber das Wochenende stand vor der Tür, und wir hatten noch nicht genug Geld, um dafür einzukaufen. *Es heißt zwar: In der Not frisst der Teufel Fliegen, aber wir werden davon nicht satt*, versuchte ich mich zu motivieren.

Ich war nie sonderlich glücklich darüber, auf den Straßen von London mein Geld verdienen zu müssen, aber an diesem

Tag kostete es mich mehr Überwindung denn je. Bob kroch immer noch im Schneckentempo neben mir her, und wir kamen nicht voran.

Ich ging in die Knie und ermunterte ihn, auf meine Schulter zu springen: »Na komm, mein Freund, steig auf!«

Er kuschelte sich in meine Halsbeuge, und ich schleppte mich lustlos weiter zur Busstation Tottenham High Road. Der Regen wurde stärker, und die fetten, schweren Wassertropfen platschten auf den Asphalt. Bob blieb ruhig auf meiner Schulter, während ich Zickzack lief, um jeden Baum oder Dachvorsprung als Regenschutz zu nutzen. Erst im Bus fiel mir auf, dass Bob scheinbar ganz andere Probleme hatte als das schlechte Wetter.

Bob liebt Busfahren. Er ist ein sehr neugieriger Kater. Normalerweise ist alles um ihn herum unendlich spannend, egal, wie oft wir dieselbe Strecke fahren. Bisher hat er es noch nie versäumt, seine Nase am Busfenster platt zu drücken, um draußen bloß nichts zu verpassen. Heute wollte er nicht einmal auf den Fensterplatz. Inzwischen prasselte starker Regen gegen die Scheibe, die von innen ganz angelaufen war. Er hätte die Welt da draußen zwar nur verschwommen gesehen, aber das hat ihn bisher noch nie gestört. Heute interessierte ihn sein sonst so wichtiger Fensterplatz gar nicht. Stattdessen rollte er sich auf meinem Schoß zusammen. Er wirkte sehr müde und schwach. Die Augen hielt er halb geschlossen, als wäre er kurz davor, wegzudösen. So hatte ich meinen sonst so unternehmungslustigen, frechen Bob noch nie erlebt.

Als wir an der Tottenham Court Road ausstiegen, ging es ihm noch schlechter. Glücklicherweise hatte der Regen nachgelassen. Mit Bob auf der Schulter platschte ich durch die überfluteten Nebenstraßen nach Covent Garden. Es war ein bisschen unruhig für Bob auf meiner Schulter, denn ich musste riesigen Pfützen ausweichen oder sie überspringen, und ich musste mich immer wieder gegen unerbittliche Regenschirme zur Wehr setzen.

So merkte ich erst auf der Neal Street, dass Bob sich auf meiner Schulter sehr ungewöhnlich benahm. Er zuckte und schwankte unruhig hin und her.

»Hey, Bob, geht es dir gut?«, fragte ich entsetzt und wurde langsamer. Seine Antwort war ein krampfartiges Würgen, als würde er jeden Moment ersticken oder versuchen, sich zu übergeben. Ich dachte, er würde jeden Moment von meiner Schulter fallen oder springen, also hob ich ihn auf den Gehweg, um zu sehen, was mit ihm los war. Noch bevor ich mich vor ihn hinknien konnte, kotzte er. Keine Essensreste, sondern nur grellgelbe Gallenflüssigkeit. Er konnte gar nicht mehr aufhören. Sein ganzer Körper krampfte, er würgte und kämpfte, um loszuwerden, was diese Übelkeit auslöste.

Einen Moment lang gab ich mir die Schuld, weil ich ihm durch meinen Pfützen-und-Schirm-Slalom diesen unruhigen Ritt auf meiner Schulter zugemutet hatte.

Aber dann übergab er sich wieder. Er würgte und würgte, doch außer giftgrüner Flüssigkeit gab der kleine, geschundene Körper nichts her. So übel konnte ihm wegen des ungewohnten Schaukelns auf meiner Schulter nicht sein. Bob würgte immer noch, aber es kam nichts mehr. Das war seltsam, denn am Abend zuvor und zum Frühstück hatte er noch mit Appetit sein Futter vertilgt. Erst da begriff ich, dass er heute nicht zum ersten Mal kotzte. Wahrscheinlich hat er schon beim Aufsuchen seines Freiluft-Kistchens zum ersten Mal gebrochen. Er war allein hinuntergelaufen. Auf der Busfahrt war ihm bestimmt auch schon schlecht gewesen. Und ich Idiot hatte nichts bemerkt.

Es ist schon seltsam, wie man in solchen Situationen auf

Autopilot schaltet. Ich reagierte instinktiv, wie ein Vater, dessen Kind plötzlich vor seinen Augen kollabiert. Meine Gedanken überschlugen sich. Hatte er heute Morgen etwas Schlechtes gegessen? Hatte er in der Wohnung irgendetwas verschluckt, was seinen Magen revoltieren ließ? Oder war es noch schlimmer? Was tun, wenn er jetzt zusammenbrach und starb? Wüste Geschichten von Katzenbesitzern, deren Katzen vor ihren Augen tot zusammenbrachen, weil sie Putzmittel getrunken oder kleine Plastikteile verschluckt hatten, schossen mir durch den Kopf. Für eine Zehntelsekunde blitzte das Bild eines sterbenden roten Katers vor meinem geistigen Auge auf. Dann riss ich mich zusammen, und befahl mir: *Los, James, bleib ruhig und tu was!*

Bob konnte nicht aufhören zu würgen, aber sein Körper gab nichts mehr her. *Akuter Flüssigkeitsverlust.* Wenn ich nicht schnell handelte, könnte das seine inneren Organe schädigen. Er musste etwas essen, nein, trinken! Ich hob ihn hoch und trug ihn schnellstmöglich, aber vorsichtig zu einem kleinen Supermarkt. Ich hatte zwar nur Kleingeld in den Taschen, aber ich konnte genug zusammenkratzen, um sein Lieblingsfutter, Hühnchen in Soße, und eine Flasche Wasser ohne Kohlensäure zu kaufen. Leitungswasser kam in seinem Zustand für mich nicht in Frage. Ich wollte kein Risiko eingehen.

Dann trug ich Bob zu unserem Verkaufsplatz, holte seine Schüssel heraus und füllte sie halb mit Wasser. Zögernd steckte er seine Zunge hinein, nahm aber nur wenige Schlucke. Er rührte sich nicht vom Fleck, ließ den Kopf hängen und starrte teilnahmslos vor sich hin. Mir brach vor Verzweiflung der Schweiß aus. Vorsichtig zog ich den Napf weg, leerte das Wasser aus und löffelte den Inhalt seines Lieblingsschälchens hinein. Normalerweise steht Bob schon beim Anblick des Futterdöschens stramm. Seine Schüssel ist innerhalb von Sekunden ratzeputz leer und sauber. Aber nicht an diesem Tag. Er stand davor und starrte unentschlossen auf sein Lieblingsfutter. Als er den Kopf endlich senkte, schleckte er nur langsam und vorsichtig die Soße auf. Das leckere Fleisch rührte er nicht an. Ich bekam es richtig mit der Angst zu tun. So kannte ich Bob gar nicht. Es musste ihm hundsmiserabel gehen.

Halbherzig fing ich an, meine Zeitschrift zu verkaufen. Ich brauchte dringend Geld für die nächsten Tage, vor allem, wenn ich mit Bob zum Tierarzt musste und er Medizin brauchte. Aber ich hatte nicht die Nerven dafür. Meine Aufmerksamkeit gehörte mehr Bob als meinen Kunden. Mein Kater lag völlig teilnahmslos auf meinem Rucksack, und mir fehlte die Kraft, die Passanten mit lockeren Sprüchen auf mich aufmerksam zu machen. Nach zwei Stunden gab ich auf. Bob hat zwar nicht mehr gebrochen, aber er war völlig apathisch. Er gehörte nach Hause, raus aus dem Londoner Nieselregen, rein in die warme Wohnung.

Bisher hatte ich wirklich Glück gehabt mit Bob. Er war noch nie krank gewesen, sondern immer hundertprozentig fit. Anfangs hatte er mal Flöhe gehabt, aber das ist normal für einen Kater, der von der Straße kommt. Seit einer Floh- und Wurmkur gab es keinerlei gesundheitliche Probleme mehr.

Trotzdem ließ ich ihn regelmäßig im Blue Cross Bus durchchecken. Die Ärzte und Schwestern dort kannten ihn gut und hatten seinen guten Gesundheitszustand immer gelobt. Jetzt war ich völlig hilflos. Die Angst um Bob schnürte mir die Kehle zu und nahm mir fast die Luft zum Atmen. Als er auf dem Rückweg im Bus wieder auf meinem Schoß schlief, musste ich mehr als einmal die Tränen zurückhalten.

Bob war mein Ein und Alles. Der Gedanke, ihn zu verlieren, machte mich schier verrückt. Aber ich konnte an nichts anderes mehr denken.

Endlich zu Hause angekommen, verkroch sich Bob sofort unter der Heizung, rollte sich zusammen und schlief für den Rest des Tages. In dieser Nacht konnte ich kaum schlafen. Bob war so erschöpft, dass er mir nicht mal ins Schlafzimmer folgte. Immer wieder stand ich auf, um nach ihm zu sehen. Auf allen Vieren kroch ich im Dunkeln leise zu ihm, um mich zu vergewissern, dass er noch atmete. Es war ein Schock, als ich mir einbildete, ihn nicht mehr zu hören. Flach auf dem Boden robbte ich mich an ihn heran, um ihm die Hand auf sein Zwerchfell zu legen. Ich war furchtbar erleichtert, als er ganz leicht zu schnurren begann.

Ich war so pleite, dass ich am nächsten Morgen unbedingt arbeiten musste. Aber wie? Sollte ich Bob allein in der Wohnung lassen? Oder warm einpacken und mitnehmen, damit ich ihn im Auge behalten konnte?

Zumindest war das Wetter viel besser als am Vortag. Sogar die Sonne hatte beschlossen, sich zu zeigen. Als ich mit meiner Müslischüssel aus der Küche kam, hob Bob den Kopf und sah mich an. Er schaute tatsächlich etwas frischer aus dem Pelz. Als ich ihm sein Futter hinstellte, schleckte er schon etwas eifriger daran herum als am Tag zuvor.

Das war ein gutes Zeichen, und ich beschloss, ihn mitzunehmen. Es würde noch zwei Tage dauern, bis ich ihn am Donnerstag zur Blue-Cross-Tierambulanz bringen konnte. Also wollte ich zumindest herausfinden, was es mit Bobs Symptomen auf sich hatte. Wir machten einen Zwischenstopp in der Bibliothek, und ich setzte mich vor einen der öffentlichen Computer.

Ich hatte ganz vergessen, dass es nicht empfehlenswert ist,

medizinische Webseiten zu durchforsten. Nichts als Horrorszenarien!

Ich tippte ein paar Stichworte ein und fand eine informative Website. Als ich Bobs wichtigste Symptome eingab – Lethargie, Erbrechen, Appetitlosigkeit – erschienen eine Menge Krankheitsbilder. Es ging los mit Abstoßen von Katzenhaar aus dem Magen und schweren Blähungen. Das war es nicht. Die nächsten auf der Liste waren: Addison-Syndrom, Nierenversagen, Arsenvergiftung. Das war ziemlich beängstigend, aber es kamen noch schlimmere Möglichkeiten: Mandelentzündung, Diabetes, Katzenleukämie, Dickdarmkatarrh, Bleivergiftung, Salmonellen. Mir wurde mulmig. Am schlimmsten aber war die Seite, auf der stand, dass Bobs Zustand ein frühes Anzeichen von Darmkrebs sein könnte.

Nach einer Viertelstunde vor dem Computer war ich ein Nervenbündel. Das alles half mir nicht im Geringsten weiter. Also suchte ich nach Behandlungstipps. Das war viel besser. Übereinstimmend rieten die meisten Internetseiten: viel Wasser, Ruhe und ständige Beobachtung. Das konnte ich die nächsten achtundvierzig Stunden durchziehen. Ich nahm mir vor, Bob rund um die Uhr nicht aus den Augen lassen. Sollte er sich noch einmal übergeben, würde ich ihn sofort zum nächsten Tierarzt bringen. Falls nicht, würde ich am Donnerstag auf jeden Fall mit ihm zum Blue Cross gehen.

Am nächsten Tag blieb ich bis spät nachmittags zu Hause, damit Bob sich ausruhen konnte. Zusammengerollt auf seinem Lieblingsplatz, schlief er wie ein Stein. Ich wollte ihn nicht allein lassen, aber sein Zustand hatte sich nicht verschlechtert, und der Genesungsschlaf war wichtig. Also verließ ich leise die Wohnung, um wenigstens ein paar Stunden zu arbeiten. Ich hatte keine andere Wahl.

Auf dem Weg von der Bushaltestelle nach Covent Garden fiel mir auf, dass ich wieder unsichtbar war. Als ich an meiner Verkaufsstelle anfing, *The Big Issue* anzupreisen, wurde ich dauernd gefragt: »Wo ist Bob?« Über meine Auskunft, dass er krank sei, waren alle sehr betroffen und löcherten mich mit weiteren Fragen: »Er wird aber wieder, oder?« – »Ist es sehr schlimm?« – »Waren Sie schon beim Tierarzt mit ihm?« – »Sollten Sie nicht bei ihm sein?«

Auf einmal fiel mir ein, dass ich eine Tierarzt-Helferin kannte. Sie hieß Rosemarie, und ihr Freund Steve arbeitete in einem Comicbuchladen ganz in der Nähe. Bob und ich waren oft dort und hatten uns mit Steve ein bisschen angefreundet. So haben wir auch seine Freundin Rosemarie kennengelernt, die alles über Bob wissen wollte und mich mit Fragen löcherte.

Ich machte sofort einen Abstecher in den Comicbuchladen. Steve war tatsächlich da und gab mir sofort Rosemaries Telefonnummer. »Du kannst sie gleich anrufen«, versicherte er mir. »Sie wird sich freuen, Bob zu helfen. Er hat es ihr wirklich angetan.«

Zum Glück erreichte ich sie gleich, und sie stellte mir viele Fragen.

»Was für Futter bekommt er? Frisst er auch andere Sachen, wenn er draußen rumstrolcht?«

»Na ja, er durchwühlt mit Wonne die Müllcontainer hinter unserem Haus.«

Leider hatte er diese schlechte Gewohnheit nie aufgegeben; in dieser Hinsicht war er unbelehrbar. Wenn ich eine volle Mülltüte in der Küche vergaß, zerfledderte er sie in Sekunden. Ich musste immer darauf achten, sie sofort auf den Gang vor die Wohnungstür zu stellen, wenn ich sie erst am nächsten Morgen mit nach unten nehmen wollte. Das war seine wilde Seite. Man kann einen Kater von der Straße holen, aber die Überlebensstrategien der Straße kann man ihm nicht austreiben.

»Hmmm«, hörte ich sie sagen. »Das erklärt vieles.« Ihre Stimme klang, als wäre ihr gerade ein Licht aufgegangen. Sie nannte mir eine Darmkur mit probiotischen Bakterien, Antibiotika und einen Saft, der seinen Magen beruhigen sollte.

»Gib mir deine Adresse«, forderte sie mich auf. »Ich lasse dir die Medikamente von einem Fahrradkurier zustellen.«

Ich fühlte mich überrannt. »Oh, Rosemarie, es tut mir leid, aber ich glaube, dass ich mir all die Medikamente gar nicht leisten kann«, stotterte ich verlegen.

»Keine Panik, James, es kostet dich gar nichts. Nicht einmal der Lieferservice. Wir müssen heute noch etwas in deiner Gegend ausliefern, und ich gebe Bobs Zeug einfach dazu! Bist du heute Abend zu Hause?«

»Ja, klar!«, brachte ich mühsam hervor.

Ich war total überwältigt. Eine derartige Fürsorge war mir in all den Jahren auf der Straße noch nie begegnet. Willkürliche Gewalt, ja – Nächstenliebe, nein. Das war eine der größten Veränderungen, die Bob mit sich brachte. Dank ihm habe ich das Gute im Menschen wieder entdeckt. Er hat mir den Mut zurückgegeben, Fremden zu vertrauen und an sie zu glauben.

Rosemarie jedenfalls hielt Wort. Nicht, dass ich daran gezweifelt hätte. Der Fahrradkurier stand schon am Spätnachmittag vor meiner Wohnungstür, und ich verabreichte Bob sofort seine erste Dosis Medizin.

Der probiotische Darmsaft schmeckte ihm gar nicht. Als ich ihm einen Löffel voll einflößte, verzog er angewidert das Gesicht und machte einen entsetzten Schritt rückwärts.

»Tja, Partner, das hast du jetzt davon«, warf ich ihm vor.

»Nur weil du nicht aufhören kannst, im Müll herumzuwühlen, musst du jetzt diesen ekeligen Saft schlucken.«

Die Medikamente wirkten schnell. In dieser Nacht schlief er wie ein Baby, und am nächsten Morgen begrüßte mich ein viel fröhlicheres Rotpelzchen. Seine Kräfte kehrten zurück, und er wehrte sich bereits ganz beachtlich gegen die morgendliche Dosis Darmkur. Ich musste seinen Kopf festhalten, um ihm das Zeug einzuflößen.

Am Donnerstag ging es ihm schon wieder blendend. Trotzdem fuhren wir zur mobilen Ambulanz des Blue Cross nach Islington. Ich wollte sicher sein, dass er wieder gesund war. Die Tierärztin erkannte Bob sofort wieder und schien ehrlich besorgt zu sein, als ich ihr erzählte, wie schlimm es Bob gegangen war.

»Ich werde ihn gleich mal untersuchen«, sagte sie und nahm ihn mir ab. Sie stellte ihn auf die Waage, leuchtete mit einer kleinen Taschenlampe in sein Mäulchen und tastete seinen Körper gründlich ab.

»Sieht gut aus«, informierte sie mich danach. »Ich denke, es geht ihm schon viel besser.« Ich war sehr erleichtert.

Als wir den Bus verlassen wollten, gab sie Bob noch eine Warnung mit auf den Weg: »Und bleib weg von den Müllcontainern, Bob! Ich hoffe, es war dir eine Lehre!«

Bobs Krankheit hatte mich wachgerüttelt. Bisher war er mein Fels in der Brandung gewesen, ich hatte nie daran gedacht, dass er krank werden könnte. Die Erkenntnis, dass Bob sterblich war, hatte mich tief erschüttert.

Ich musste endlich aktiv werden und einen heimlichen Wunsch, der sich schon länger in mir regte, in die Tat umsetzen. Es war Zeit, wirklich clean zu werden.

Ich hatte die Schnauze voll von meinem Lebensstil. Wollte

endlich raus aus den dumpfen Zwängen, die mir die Methadon-Abhängigkeit auferlegte. Der tägliche Gang zur Apotheke, zweimal im Monat die lange Fahrt zur Drogenambulanz. Ich wollte endlich das Gefühl loswerden, immer noch suchtgefährdet zu sein.

Bei meinem nächsten Besuch in der Klinik erklärte ich meinem Therapieleiter, dass es Zeit sei, das Methadon abzusetzen. Ich war bereit für den letzten Schritt. Natürlich hatten wir schon öfter darüber gesprochen, aber der Methadon-Entzug verlangt viel Kraft und einen starken Willen. Diese Voraussetzungen hatte ich ihm bisher nicht glaubhaft vermitteln können. Aber an diesem Tag überzeugte ich ihn.

»Das wird nicht leicht, James«, warnte er mich.

»Ja, ich weiß!«

»Du bekommst ein Medikament namens Subutex. Die Dosis wird über Monate hinweg langsam reduziert, bis du es gar nicht mehr brauchst.«

»Okay«, sagte ich.

»Aber die Umstellung ist hart. Du wirst starke Entzugserscheinungen haben, bevor wir dir Subutex geben können«, warnte er mich. Dabei lehnte er sich über seinen Schreibtisch und sah mir tief in die Augen.

»Das ist mein Problem«, konterte ich wild entschlossen. »Ich will das unbedingt. Für mich, aber auch für Bob!«

Mein Berater war sichtlich beeindruckt. »Okay, dann werde ich mich mal um alle Formalitäten kümmern«, stimmte er zu. »In ein paar Wochen kann es losgehen!«

Als ich wieder auf der Straße stand, atmete ich tief ein und aus. Zum ersten Mal seit Jahren sah ich ein winziges Licht am Ende meines sehr dunklen Tunnels.

15
Die schwarze Liste

An einem kalten, feuchten Montagmorgen erreichte ich den Verteilerstand und merkte sofort, dass etwas nicht stimmte. Ein paar *Big-Issue*-Verkäufer standen herum, stampften mit den Füßen, um sich warm zu halten, und tranken heißen Tee aus Styroporbechern. Sobald sie mich und Bob erblickten, steckten sie tuschelnd die Köpfe zusammen und warfen uns finstere Blicke zu. Niemand grüßte, und ich kam mir vor wie ein ungebetener Gast.

Sam tauchte mit einem Stapel frisch gedruckter Magazine hinter dem Lieferwagen auf. Als sie mich sah, zeigte sie sofort mit dem Finger auf mich.

»James, wir müssen reden.« Es war ein Befehl.

»Ja, gern, gibt's ein Problem?«, strahlte ich sie an und ging mit Bob auf meiner Schulter zu ihr hinüber. Sonst hatte sie immer einen Extragruß und eine Streicheleinheit für ihn übrig, aber nicht an diesem Morgen.

»Ich habe eine Beschwerde bekommen, genauer gesagt, es waren mehrere«, kam sie ohne Umschweife zur Sache.

»Und worüber?«, fragte ich verwundert, denn ich war mir keiner Schuld bewusst.

»Ein paar von den anderen Verkäufern sagen, du ›flanierst‹. Du weißt doch, dass du damit gegen die Regeln verstößt.«

»Aber das stimmt nicht«, versuchte ich mich zu verteidigen, aber sie hielt mir nur abwehrend eine Handfläche entgegen.

»Ich will gar nichts hören. Du sollst sofort ins Büro fahren. Sie wollen mit dir reden.«

Ich nickte ergeben und wollte mir einen Stapel Zeitschriften holen. Ihre Stimme hielt mich auf: »Nein, es gibt keine Zeitschriften, bis du das in Vauxhall geklärt hast.«

»Was soll das denn? Wie soll ich für mich und Bob sorgen, wenn ich keine Zeitschriften von dir bekomme?« Jetzt war ich entsetzt.

»Tut mir leid, aber du bist gesperrt, bis das mit der Personalabteilung geklärt ist.«

Ich war sauer, aber nicht allzu überrascht. Eine gewisse Feindseligkeit der Kollegen war mir nicht entgangen.

Es gab tatsächlich eine Regel für uns Verkäufer, die lautete: Verkaufe deine Magazine nur an dem dir zugeteilten Platz. Man darf niemals den Platz eines anderen einnehmen und man darf mit seinen Zeitschriften nicht »flanieren«. Das heißt, man darf beim Verkaufen seinen Standort nicht verlassen und schon gar nicht verkaufen, während man durch die Straßen läuft. Ich war zu hundert Prozent mit dieser Regel einverstanden. Schließlich hätte es mir auch nicht gefallen, wenn ein Kollege neben meinem Standort herumlaufen und *The Big Issue* schwingen würde. Für mich war diese Regel die gerechteste und einfachste Art, Londons Armee von Zeitungsverkäufern unter Kontrolle zu halten.

Trotzdem hatten mich in letzter Zeit zwei Kollegen angesprochen und des »Flanierens« beschuldigt. Sie warfen mir vor, Zeitschriften verkauft zu haben, während ich mit Bob an der Leine herumlief. Das stimmte zwar nicht, aber ich wusste, warum sie das dachten.

Egal, wohin ich mit Bob ging, wir wurden immer aufgehalten. Die Passanten wollten Bob entweder streicheln oder ein Foto mit ihm machen.

Der einzige Unterschied war, dass ich inzwischen *Big-Issue*-Verkäufer war, und da kam es natürlich auch vor, dass jemand eine Zeitschrift kaufen wollte.

Ich versuchte meinen Kollegen zu erklären, in welche Zwickmühle mich ein solcher Kundenwunsch brachte. Die offizielle Antwort war klar: Ich musste die Leute darauf hinweisen, doch bitte zu meinem Verkaufsplatz zu kommen oder sich die Zeitschrift beim nächstgelegenen Verkäufer zu holen. Aber wozu das führen würde, war auch klar: Kein Verkauf, also kein Gewinn für irgendeinen von uns.

Einige Kollegen fanden das einleuchtend und waren zufrieden; andere blieben uneinsichtig und nahmen mir die Sache weiterhin übel.

Ich wusste auch gleich, wer mich angeschwärzt hatte. Dazu musste ich kein Genie sein.

Vor etwa vier Wochen war ich auf der Long Acre unterwegs gewesen. Dabei war ich an Geoff vorbeigekommen, der vor dem Bodyshop Zeitungen verkauft. Gordon Roddick, Ehemann der Gründerin der Body Shops, war ein großer Gönner von *The Big Issue.* Deshalb gab es vor jedem Body Shop in London einen Verkaufsplatz unseres Magazins. Ich kannte Geoff vom Sehen und grüßte ihn freundlich, als ich an ihm vorbeiging. Nur wenige Schritte später wurde ich von einem amerikanischen Ehepaar wegen Bob aufgehalten.

Die beiden waren unglaublich höflich, typisch mittlerer Westen.

»Entschuldigen Sie bitte, Sir«, sprach mich der Ehemann an, »dürfte ich vielleicht ein Foto von Ihnen und Ihrem Begleiter machen? Unsere Tochter liebt Katzen, und sie würde sich über dieses Bild sicher sehr freuen.«

Konnte ich da Nein sagen? Mich hatte seit Jahren niemand

mehr »Sir« genannt, falls das überhaupt schon mal vorgekommen war.

Inzwischen war ich Profi darin, Bob und mich für die Fotos von Touristen ins rechte Licht zu rücken. Ich setzte ihn auf meine rechte Schulter, mit seinem Gesicht genau neben meinem.

Auch bei dem amerikanischen Ehepaar kam unsere Pose gut an. »Oh, vielen Dank«, zwitscherte die Ehefrau. »Unsere Tochter wird ganz aus dem Häuschen sein vor Freude über dieses Bild.«

Sie hörten gar nicht mehr auf, sich zu bedanken, und wollten mir unbedingt eine Zeitschrift abkaufen. Ich sagte sogar Nein und zeigte auf Geoff, der ja nur ein paar Meter entfernt an seinem Platz stand.

»Er ist der offizielle Verkäufer für diese Gegend hier, deshalb hat nur er hier das Verkaufsrecht«, erklärte ich den beiden.

Aber das wollten die beiden nicht und gingen weiter. Im letzten Moment lehnte sich die Frau kurz an mich und schob mir unauffällig einen Geldschein in die Hand.

»Hier, der ist für Sie«, flüsterte sie. »Kaufen Sie etwas für sich und Ihren süßen Kater.«

Das war eine dieser klassischen Situationen, in der Wahrnehmung und Wirklichkeit ganz unterschiedlich gesehen werden konnten. Nur wer neben uns stand, hätte gesehen, dass ich nicht um Geld gebeten hatte und dass ich sogar versucht hatte, die beiden wegen der Zeitschrift zu Geoff zu schicken. Aber für Geoff sah es aus, als hätte ich Geld angenommen, ohne eine Zeitschrift dafür auszuhändigen, was ebenfalls verboten war. Noch dazu dachte er, ich hätte den beiden geraten, ihn zu ignorieren.

Mir war klar, dass er meine Begegnung mit den Amerikanern falsch deuten würde, also machte ich kehrt, um die Sache zu klären. Aber er gab mir keine Chance; schon von Weitem bombardierte er uns mit wüsten Beschimpfungen. Geoff war bekannt für seine aufbrausende Art und berüchtigt für seinen harten rechten Haken. Darauf hatte ich keine Lust. Er war so wütend, dass ein klärendes Gespräch in diesem Moment unmöglich war. Ich ließ ihn tobend zurück, damit er sich beruhigen konnte.

Ich hatte schnell gemerkt, dass sich dieser Zwischenfall unter den Kollegen bereits herumgesprochen hatte. Ab diesem Moment lief eine Flüsterkampagne gegen mich.

Anfangs waren es nur dumme Sprüche. »Na, flanierst du wieder?«, begrüßte mich ein Verkäufer, an dessen Standort ich jeden Morgen vorbeilief. Wenigstens beschimpfte er mich nicht.

Ein Kollege von der St. Martin's Lane sprach aus, was scheinbar viele dachten: »Na, welchem Verkäufer stiehlst du mit deinem räudigen Kater denn heute wieder die Kunden?«, zischte er mir zu.

Ich habe immer wieder versucht, die Sache zu erklären, aber ich hätte genauso gut mit einer Wand sprechen können. Meine Kollegen tratschten und stachelten sich gegenseitig auf, indem sie zwei und zwei zusammenzählten und daraus fünf machten.

Anfangs gab ich nichts auf das Getuschel, aber irgendwann lief alles aus dem Ruder. Ein paar Wochen nach dem Zusammenstoß mit Geoff wurde ich von betrunkene Kollegen bedroht. Natürlich ist Alkohol im Job für *Big-Issue*-Verkäufer strengstens verboten. Aber einige Verkäufer sind Alkoholiker und haben immer eine Dose »Extra starkes Lager« in der Tasche. Andere haben ihren Flachmann und gönnen sich den einen oder anderen Schluck Schnaps zum Durchhalten. An einem eisig kalten Wintertag habe ich das auch schon gemacht, wegen der inneren Wärme, aber diese Kerle waren täglich stockbesoffen.

Als Bob und ich eines Tages über die Piazza von Covent Garden gingen, torkelte einer von ihnen auf uns zu und bedrohte uns mit schwerer Zunge und rudernden Armen: »Du verdammter Bastard, wir werden dich, verflucht noch mal, drankriegen!« Leider war das keine einmalige Entgleisung. Inzwischen passierte so etwas mindestens einmal pro Woche.

Am Verteilerstand der Bezirksleitung musste ich mir eines Tages eingestehen, dass sich die Wut der Kollegen zu einem echten Problem entwickelte. Wie so oft hatte Steve die Nachmittagsschicht von Sam übernommen. Ich glaube nicht, dass er mich besonders mochte, aber Bob hatte er immer gestreichelt. An diesem Tag jedoch ließ er seine schlechte Laune an uns beiden aus. Ich saß auf einer Bank und hatte ihn gar nicht beachtet. Er kam zu mir und bellte gehässig: »Wenn es nach mir ginge, würdest du keine *Big Issue* mehr verkaufen. Du und dieser Kater, ihr seid nichts als miese Bettler!«

Damit hatte er mich wirklich verletzt. Okay, ich war mal ganz unten. Aber ich habe mich wieder aufgerappelt. Mich wirklich bemüht, die Regeln der *Big-Issue*-Familie von Covent Garden einzuhalten. Ich habe immer wieder versucht zu erklären, dass ich Leute nicht vor den Kopf stoßen wollte, nur weil sie Bob mochten. Aber niemand hörte mir zu.

Ja, und genau deshalb war ich nicht wirklich überrascht, dass ich ins Personalbüro zitiert wurde. Trotzdem brachte mich die Sache ins Straucheln.

Wie betäubt und schwer verunsichert verließ ich Covent Garden. Ich stand auf der schwarzen Liste.

An diesem Abend gingen Bob und ich früh schlafen. Es war schon ziemlich kalt, aber ich wollte in unserer verzwickten finanziellen Situation keinen Strom verschwenden. Während Bob sich am Fußende meines Bettes zusammenrollte, tat ich dasselbe unter meiner Decke. An Schlaf war nicht zu denken. Verzweifelt zermarterte ich mir den Kopf und suchte nach einer Lösung unseres Problems. *Was sollte ich tun?* Ich hatte keine Ahnung, was diese Sperre bedeutete. Sollten wir entlassen werden oder war es nur ein strafender Klaps auf den Handrücken, den ich mir abholen sollte? *Wenn ich das nur wüsste!*

Während ich mich schlaflos in meinem Bett wälzte, kam die Erinnerung an die schäbige Art und Weise gewisser Leute wieder hoch, die mir meinen Job als Straßenmusiker vergällt hatten. Ich konnte den Gedanken nicht ertragen, schon wieder wegen infamer Lügen meine Existenz zu verlieren.

Diesmal war es wirklich unfair. Bisher gab es noch nie Probleme; Sam hatte noch nie einen Grund gehabt, mich zu ermahnen. Viele Kollegen wurden wegen diverser Regelverstöße immer wieder von den Bezirksleitern gerügt, ohne je gesperrt zu werden. Konnte man nicht wenigstens in Betracht ziehen, dass ich regelmäßig mehr Zeitschriften verkaufte als die meisten meiner Kollegen?

Da war zum Beispiel dieser schnoddrige, furchteinflößende Riese mit dem breiten Cockney-Dialekt aus dem Londoner Eastend. Der Kerl war berüchtigt unter den Kollegen. Seine Verkaufsstrategie beschränkte sich auf knurrende Drohungen statt einer freundlichen Einladung zum Kauf. Besonders Frauen fühlten sich von ihm bedrängt, weil er direkt auf sie zuging, sich in voller Lebensgröße dicht vor ihnen aufbaute und sie dabei auch noch unverschämt anbaggerte: »Los, Süße, kauf mir ein Magazin ab.« Es war, als würde er sagen: »Kauf eines, oder …«

Ich hatte gehört, dass er vorüberhastenden Passanten gern ein zusammengerolltes Magazin in die offenen Taschen steckte. Dann baute er sich vor ihnen auf und verlangte sein Geld: »Das macht zwei Pfund, bitte!« Er lief seinen armen Opfern so lange hinterher, bis sie ihm Geld gaben, um ihn loszuwerden. Mit diesem Benehmen schadete er unser aller Ruf. Seine Opfer warfen das zwangsweise erworbene Magazin meist gleich in den nächsten Mülleimer. Man konnte nicht einmal sagen, dass er um sein Überleben kämpfte. Angeblich war dieser Brutalo ein Spieler, und die Kollegen erzählten sich, dass er seinen gesamten Verdienst umgehend in einarmige Banditen steckte.

Dieser Kerl brach täglich so viele Regeln, aber er war immer noch da!

Keine meiner angeblichen Verfehlungen war vergleichbar oder schlimmer als das Benehmen dieses Kerls. Außerdem war ich noch nie abgemahnt worden. Ich konnte nur hoffen, dass die Leute in der Personalabteilung das berücksichtigen würden. Aber ich konnte meine Situation überhaupt nicht einschätzen. Ich lag im Dunkeln und versuchte, meine aufsteigende Panik zu bekämpfen.

Je länger ich darüber nachdachte, desto unsicherer und hilfloser fühlte ich mich. Ich konnte mir das nicht gefallen lassen!

Am nächsten Morgen verließ ich wie üblich die Wohnung. Ich wollte versuchen, meine Magazine in einem anderen Stadtteil zu kaufen. Lieber wollte ich dieses Risiko eingehen, als mir in Vauxhall die Existenz wegnehmen zu lassen.

Jeder *Big-Issue*-Verkäufer weiß, dass es überall in London Verteilerstände für die verschiedenen Bezirke gibt. Besonders viele davon sind in der Innenstadt rund um die Oxford Street, Kings Cross und Liverpool Street. Ich kannte inzwischen das komplette Netzwerk. Ich wollte mein Glück an der Oxford Street versuchen, wo ich bereits ein paar Leute kannte.

Gegen Mittag war ich dort und versuchte, so unauffällig wie möglich meinen Einkauf zu tätigen. Ich hielt ganz kurz meinen Ausweis hoch und kaufte zwanzig Exemplare. Der Bezirksleiter war gerade sehr beschäftigt und nahm kaum Notiz von mir. Ich entfernte mich schnellstmöglich, um ihm keine Chance auf Fragen einzuräumen. Schwieriger war es, einen freien Platz zu finden, um meine Zeitschriften zu verkaufen. Es tat mir so leid, dass Bob sich wieder auf eine fremde Umgebung einstellen musste! Er war unruhig und unsicher in dem neuen Revier. Er brauchte Routine, konnte sich nur entfalten und wohlfühlen, wenn alles in seinen gewohnten Bahnen ablief. Er wollte sich nicht schon wieder umstellen. Genau so wenig wie ich. Aber wie sollte ich meinem armen Kater begreiflich machen, warum sich unser lieb gewordener Alltag schon wieder ändern musste?

Immerhin verkaufte ich einen ansehnlichen Packen Zeitschriften, und am nächsten Tag ging es ebenso. Ich wechselte täglich den Standort. In meiner Verzweiflung bildete ich mir ein, ein *Big-Issue*-Suchtrupp wäre mir bestimmt schon auf den Fersen. Diese Vorstellung mag unlogisch und leicht verrückt klingen, aber ich hatte panische Angst, meinen Job und damit meine einzige und letzte Chance auf ein selbstbestimmtes Leben zu verlieren.

In meiner paranoiden Vorstellung lief ein Schreckensszenario in Endlosschleife ab: Bilder, wie man mich in Vauxhall vor ein Schiedsgericht zerrte, besetzt mit mehreren Personalsachbearbeitern, die mir mit finsteren Mienen meine »Verbrechen« vorhielten. Sie kannten keine Gnade, nahmen mir den lebensnotwendigen Ausweis weg und schickten mich dann mit einem Fußtritt zurück auf die Straße. »Warum muss so etwas immer uns passieren?«, fragte ich Bob eines Abends, als wir zum Bus liefen. »Wir haben doch nichts falsch gemacht. Warum lässt man uns nicht einfach in Ruhe?«

Aber Klagen brachte wenig. Es blieb mir nichts anderes übrig, als mir in Zukunft täglich eine andere Gegend von London zu suchen, um weiterhin für unseren Lebensunterhalt sorgen zu können. Jeder Einkauf eines Stapels Zeitschriften würde mit Herzklopfen und Angstschweiß verbunden sein. Denn ich lebte in der ständigen Angst, dass es einem Bezirksleiter auffallen könnte, eine unerwünschte Person vor sich zu haben.

Ich saß unter einem alten, zerrupften Schirm auf einer Straße in der Nähe der Victoria Station. Es war ein Samstag, spätnachmittags, und ich gestand mir endlich ein, dass ich einen großen Fehler gemacht hatte. Eigentlich war es Bob, der mir zu dieser Einsicht verholfen hatte.

Seit vier Stunden prasselte starker Regen auf uns herab. Kaum jemand war seither stehen geblieben, um eine Zeitschrift zu kaufen. Ich konnte es niemandem verdenken. Jeder wollte so schnell wie möglich raus aus dem Wolkenbruch und nach Hause.

Die Einzigen, die sich seit unserem Arbeitsbeginn um zwölf Uhr mittags für uns interessiert hatten, waren die Sicherheitsbeamten der Gebäude, unter deren Dächern wir Schutz gesucht hatten.

»Tut mir leid, Mann, aber hier kannst du nicht stehen bleiben«, ratterten sie monoton ihren Standardsatz herunter. Der zerfledderte Schirm steckte in einem Abfalleimer, und ich nahm ihn mit. Ein letzter Versuch, diesen Tag nicht ganz zur Katastrophe werden zu lassen. Aber das hätte ich mir sparen können.

Seit einem Monat lebten wir jetzt schon in Verbannung, und ich bezog meine Ware täglich von einem anderen Sammelstand. Ich wählte jeden mit Bedacht aus und bat am liebsten fremde Kollegen, mir zehn oder zwanzig Magazine mitzubringen. Genug, um zu überleben. Ich wollte niemandem schaden, aber wer von meinem Ausschluss nichts wusste, konnte dafür auch nicht bestraft werden. Es war meine einzige Chance, unerkannt zu bleiben und weiterhin für mich und Bob zu sorgen.

Aber gut ging es uns nicht. Es war extrem schwierig, jeden Tag einen neuen geeigneten Platz zu finden. Die offiziellen *Big-Issue*-Standorte musste ich ja meiden. Inzwischen kannten wir alle Straßenecken rund um Oxford Street, Paddington, King's Cross, Euston und noch viele mehr. Von den meisten wurden wir schnell wieder vertrieben. Einmal wurde ich von demselben Polizisten drei Mal an einem Tag erwischt. Beim dritten Mal verwarnte er mich mit der Aussicht, mich beim nächsten Zusammentreffen zu verhaften. Das wollte ich nicht noch einmal durchmachen. Unsere Situation war aussichtslos.

Ich musste die großen Plätze meiden und suchte mir Nebenschauplätze. Dort war es aber viel schwerer, Zeitschriften zu verkaufen, trotz Bobs Hilfe. Die Macher von *The Big Issue* hatten ihre lizensierten Plätze gut gewählt. Bestimmt hatten sie vorher genau analysiert, wo man gut oder schlecht verkaufen konnte. Mir blieb nichts anderes übrig, als an den schlechten Plätzen mein Glück zu versuchen.

Bob zog überall die Menschen in seinen Bann, aber mein Umsatz war sehr zurückgegangen. Es wurde immer schwerer, das Geld für den Einkauf neuer Magazine übrig zu behalten. An diesem verregneten Samstagabend hatte ich noch fünfzehn Zeitschriften. Die würde ich nicht mehr verkaufen. Am Montag wären sie Altpapier, weil die neue Ausgabe herauskam. Ich hatte wirklich ein Problem.

Obwohl es bereits dunkel wurde und unaufhörlich weiterregnete, wollte ich noch ein paar Plätze aufsuchen, um die Magazine vielleicht doch noch loszuwerden. Aber Bob war anderer Meinung.

Bis jetzt war er sehr geduldig gewesen, hat diesen grauenhaften Tag mit stoischer Gelassenheit ertragen. Es schien ihn nicht einmal zu stören, dass uns die vorbeirasenden Autos immer wieder mit einem Schwall Pfützenwasser überschütteten. Dabei hasste er Wasser, wie die meisten Katzen. Besonders, wenn es so kalt war. Als ich mich erneut an einer Straßenecke niederlassen wollte, blieb er einfach nicht stehen. Es kam so gut wie nie vor, dass er an der Leine zog wie ein Hund, aber genau das tat er in diesem Moment.

»Okay, Bob, ich versteh schon. Du willst hier nicht bleiben«, gab ich nach. Noch dachte ich, dass ihm dieser spezielle Platz nicht gefiel. Aber das Spiel wiederholte sich an der nächsten und auch an der übernächsten Stelle. Er zog mich beharrlich weiter, bis bei mir endlich der Groschen fiel.

»Du willst nach Hause, ja?« Als er meine Frage hörte, wurde er langsamer und legte seinen Kopf ein bisschen schief, sodass er mich ansehen konnte. Dabei – ich schwöre – zog er eine Augenbraue hoch. Dann blieb er stehen und starrte mich mit seinem »Ich-will-hoch«-Blick an.

In diesem Moment traf ich eine Entscheidung. Bis jetzt war Bob mein Fels gewesen, loyal an meiner Seite trotz ständiger Veränderungen, die ich ihm täglich zumutete. Trotz der schlechten Finanzlage, die seine Futterschüssel jeden Tag etwas weniger füllte. Er war der treueste Freund, den ich hatte. Und jetzt war es an mir, ihm meine Freundschaft zu beweisen. Ich musste mich mit der Personalabteilung von *The Big Issue* auseinandersetzen.

Plötzlich war mir klar, dass dies unsere einzige Chance war. Dieser Job war für mich ein großer Schritt in die Normalität gewesen. Er hatte mir so viel Auftrieb gegeben wie nichts anderes zuvor, abgesehen von der Tatsache, dass Bob in mein Leben getreten war. Ich musste die Situation klären. So konnte es nicht weitergehen; das war ich Bob und auch mir selbst schuldig. Ich konnte Bob das alles nicht länger zumuten.

Am Montagmorgen zog ich nach dem Duschen ein Hemd an und machte mich auf den Weg nach Vauxhall. Bob nahm ich mit, als Erklärungshilfe.

Die Ungewissheit machte mich sehr nervös. Ich war auf alles gefasst. Im schlimmsten Fall würden sie mir den kostbaren Ausweis abnehmen und mich ausschließen. Das wäre wirklich total ungerecht. Mit jeder anderen Strafe könnte ich mich abfinden, sollten sie die Beschwerden wegen »Flanierens« tatsächlich ernst nehmen. Mein sehnlichster Wunsch war es aber, meine Vorgesetzten vom Gegenteil zu überzeugen. Ich hoffte sehr, es würde mir gelingen.

Am Empfang des Verwaltungsgebäudes von *The Big Issue* bat ich um einen Gesprächstermin. Nach einem kurzen Telefonat forderte mich die nette junge Empfangsdame auf, Platz zu nehmen und zu warten.

Nach zwanzig bangen Minuten wurden wir endlich abgeholt. Ein jüngerer Mann im Rollkragenpullover und eine ältere Frau mit schicker Kurzhaarfrisur führten mich in ein schmuckloses Büro. Sie baten mich, die Tür hinter mir zu schließen. Ich hielt die Luft an und wartete auf den Richterspruch.

Die beiden nahmen mich wirklich in die Mangel. Sie warfen mir vor, ein paar unumstößliche Regeln gebrochen zu haben.

»Wir hatten Beschwerden wegen Flanierens und Bettelns«, bekam ich zu hören. Ich wusste, von wem, aber ich hielt den Mund. Ich wollte daraus keine persönliche Fehde machen. *Big-Issue*-Verkäufer sollten kollegial miteinander umgehen. Deshalb würde ich mir hier keine Freunde machen, wenn ich jetzt anfing, andere zu verpfeifen. Stattdessen erklärte ich den beiden, wie schwierig es war, mit Bob auf der Schulter durch Covent Garden zu laufen, ohne dass mir jemand Geld für eine Zeitschrift bot, nur um Bob streicheln zu dürfen.

Ich schmückte meine Verteidigung mit ein paar netten Anekdoten aus, zum Beispiel, wie mich ein paar Männer vor einem Pub aufgehalten hatten, um Bob zu bewundern. Sie hatten mir fünf Pfund für drei meiner Zeitschriften geboten, weil sie auf dem Titelblatt eine Schauspielerin entdeckt hatten, auf die sie alle drei scharf waren.

»So etwas passiert mir andauernd«, versuchte ich zu erklären. »Wenn mich jemand vor einem Pub aufhält, wäre es doch unhöflich, ihm die gewünschte Zeitschrift zu verwehren, oder nicht?«

Sie hörten mir aufmerksam zu und manchmal nickten sie sogar nachdenklich.

»Okay, wir sehen ein, dass Bob Aufmerksamkeit erregt. Wir haben mit mehreren Verkäufern über euch gesprochen, und man hat uns schon von seiner Anziehungskraft berichtet«, gab der junge Mann zu, und seine Stimme klang gar nicht mehr böse.

»Trotzdem müssen wir dich mündlich verwarnen«, sagte die Frau neben ihm.

»Okay, okay. Eine mündliche Verwarnung – was bedeutet das?«, fragte ich verblüfft. Sie erklärte mir, dass ich weiterarbeiten dürfe, aber wenn es weitere Beschwerden wegen »Flanierens« gäbe, könnte ich gesperrt werden.

Zurück auf der Straße, hätte ich mich ohrfeigen können. Eine mündliche Verwarnung war so gut wie nichts. Wegen so einer Lappalie hatte ich vollkommen panisch reagiert und mich – typisch für mich! – heillos in einen Irrgarten voller selbst erdachter Horrorszenarien verstrickt. Ich hatte nichts kapiert, war fast verrückt geworden vor Existenzangst und konnte nicht mehr klar denken. All diese Bilder, wie man mich vor ein Gremium von Managern zerrte, mir den Ausweis abnahm und mich zurück auf die Straße warf – nichts als Hirngespinste. Es wäre mir nie in den Sinn gekommen, dass man mir Glauben schenken und mich mit einer Verwarnung weitermachen lassen würde.

Ich fuhr sofort zurück nach Covent Garden und zu Sams Verkaufsstelle. Die Angelegenheit war mir total peinlich.

Sam lächelte, als sie mich mit Bob kommen sah.

»Ich habe mich schon gefragt, ob ich euch beide wiedersehe«, begrüßte sie uns. »Warst du endlich im Büro, um die Sache zu klären?«

Ich nickte und überreichte ihr das Schreiben, das man mir im Büro für sie mitgegeben hatte.

»Aha, sie haben dir eine weitere Probezeit auferlegt«, teilte sie mir mit, während sie den Text überflog. »Du darfst in den nächsten vierzehn Tagen wochentags erst ab 16.30 Uhr und sonntags den ganzen Tag arbeiten. Danach bekommst du deine normale Schicht zurück. Aber sauber bleiben!«, warnte sie mit erhobenem Zeigefinger. »Wenn du mit Bob unterwegs bist und jemand eine Zeitschrift von dir kaufen will, sagst du, dass du keine mehr hast. Wenn du welche im Arm hast, erklärst du, dass alle schon für Stammkunden reserviert sind. Lass dich auf nichts ein!«

Das war ein guter Rat. Ich hatte allerdings die Befürchtung, dass andere Leute ein Problem mit dem »Sauberbleiben« haben könnten. Leider sollte ich damit recht behalten.

Meine zweite Probezeit war noch nicht zu Ende, als Bob und ich an einem Sonntagnachmittag in Covent Garden auf unserem Platz Zeitschriften verkauften. Wir nutzten jede Minute unserer reduzierten Verkaufszeit und saßen ganz in der Nähe des Verteilerstandes auf der James Street. Plötzlich bemerkte ich, dass wir beobachtet wurden. Es war ein Kollege namens Stan, dessen grimmige Miene nichts Gutes ahnen ließ.

Jeder *Big-Issue*-Verkäufer kannte Stan, er war schon lange dabei. Das Problem mit ihm war, dass man nie wusste, woran man mit ihm war. Wenn er gute Laune hatte, war er einer der nettesten Kollegen, hilfsbereit und sehr zuvorkommend. Als ich einmal kein Geld mehr gehabt hatte, um neue Ware einzukaufen, hatte er mir ein paar von seinen Zeitschriften zum Verkaufen geschenkt.

War er aber schlecht gelaunt oder gar betrunken, dann hatte man die unangenehmste, streitsüchtigste und aggressivste Nervensäge vor sich, die man sich nur vorstellen kann.

In diesem Moment war er die Nervensäge.

Stan war ein Riese, bestimmt 1,95 groß. Er beugte sich über mich und bellte mit schwerer Zunge: »Du darfst gar nicht hier sein. Du bist doch gesperrt!«

Sein Atem roch wie eine Schnapsfabrik.

Normalerweise lasse ich mich auf keine Diskussionen mit einem Betrunkenen ein, aber ich konnte ja nicht einfach weggehen. Ich musste meine *Big Issues* loswerden. Also Augen zu und durch!

»Nein, Stan, laut Sam darf ich sonntags den ganzen Tag und unter der Woche ab 16.30 Uhr hier arbeiten.«

Zum Glück war ein Kollege von Sam am Verteilerstand, der meine Aussage bestätigte. Stan passte das gar nicht. Er taumelte erst mal rückwärts und kam wieder näher. Mit gehässiger Miene beugte er sich über mich. Sein Atem war Whisky pur. Dann blieb sein von Alkohol verschleierter Blick an Bob hängen. »Wenn's nach mir ginge, würde ich deine Katze einfach abmurksen«, quetschte er leise zwischen den Zähnen hervor.

Das hat gesessen!

Wenn er versucht hätte, Bob anzufassen, wäre ich auf ihn losgegangen. Wie eine Mutter ihr Kind hätte ich meinen Kater verteidigt. Bob war mein Baby. Für meinen Job wäre das allerdings das Ende gewesen.

Deshalb traf ich auf der Stelle zwei Entscheidungen. Zum einen schnappte ich mir Bob und suchte mir für den Rest des Tages einen anderen Verkaufsplatz. Ich würde keine Sekunde länger in Stans Dunstkreis arbeiten, solange er in diesem Zustand war. Zum anderen würde ich in Zukunft Covent Garden komplett meiden.

Geschäftlich gesehen war das zwar fatal, denn Bob und ich hatten hier einen treuen Kundenstamm, und die lebhafte Atmosphäre dieses Viertels würde uns bestimmt fehlen.

Aber ich musste mir eingestehen, dass wir in Covent Garden nicht mehr sicher waren. Es gab Neider, die offensichtlich vor nichts zurückschreckten. Kein Job war es wert, Bob in Gefahr zu bringen. Es war Zeit, in einen anderen Stadtteil zu wechseln. Am besten wäre eine Gegend mit weniger Konkurrenz, in der wir auch weniger bekannt waren. Ich hatte da schon so eine Idee.

Bevor ich Covent Garden entdeckte, hatte ich als Straßenmusiker einen Platz in der Nähe der Angel Station in Islington. Ein guter Stadtteil, weniger lukrativ als Covent Garden, aber immer noch lohnend.

Gleich am nächsten Tag besuchte ich Lee, den Bezirksleiter für Islington. Wir kannten uns flüchtig.

»Gibt es eine Chance, hier einen guten Verkaufsplatz zu kriegen?«, fragte ich ihn.

»Na ja«, überlegte er laut, »die Camden Passage ist schon überbelegt und Green auch. Aber du könntest dich vor die U-Bahn-Station setzen. Der Platz ist nicht sehr beliebt.«

Es war ein Déjà-vu-Erlebnis. Genau wie in Covent Garden. Alle *Big-Issue*-Verkäufer mieden die U-Bahn-Stationen. Sie waren der Meinung, dass man dort keine Zeitungen loswürde, weil es die Fahrgäste immer viel zu eilig hatten. Keine Zeit, über einen Kauf nachzudenken und Geld hervorzukramen. Alle potenziellen Kunden waren unter Zeitdruck.

Aber genau wie in Covent Garden wirkte Bobs magische Ausstrahlung auch hier. Sobald die Leute ihn entdeckten, hatten sie es plötzlich gar nicht mehr eilig. Es war, als bewirkte sein Anblick sofortigen Stressabbau. Bob brachte es innerhalb von Sekunden fertig, ihr hektisches, einsames Leben mit etwas Wärme und Zuneigung aufzuhellen. Ich glaube, viele dieser Leute kauften mir eine *Big Issue* als Dankeschön für diesen magischen Moment mit Bob ab. Und so nahm ich den »schwierigen Verkaufsplatz« mit Kusshand.

Wir fingen gleich am nächsten Tag an. Die Covent-Garden-Verkäufer konnten uns gestohlen bleiben.

Es dauerte nicht lange, bis die ersten Passanten stehen blieben, um Bob zu bewundern. Wir machten genau da weiter, wo wir in Covent Garden aufgehört hatten. Manchmal trafen wir auch alte Bekannte. Wie die gut gekleidete Dame im Kostüm. Sie blieb abrupt vor uns stehen, als sie uns eines Abends sah, und rief verwundert aus: »Arbeitet ihr beiden nicht in Covent Garden?«

»Nein, Madam, nicht mehr!«

16
Herzlich aufgenommen

Bob war sehr angetan von unserem Wechsel zur Angel Station. Sein Verhalten, wenn wir morgens zu unserem neuen Stammplatz marschierten, sprach Bände.

Wenn wir in Islington Green aus dem Bus stiegen, wollte er nicht auf meine Schulter, wie das in Covent Garden immer der Fall gewesen war. Fast jeden Morgen lief er an der Leine erwartungsvoll vor mir her. Vorbei an der Camden-Einkaufspassage und all den Antiquitätenläden, Cafés, Pubs und Restaurants in Richtung Islington High Street bis zu dem großen, asphaltierten Platz vor dem Eingang der U-Bahn-Station.

Manchmal, wenn ich etwas am Verteilerstand auf der Nordseite von Green zu erledigen hatte, nahmen wir einen anderen Weg. Dann durfte er einen Abstecher in den kleinen Park im Herzen von Green machen. Es machte mir nichts aus, auf ihn zu warten, während er sich durch das hohe Gras schnüffelte. Wahrscheinlich suchte er nach Nagetieren, Vögeln oder sonstigen arglosen Kleintieren, an denen er seinen Raubtierinstinkt austoben wollte. Bisher war er zwar noch nicht fündig geworden, aber das tat seinem Eifer keinen Abbruch. Er steckte seinen Kopf in jeden nur möglichen Schlupfwinkel und jedes Versteck.

Unser neuer Stammplatz, der jetzt schon Bobs Lieblingsplatz war, lag genau zwischen dem Blumenstand und dem Zeitungskiosk. Ganz in der Nähe der Bänke, die vor dem Eingang zur Angel Station standen. Sobald wir dort ankamen, blieb er stehen und sah mir bei unserem Ankunftsritual zu: Ich legte den Rucksack auf den Boden und eine aktuelle Ausgabe der *Big Issue* davor auf den Bürgersteig. Erst wenn alles auf seinem Platz war, setzte er sich dazu. Dann begann er mit einer gründlichen Katzenwäsche, um unseren Arbeitstag sauber und gut gelaunt zu beginnen.

Mir ging es ähnlich wie Bob: Ich fühlte mich ebenfalls sehr wohl an unserem neuen Standort. Nach all dem Ärger, den ich über die Jahre in Covent Garden gehabt hatte, war Islington Green wie ein ruhiger Hafen nach einer sturmgepeitschten Seereise. Es fühlte sich an wie der Beginn eines neuen Lebensabschnittes – diesmal hoffentlich ohne Rückschläge.

Die Angel Station war in vielerlei Hinsicht ganz anders als Covent Garden und die Straßen rund um das Westend. Im Zentrum von London waren tagsüber immer Horden von Touristen unterwegs und abends die vergnügungshungrigen Londoner. Unser neuer Standort war nicht so überlaufen, aber auch die Angel Station spuckte und verschluckte täglich immer noch jede Menge Passagiere, die an uns vorbei mussten.

Auch das Publikum war ein anderes. Immer noch viele Touristen, die von den Restaurants, Kunstausstellungen wie *Sadlers Wells* und dem *Islington Design Center* angezogen wurden. Aber in dieser Gegend waren auch viele Firmen ansässig. Dies brachte ein etwas gehobeneres Publikum mit sich, wenn ich das so sagen darf. Morgens und abends zog eine Armada von Geschäftsleuten in Anzügen an uns vorüber. Viele von ihnen nahmen keine Notiz von dem roten Kater zu ihren Füßen. Aber wer ihn bemerkte, war meist auch hingerissen. Unsere neuen Kunden waren sehr großzügig. Unser Absatz erhöhte sich leicht, und auch die Trinkgelder waren im Durchschnitt etwas höher als in Covent Garden.

Die Anwohner zeigten ihre Großzügigkeit auf andere Art. Gleich von Anfang an brachten unsere »Nachbarn« Geschenke für Bob.

Es war unser zweiter oder dritter Tag an der Angel Station, als die erste Futterspende für Bob abgegeben wurde. Eine sehr elegant gekleidete Dame blieb stehen, um sich mit uns zu unterhalten. Sie fragte, ob wir nun jeden Tag hier wären. Das fand ich etwas seltsam. Wollte sie sich über uns beschweren? Aber ich lag völlig falsch. Am nächsten Tag brachte sie eine kleine Tüte von *Sainsbury* mit Katzenmilch und einem Döschen Sheba.

»Hier Bob, das ist für dich«, sagte sie und stellte die Tüte vor ihm auf den Boden.

»Ich gebe es ihm heute Abend zu Hause, wenn es Ihnen recht ist«, bedankte ich mich.

»Aber natürlich! Hauptsache, es schmeckt ihm«, gab sie zur Antwort.

Mit der Zeit wurden es immer mehr Anwohner, die Bob mit Leckereien verwöhnten.

Unser Platz war ganz in der Nähe eines *Sainsbury*-Supermarktes. Mir fiel auf, dass viele Leute, die dort ihre Einkäufe erledigten, auch etwas für Bob mitnahmen. Auf dem Heimweg vom Supermarkt gaben sie ihre Geschenke für Bob bei uns ab. Wir arbeiteten noch nicht lange an der Angel Station, als Bob an einem Tag von sechs Anwohnern Futter geschenkt bekam. Als wir abends nach Hause wollten, hatten sich in meinem Rucksack so viele Dosen mit Katzenmilch, Futter und Fischkonserven angesammelt, dass ich sie in eine Plastiktüte umfüllen musste. Zu Hause angekommen, füllte ich ein ganzes Regal im Küchenschrank mit diesen Geschenken. Der Vorrat reichte Bob für eine ganze Woche.

Auch die U-Bahn-Mitarbeiter der Angel Station hatten mit

ihren Kollegen von Covent Garden wenig gemein. Dort war ich der von vielen gehasste Antichrist gewesen. Die Leute, mit denen sich in all den Jahren eine Freundschaft entwickelt hatte, konnte ich an einer Hand abzählen. Wenn man meine Zeit als Straßenmusiker und *Big-Issue*-Verkäufer zusammenzählt, dann ist das wirklich mager. Eigentlich brauchte ich keine ganze Hand, es waren höchstens zwei Leute.

Von den Mitarbeitern der Angel Station dagegen wurde Bob vom ersten Tag an geliebt und verwöhnt. Wie an einem sehr heißen Tag, als das Thermometer bestimmt über 30 Grad anzeigte. Alle trugen T-Shirts, obwohl es bereits Herbst war. Ich kam fast um in meinen schwarzen Klamotten.

Ich setzte Bob in den Schatten des Gebäudes hinter uns, damit ihm nicht zu heiß wurde. Hitze ist nicht gesund für Katzen. Schon nach einer Stunde war klar, ich musste für Bob Wasser besorgen. Aber noch bevor ich diesen Gedanken in die Tat umsetzen konnte, tauchte aus dem U-Bahnhof jemand auf, der eine Schüssel mit klarem, kaltem Wasser brachte. Es war Davika, eine Ticket-Kontrolleurin, die schon oft bei uns stehen geblieben war, um zu plaudern. »Hier Bob«, sagte sie und stellte die Schüssel vor ihn hin. Sie streichelte seinen Nacken und fügte hinzu: »Wir wollen doch nicht, dass du uns austrocknest.« Bob ließ sich nicht lange bitten. Dankbar schlabberte er die ganze Schüssel leer.

Obwohl ich seine besondere Gabe kannte, Menschen für sich zu gewinnen, faszinierte es mich immer wieder, wie viele Fans er hatte. Die Anwohner von Islington waren ihm jedenfalls innerhalb weniger Wochen treu ergeben. Einfach unglaublich, mein Rotpelzchen.

Aber leider hatte auch unser neuer Standort seine Schattenseiten. Wir waren immer noch in London, und da ist nun mal nicht alles Gold, was glänzt. Mein größtes Problem waren die vielen anderen Straßenverkäufer, die ganz in unserer Nähe ihren Geschäften nachgingen.

Während man in Covent Garden überall etwas geboten bekam, konzentrierte sich hier in Islington die gesamte Händler- und Künstlerschar rund um die Angel Station. Das Ergebnis war eine Menge Konkurrenz. Da waren Leute, die kostenlose Magazine verteilten, und Freiwillige von diversen Wohltätigkeitsorganisationen, die für ihren guten Zweck sammelten. Vor zehn Jahren, als ich mit der Straßenmusik angefangen hatte, war hier noch viel weniger los gewesen.

Die Spendensammler waren meist übereifrige junge Leute. Sie pickten sich gut betuchte Pendler und Touristen aus der Menge und beschwatzten sie so lange, bis sie eine Einzugsermächtigung für regelmäßige Abbuchungen von ihrem Bankkonto unterschrieben. Für mich grenzte das schon an Stehlen für einen guten Zweck. Die einen sammelten für die Dritte Welt, die anderen für die Erforschung von Krankheiten wie Krebs, Mukoviszidose oder Alzheimer. Das war ihr gutes Recht, aber ihre Aufdringlichkeit ging mir auf die Nerven. Natürlich hatte auch ich meine Taktik, um *The Big Issue* an den Mann zu bringen. Aber die Zudringlichkeit und Penetranz dieser Leute ging mir gegen den Strich. Sie liefen den Passanten hinterher und zwangen ihnen Gespräche auf, die niemand führen wollte.

Täglich musste ich zusehen, wie Pendler aus dem U-Bahnhof kamen, die aggressiven Sammler in ihren grellfarbigen T-Shirts erblickten und schlichtweg die Flucht ergriffen. Da alle diese Passanten auch potenzielle *Big-Issue*-Kunden waren, machte mich das richtig sauer.

Wenn einer dieser jungen Wilden meinem Verkaufsplatz zu nahe kam, knöpfte ich mir den Übereifrigen vor. Manche von ihnen waren einsichtig. Sie zeigten Respekt und hielten Abstand zu meinem Standort. Aber leider nicht alle.

Ich hatte eine ernste Auseinandersetzung mit einem jungen Studenten, dessen Lockenkopf mich an den Musiker Marc Bolan von T. Rex erinnerte. Er verärgerte die Passanten, indem er sie umkreiste, sie aufhielt und auch dann noch weiter neben ihnen herlief, wenn sie ganz offensichtlich versuchten, ihn abzuschütteln. Ich konnte das nicht länger mit ansehen.

»Hör mal, Kumpel, so wie du dich aufführst, vergraulst du auch allen anderen hier die Kunden«, versuchte ich es zuerst auf die sanfte Tour. »Kannst du bitte etwas weiter weggehen?«

Leider fühlte er sich gleich angegriffen. »Ich habe jedes Recht, hier zu sein«, verteidigte er sich. »Du hast mir keine Vorschriften zu machen, und ich kann bleiben, wo ich will!«

Offenbar musste ich deutlicher werden, um zu diesem jungen Wilden durchzudringen. Ich machte ihm klar, dass ich hier versuchte, Geld zu verdienen, um meine Rechnungen zu bezahlen und um Bob und mir das Dach über dem Kopf zu erhalten. Für ihn dagegen war es nur ein kleiner Nebenjob, mit dem er in der Zeit zwischen Schule und Universität sein Taschengeld aufbessern wollte.

Das nahm ihm den Wind aus den Segeln.

Aber es gab noch eine andere Gruppe, die mir das Leben schwer machte: Die Verteiler von Gratis-Magazinen wie *StyleList* und *ShortList,* leider sehr ansprechende, gut gemachte Zeitschriften. Ein echtes Problem für mich, denn die Frage war: Warum sollten Kunden für mein Magazin bezahlen, wenn es zwei Schritte weiter ein ebenso gutes umsonst gab?

Sobald einer dieser Gratis-Verteiler in meine Nähe kam, versuchte ich, ihm mein Dilemma zu erklären: »Hör mal, ich verdiene nur Geld, wenn ich meine Zeitschriften verkaufe.

Also bitte, lass mich leben und gib mir den nötigen Freiraum. Am besten, du hältst mindestens sechs Meter Abstand.«

Meine Bitte war nicht immer erfolgreich, vor allem, weil viele dieser Verteiler kein Englisch sprachen. Die einen verstanden mich nicht, und die anderen hatten keine Lust, mir zuzuhören.

Am nervigsten waren allerdings die Sammeldosen-Schüttler. Bewaffnet mit großen Plastikdosen, tauchten sie auf, um für einen aktuellen Notfall Spenden zu sammeln.

Nur um das gleich klarzustellen, ich befürwortete Spendenaktionen: Afrika, Umweltschutz, Tierschutz, alles ehrenwerte und wichtige Projekte. Aber wenn es stimmt, dass eine Menge von diesem Geld in die eigenen Taschen gewisser Dosenschüttler wandert, hält sich mein Mitleid in Grenzen. Viele von ihnen hatten keine Lizenz zum Sammeln und auch keinen entsprechenden Ausweis. Die laminierten Kärtchen, die sie um den Hals gehängt trugen, hätten genauso gut von einem Kindergeburtstag stammen können. Sie sahen ziemlich unprofessionell aus.

Die Dosenschwenker durften sogar in die U-Bahn Halle. Ein heiliger Ort, den kein *Big-Issue*-Verkäufer betreten durfte, um Geschäfte zu machen. Mir wurde übel, wenn ich zusehen musste, wie sie im Innern der Bahnhofshalle die Leute belästigten. Manchmal standen sie direkt an den Drehkreuzen, damit ihnen ja niemand entkam. Wenn diese Fahrgäste dann nach oben kamen, hatten sie keine Lust mehr, auch noch eine Zeitschrift zu kaufen.

Ich erlebte hier so etwas wie die andere Seite der Medaille. In Covent Garden war ich der Regelbrecher gewesen, der nicht im vereinbarten Bereich blieb und die Gesetze ziemlich locker auslegte. Jetzt war ich der Leidtragende solcher Typen.

Ich war der einzige Straßenverkäufer mit Lizenz für meinen Platz vor der Angel Station. Ich hielt gebührenden Abstand von allen Plätzen, die von Kollegen besetzt waren, besonders vom Blumen- und Zeitungsstand. Ich hatte meine Lektion gelernt. Aber die Spendensammler, Dosenschüttler und Straßenhändler setzten sich rücksichtslos über alle Gesetze der Straße hinweg.

Man könnte meine Probleme als Ironie des Schicksals bezeichnen, aber manchmal mochte ich darüber nicht mehr lachen.

17
Achtundvierzig Stunden

In der Drogenambulanz setzte ein junger Arzt seine Unterschrift auf mein Rezept. Seine Miene war ernst, als er es mir aushändigte. Dann schärfte er mir nochmals ein: »Bitte denk daran, nimm das noch und komm dann frühestens nach achtundvierzig Stunden wieder. Erst wenn du die Entzugserscheinungen nicht mehr aushältst.« Dabei sah er mich prüfend an, wohl um zu ergründen, wie ernst es mir war. »Das wird nicht einfach, James, vor allem, wenn du dich nicht daran hältst, was ich dir gesagt habe. Okay?«

»Okay, ich hab's verstanden«, versicherte ich ihm. Dann stand ich auf, um den Behandlungsraum zu verlassen. »Ich will es wirklich schaffen. Bis in zwei Tagen dann.«

Zwei Monate waren vergangen, seit wir bei einem meiner regelmäßigen Termine im Drogenzentrum über das Absetzen meiner täglichen Dosis Methadon gesprochen hatten. Damals war ich wild entschlossen gewesen, aber meine Ärzte und Berater waren anderer Meinung. Bei jedem meiner Termine verschoben sie den von mir gewünschten Methadon-Entzug. Eine Erklärung dafür gab mir keiner. Endlich sahen sie die Zeit gekommen. Ich durfte den letzten Schritt in die Unabhängigkeit machen und mich aus den Klauen dieser stimmungsdämpfenden Ersatzdroge befreien.

Das Rezept, das ich gerade vom Arzt bekommen hatte, war die letzte Dosis Methadon in meinem Leben. Ich hatte es gebraucht, um vom Heroin loszukommen. Aber inzwischen hatte ich die Dosis so weit reduziert, dass ich es nun ganz absetzen konnte.

Wenn ich in achtundvierzig Stunden zur Drogenambulanz zurückkäme, würden sie mir Subutex geben, ein viel schwächeres, eher anregendes Medikament. Damit würde ich den Schritt in ein komplett drogenfreies Leben schaffen.

Mein Arzt hatte die Phase meines Entzuges, die nun auf mich zukam, mit der Landung eines Flugzeuges verglichen. Diese Metapher gefiel mir. In den nächsten Monaten würde er meine tägliche Ration Subutex langsam auf ein Minimum reduzieren. Mit Methadon ist das nicht möglich. In dieser Zeit würde ich sozusagen langsam auf die Landebahn zusteuern und am Ende – hoffentlich! – nur mit einem ganz leichten Ruck aufsetzen. Während ich auf mein Rezept wartete, dachte ich nicht weiter über die Bedeutung dieses tiefsinnigen Vergleichs nach. Viel mehr lagen mir die nächsten achtundvierzig Stunden im Magen.

Mein Arzt hatte mir die Risiken detailliert beschrieben. Es war nicht so einfach, Methadon abzusetzen, es war vor allem sehr unangenehm. Ich kannte die Auswirkungen des »Cold Turkey«, der Entzugserscheinungen beim plötzlichen Absetzen von Heroin. Methadon-Entzug verursacht die gleichen Symptome. Sie würden nach etwa vierundzwanzig Stunden langsam einsetzen. Es war wichtig, all die dazugehörigen Beschwerden weitere vierundzwanzig Stunden auszuhalten, bevor ich die erste Dosis Subutex einnehmen durfte.

Würde ich Subutex zu früh einnehmen, setzten die Entzugserscheinungen sofort und vehement ein. Das Methadon musste erst komplett vom Körper abgebaut sein, damit die beiden unterschiedlichen Ersatzdrogen keinen Spontan-Entzug verursachten, der viel schlimmer wäre als der langsam einsetzende Methadon-Entzug. Ich wollte gar nicht daran denken.

Momentan fühlte ich mich stark genug, die Vorgaben genau einzuhalten. Trotzdem quälte mich der Gedanke, im entscheidenden Moment schwach zu werden. Die Schmerzen nicht mehr auszuhalten, sodass ich »alles« tun würde, damit es mir besser ginge. Wie ein Mantra betete ich mir vor: »Ich werde das schaffen.« Es war die letzte und alles entscheidende Hürde, um diese verdammte Abhängigkeit zu überwinden. Der Zeitpunkt war perfekt, um diesen Teufelskreis endlich zu durchbrechen.

Ich habe mir die traurige Wahrheit endlich eingestanden. Seit zehn Jahren war ich süchtig. All die vielen vergeudeten Lebensjahre! Ich hatte wertvolle Zeit verschwendet, so viele Tage nutzlos an mir vorüberziehen lassen. Wenn man auf Drogen ist, werden Minuten zu Stunden und Stunden zu Tagen. Man verliert jegliches Zeitgefühl. Alles ist egal. Zeit wird erst wieder wichtig, wenn man den nächsten Schuss braucht.

Dann ist man in Zeitnot. Weil man an nichts anderes mehr denken kann, als Geld für den nächsten Schuss zu beschaffen. Seit meiner Heroinabhängigkeit vor vielen Jahren hatte ich dennoch viel erreicht. Dank dem Drogen-Rehabilitationsprogramm hatte ich die Chance auf einen Neuanfang bekommen. Dafür war ich sehr dankbar, aber es war Zeit, mehr von mir zu fordern. Ich hatte die Schnauze gestrichen voll von den täglichen Apothekenbesuchen und von den regelmäßigen Terminen in der Drogenambulanz. Da wurde unter anderem jedes Mal überprüft, ob ich auch nicht rückfällig geworden war. Es war genug. Mein Leben ging mich wieder etwas an. Es war Zeit für eine Veränderung.

Ich hatte darauf bestanden, diesen schwierigen Medikamentenwechsel allein durchzustehen. Man hat mir zwar mehr als einmal empfohlen, *Narcotics Anonymous* beizutreten. Das ist eine Selbsthilfegruppe für genesende Süchtige, die sich gegenseitig helfen, von den Drogen wegzubleiben. Aber ich konnte mich mit deren Zwölf-Stufen-Programm nicht anfreunden. Ihre »spirituellen Prinzipien« waren nicht mein Ding. Ich konnte mit der versteckten religiösen Botschaft, so etwas wie »Selbstaufgabe für Gott«, nichts anfangen.

Vielleicht machte ich mir das Leben schwerer als nötig, weil ich diese achtundvierzig Stunden ohne Hilfe durchziehen wollte. Aber allein war ich nicht, ich hatte ja Bob.

Wie immer hatte ich ihn bei meinem Termin in der Drogenambulanz zu Hause gelassen. Ich wollte ihm diesen schrecklichen Ort nicht zumuten. Ich war alles andere als stolz auf diesen Teil meines Lebens, auch wenn ich seit meinem ersten Besuch schon viel erreicht hatte.

Als ich nach Hause kam, wurde ich von Bob freudig begrüßt. Vielleicht lag es aber auch an der verführerisch duftenden Einkaufstüte, die ich mitgebracht hatte. Ich hatte uns im Supermarkt mit den nötigen Lebensmitteln und diversen Leckereien eingedeckt, um die nächsten beiden Tage abgeschottet von der Außenwelt zu Hause verbringen zu können. Jeder, der schon mal versucht hat, sich ein Laster abzugewöhnen, weiß, wie das ist. Ob Zigaretten oder Alkohol – die ersten achtundvierzig Stunden sind die schlimmsten. Man ist seine Rituale so gewöhnt, dass man an nichts anderes mehr denken kann. Man muss sich also ablenken, und genau das hatte ich vor. Deshalb war ich auch so froh, dass Bob bei mir war. Er würde mir helfen durchzuhalten. Gegen Mittag machten wir es uns auf der Couch vor dem Fernseher gemütlich, und ich wartete.

Die Wirkung von Methadon hält etwa zwanzig Stunden an. Somit war dieser erste Tag noch sehr entspannt. Ich spielte viel mit Bob, und wir machten einen kleinen Spaziergang, damit er sein Geschäftchen erledigen konnte. Danach spielte ich eine ganz alte Version des Computerspiels »Halo 2« auf meiner altersschwachen XBox. Noch war die See ruhig. Aber der Sturm würde nicht mehr lange auf sich warten lassen.

Die berühmteste Nachstellung von Entzugserscheinungen findet man in dem Film *Trainspotting*. Darin spielt Ewan McGregor die Rolle des Mark Renton, der im Film einen kalten Heroinentzug durchzieht. Dazu lässt er sich mit genug Nahrung und Getränken für ein paar Tage in einem Zimmer einschließen. Er durchlebt die schrecklichsten psychischen und physischen Schmerzen, die man sich nur vorstellen kann. Zittern, Halluzinationen, Übelkeit bis zum Erbrechen und was sonst noch dazugehört. Wer den Film gesehen hat, erinnert sich bestimmt an die Szene, in der er sich vorstellt, wie er in die Kloschüssel kriecht.

Die nächsten Stunden waren zehn Mal schlimmer als diese Filmszene. Aber ich hatte auch ähnliche Symptome.

Der Entzug setzte ziemlich genau vierundzwanzig Stunden nach meiner letzten Dosis Methadon ein. Nach weiteren acht Stunden war ich schweißgebadet und konnte nicht mehr stillsitzen. Es war spät nachts, und unter anderen Umständen hätte ich längst geschlafen. Irgendwann bin ich doch eingenickt, aber es fühlte sich an, als wäre ich die ganze Zeit wach. Es war ein seltsamer Schlaf, vollgestopft mit Träumen, die schon eher Halluzinationen waren, so echt fühlten sie sich an.

Ich erinnere mich nicht mehr ganz genau an diese Träume, nur, dass ich in jedem einzelnen Traum Heroin nehmen wollte. Mal verschüttete ich es, mal bekam ich die Nadel nicht in meine Venen, und beim nächsten Mal wurde ich von der Polizei festgenommen, natürlich bevor ich mir den Schuss setzen konnte. Es war eigenartig. Als versuchte mein Körper, auf diese Weise mit dem Entzug der Droge umzugehen, die er sonst regelmäßig alle zwölf Stunden bekam. Und mein Unterbewusstsein versuchte mir zu sagen, dass es eine gute Idee wäre, wieder damit anzufangen. In meinem Körper tobte ein Kampf zwischen Gut und Böse. Dabei fühlte ich mich fast wie ein Zuschauer, der daneben stand und gaffte. Es war komisch. Mein Heroinentzug vor Jahren war nicht halb so schlimm gewesen wie das hier. Der Wechsel zu Methadon war damals ganz unkompliziert gewesen, ohne körperliche Beschwerden.

Ich verlor jedes Zeitgefühl. Als es draußen hell wurde, bekam ich unbeschreibliche Kopfschmerzen. Vielleicht vergleichbar mit Migräne, denn ich konnte weder Licht noch das leiseste Geräusch aushalten. Also machte ich die Fenster dicht und saß im abgedunkelten Raum. Aber dann kamen diese Halluzinationsträume wieder. Ich brauchte all meine Willenskraft, um wieder wach zu werden. Ein Teufelskreis. Was ich jetzt wirklich brauchte, war eine Ablenkung, eine Beschäftigung. Bob war meine Rettung.

Manchmal frage ich mich, ob Bob und ich via Telepathie verbunden waren. Er kann wirklich meine Gedanken lesen. Auch in diesem Moment: Er wusste genau, dass es mir schlecht ging, und er ließ mich nicht aus den Augen. Er blieb in meiner Nähe, kuschelte sich an mich, wenn ich ihn dazu einlud, und zog sich etwas zurück, wenn es mir total schlecht ging. Er schien immer zu wissen, was ich gerade brauchte. Manchmal, wenn ich einnickte, stupste er mir sein kaltes Näschen ins Gesicht, als wolle er sagen: »Hey, alles klar? Ich bin da, wenn du mich brauchst.« Die meiste Zeit saß er aber einfach nur neben mir und schnurrte, oder er strich um mich herum. Manchmal spürte ich seine kleine, raue Zunge auch kurz auf meiner Stirn oder Wange. Immer wieder tauchte ich in dieses unheimliche Parallel-Universum aus Halluzinationen ab. Und es war Bob, der mich immer wieder rausholte. Er war mein Rettungsring, denn er ließ mich nicht untergehen, sondern holte mich immer wieder an die Oberfläche, zurück in die Realität.

Bob war noch aus vielen anderen Gründen ein Geschenk des Himmels in diesen schweren Stunden. Er lenkte mich ab und gab mir etwas zu tun. Ich musste ihn füttern – und ich hielt seine Zeiten auch in diesen achtundvierzig Stunden eisern ein. Diese einfachen Aufgaben – in die Küche gehen, Dose öffnen, das Futter in der Schüssel durchmischen – bildeten genau die Beschäftigungstherapie, die ich brauchte. Mit Bob nach unten zu gehen, damit er sein Geschäft erledigen konnte, war mir allerdings zu viel. Aber ich öffnete ihm die Wohnungstür. Er zischte davon und war nach wenigen Minuten wieder da. Es hatte fast den Anschein, als wollte er mich nicht länger als nötig aus den Augen lassen. Streckenweise ging es mir besser. Am Morgen des zweiten Tages zum Beispiel. Ich spielte ein bisschen mit Bob und las in einem Buch. Das war zwar nicht einfach, da ich mich kaum konzentrieren konnte, aber Hauptsache Ablenkung. Das Buch über die wahre Geschichte eines amerikanischen Marinesoldaten, der in Afghanistan Hunde rettet, war ziemlich spannend. Es tat gut, sich mit dem Leben eines anderen zu beschäftigen.

Am Nachmittag wurden die Entzugserscheinungen wieder stärker, fast unerträglich. Am schlimmsten waren die Schmerzen. Man hatte mich schon auf das *Restless Leg Syndrom* vorbereitet. Man hat unkontrollierbare nervöse Zuckungen in den Gliedmaßen, die das Sitzen fast unmöglich machen. Meine Beine krampften und schlugen aus, ohne dass ich es verhindern konnte. Bob bekam es mit der Angst zu tun. Er flüchtete in sichere Entfernung und bedachte mich mit schiefen Blicken. Aber er ließ mich nicht im Stich. Er blieb in meiner Nähe.

Die zweite Nacht war die Hölle. Fernsehen war unmöglich, weil das Licht und die Geräusche des Gerätes meine Kopfschmerzen verstärkten. Saß ich im Dunkeln, fing ich an zu halluzinieren. Es waren verrückte und angsteinflößende Gedanken. Meine Beine zuckten immer noch unkontrollierbar, und mir war abwechselnd heiß und kalt. Der Schweiß auf meinem Körper war entweder so kalt, dass ich fror, oder aber so heiß, dass ich glaubte, ich würde verbrennen. Es war grauenhaft.

Mal war ich völlig benebelt, dann wieder klar. Irgendwann in diesen schrecklichen Stunden, als sich mein Körper mit allen Mitteln gegen meinen Verstand wehrte, habe ich begriffen, warum ein Drogenentzug für viele Leute so schwer ist. Man stößt körperlich und mental an seine Grenzen. Es ist ein ziemlich einseitiger Kampf, denn der Körper wehrt sich durch vehemente Schmerzen. Das macht ihn viel stärker als den Verstand, der dich einfach nur von den Drogen fernhalten will.

An einem anderen Punkt sah ich in aller Deutlichkeit zurück auf die letzten zehn Jahre meines Lebens und auf das, was die Drogen aus mir gemacht hatten. Ich spürte den Geruch der Gassen und Unterführungen, in denen ich als Obdachloser gelebt und geschlafen hatte. Sah all die Herbergen und Notunterkünfte vor mir, in denen ich um mein Leben gefürchtet hatte. Und ich erinnerte mich an all die schrecklichen Dinge, die ich getan hatte, nur um Geld für Stoff aufzutreiben, damit ich die nächsten zwölf Stunden überstehen konnte. Die Bilder waren schonungslos und gestochen scharf wie digitales Fernsehen in meinem Kopf. Plötzlich hatte ich eine Offenbarung, die mich zutiefst erschütterte: Es war nicht meine Mutter, es war die Sucht, die mein Leben zerstört hatte!

Dann wieder durchzogen die verrücktesten Gedankenschwaden meinen benebelten Kopf: Ich fragte mich zum Beispiel, ob dieser Entzug bei Gedächtnisschwund schmerzlos wäre. Dann wüsste ich ja nicht, was mir fehlte. Aber der Grund für meine Probleme war ja mein Körper, der leider nur zu genau wusste, was ihm fehlte, und der auch wusste, was ich dagegen tun könnte.

Ich kann nicht verhehlen, dass ich auch schwache Momente hatte, in denen ich mir nichts sehnlicher wünschte, als mir sofort einen Schuss zu setzen. Zum Glück war mein Wille stark genug, diesen Gedanken jedes Mal sofort zu eliminieren. Dies war meine letzte Chance, die Sucht zu besiegen. Ich musste stark bleiben, und ich musste das Aufbäumen meines Körpers aushalten: den Durchfall, die Krämpfe, die Kotzanfälle, die Kopfschmerzen und das Fieber. Augen zu und durch.

Die zweite Nacht wollte nicht enden. Immer wieder sah ich auf die Uhr. Manchmal hatte ich das Gefühl, die Zeiger würden rückwärts laufen. Die Dunkelheit der Nacht vor meinem Fenster wurde immer schwärzer und undurchdringlicher; sie wollte einfach nicht der Morgendämmerung weichen. Die Zeit verging unerträglich langsam.

Sogar meine Geheimwaffe Bob schaffte es, mich zu verärgern. Irgendwann lag ich ganz still und regungslos auf meinem Bett und versuchte, mich mental auszuklinken. Plötzlich spürte ich, wie Bob seine Krallen schmerzhaft in mein Bein grub.

»Verdammt, Bob, was machst du da?«, schrie ich ihn entnervt an. Erschrocken sprang Bob zurück, und mir tat es sofort leid, ihm gegenüber so laut geworden zu sein. Er hatte sich bestimmt nur Sorgen gemacht, weil ich so regungslos dalag. Er wollte nur wissen, ob ich noch lebte.

Endlich zeichnete sich mit verschwommenem Grau vor meinem Fenster das Ende dieser unendlichen Nacht ab. Ich quälte mich aus dem Bett und sah auf die Uhr. Es war fast acht Uhr. Die Drogenambulanz öffnete um neun. Ich hielt es nicht länger aus.

Im Bad schaufelte ich mir kaltes Wasser ins Gesicht. Es hatte nicht den gewünschten Effekt auf der schweißnassen Haut. Der Spiegel zeigte mir ein schmerzverzerrtes Gesicht, und auch meine Haare waren verschwitzt und zerwühlt. Es kümmerte mich keinen Deut. Ich konnte nur noch an meinen Termin denken. Ich warf mich in die nächstbesten Klamotten, die mir unterkamen, und rannte fast zum Bus.

Die Busfahrt von Tottenham nach Camden war um diese Zeit immer eine Geduldsprobe. Aber so schlimm wie heute war es noch nie gewesen. Jede Ampel war rot, auf jeder Straße war Stau. Es war die Hölle.

Ich hatte immer noch diese extremen Temperaturschwankungen, die mich von einer Minute auf die andere entweder vor Kälte zittern oder vor Hitze schwitzen ließen. Zwischendurch zuckten meine Arme oder Beine unkontrolliert, wenn auch nicht so schlimm wie in der vergangenen Nacht. Die Leute starrten mich an wie einen Verrückten. Ja, ich sah grauenhaft aus, aber das war mir so was von egal! Ich wollte nur so schnell wie möglich zur Drogenambulanz.

Es war kurz nach neun, als ich dort ankam. Der Warteraum war halb voll. Der eine oder andere Wartende sah genauso schlimm aus, wie ich mich fühlte. Ob sie alle die gleichen achtundvierzig Stunden Hölle hinter sich hatten wie ich?

»Hallo, James, wie geht es dir?«, fragte mich der Therapieleiter, als er das Behandlungszimmer betrat, in dem ich auf ihn wartete. Ich glaube nicht, dass er eine Antwort von mir erwartete; er musste mich nur ansehen. Es war nur eine nett gemeinte Floskel.

»Nicht so toll«, krächzte ich trotzdem.

»Aber du hast es geschafft! Du hast die zwei Tage überstanden. Das ist eine große Leistung«, lobte er mich.

Nachdem er mich untersucht hatte, musste ich eine Urinprobe abgeben. Erst dann gab er mir die erste, so heiß ersehnte Tablette Subutex sowie ein Rezept für das Medikament.

»Du wirst dich jetzt gleich viel besser fühlen«, sagte er. »Und ab sofort wird die Tablettendosis reduziert. So lange, bis wir dich hier nie wiedersehen müssen.«

Ich blieb noch eine Weile dort, weil die Ärzte sichergehen wollten, dass Subutex keine unerwünschten Nebenwirkungen bei mir hervorrief. Zum Glück war das nicht der Fall, ganz im Gegenteil. Schon nach kurzer Zeit fühlte ich mich um 1000 Prozent besser.

Als ich in Tottenham aus dem Bus ausstieg, war ich ein anderer Mensch. Subutex war mit der leicht betäubenden Wirkung von Methadon nicht zu vergleichen. Die Welt um mich herum schien um vieles lebhafter. Ich konnte besser hören, sehen und riechen. Die Farben waren intensiver, die Geräusche klarer. Es war unglaublich. Auch wenn es pathetisch klingt, ich fühlte mich plötzlich ganz lebendig.

Ich ging in den nächsten Supermarkt und kaufte Bob die neuesten Geschmackskreationen von Sheba sowie eine kleine Quietschmaus zum Spielen.

Bei meiner Rückkehr in die Wohnung wurde er gebührend verwöhnt und verhätschelt.

»Wir haben es geschafft, Bob!«, flüsterte ich ihm ins Ohr, als er sich glücklich an mich kuschelte. »Du und ich, die zwei Musketiere!«

Dieses Gefühl, etwas Außergewöhnliches geleistet zu haben, hat mich beflügelt. Schon nach wenigen Tagen fühlte ich mich gesünder, stärker und lebendiger denn je. Es kam mir vor, als hätte jemand einen Vorhang zurückgezogen und die Sonne in mein Leben gelassen. Und so war es auch.

18
Die Heimreise

Ich hätte nicht gedacht, dass Bob und ich uns noch näher kommen könnten. Aber die beiden Horrornächte hatten uns tatsächlich noch inniger aneinander gebunden. In den nächsten Tagen klebte Bob an mir wie ein Magnet. Er passte auf mich auf, als hätte er Angst vor einem Rückfall.

Dabei ging es mir so gut wie seit Jahren nicht mehr. Allein der Gedanke an die dunklen Zeiten der Abhängigkeit jagte mir kalte Schauer über den Rücken. Nach allem, was ich durchgemacht hatte, würde es keinen Rückfall mehr geben.

Zur Feier meines persönlichen Erfolges wollte ich mein Apartment renovieren. Dafür arbeiteten Bob und ich jeden Tag ein bisschen länger an der U-Bahn-Station. Mit dem so verdienten Extrageld kaufte ich Farbe, ein paar passende Kissen und ein paar Bilder für die kahlen Wände.

Dazu erstand ich noch eine neue Couch aus einem Second-Hand-Möbelhaus in Tottenham. Der Bezug war aus schwerem weinrotem Stoff, der mit ein bisschen Glück den scharfen Krallen von Bob standhalten würde. Das alte Sofa war nur noch schäbig, und das leider nicht nur aus Altersgründen: Bob hatte sich an den Sofabeinen und auf der Sitzfläche mit Genuss die Krallen geschärft. Ab sofort war ein derartiges Benehmen strengstens verboten.

Die Wochen vergingen, und die Nächte wurden länger und kälter. Bob und ich verbrachten immer mehr Zeit auf unserem kuscheligen neuen Sofa. Ich freute mich schon auf unser nächstes gemeinsames Weihnachtsfest. Aber wieder einmal kam alles ganz anders.

Außer Rechnungen bekam ich kaum Post. Deshalb fiel mir der Umschlag sofort auf, der eines Morgens im November 2008 in meinem Briefkasten lag. Es war ein Luftpost-Brief mit einem Poststempel aus Tasmanien, der Insel vor der Südküste Australiens. Er kam von meiner Mutter.

Wir hatten seit Jahren kaum Kontakt, aber trotz der Entfremdung zwischen uns waren ihre Zeilen unterhaltsam und liebevoll. Sie erzählte von ihrem Umzug in ein neues Haus in Tasmanien, und sie schien glücklich zu sein.

Der Grund für diesen Brief war eine Einladung.

»Würdest du mich über Weihnachten besuchen, wenn ich dir den Flug bezahle?«, wollte sie wissen. Außerdem schlug sie vor, einen Abstecher nach Melbourne zu meinen Paten zu machen, die wichtiger Bestandteil meiner Jugend gewesen waren.

»Sag mir Bescheid«, beendete sie den Brief. »In Liebe, Mam.«

Früher hätte ich diesen Brief sofort in den Müll geworfen. Ich war trotzig, störrisch und viel zu stolz, um ein Almosen meiner Familie anzunehmen. Aber ich hatte mich geändert. Mein Kopf war klar, ich sah das Leben jetzt mit anderen Augen, und ich konnte förmlich spüren, wie all die Wut und der Ärger, die ich so lange mit mir herumgeschleppt hatte, von mir abfielen. Ich wollte zumindest über ihr Angebot nachdenken.

Ich machte mir die Entscheidung nicht leicht, denn es galt, die Vor- und Nachteile gegeneinander abzuwägen. Natürlich wäre es fantastisch, meine Mutter wiederzusehen. Egal, welche Probleme wir über die Jahre miteinander gehabt hatten, sie war meine Mutter, und ich vermisste sie sehr.

Seit ich abgerutscht und auf der Straße gelandet war, hatten wir nur noch wenig Kontakt. Ich war auch nie ehrlich zu ihr gewesen; sie hatte keine Ahnung, was aus mir geworden war. In den letzten zehn Jahren hatten wir uns nur einmal getroffen, im Jahr 2000, als sie kurz in England gewesen war. Da hatten wir uns in einem Pub in Epping Forest getroffen und fast vier Stunden miteinander verbracht.

Als ich vor zehn Jahren nach der vereinbarten Zeit nicht zurück nach Australien gekommen war, hatte ich für sie eine Geschichte erfunden: Ich könne nicht nach Hause kommen, weil ich eine Band gegründet hätte und wir gerade versuchten »groß rauszukommen«.

Dabei blieb ich auch, als ich sie Jahre später wiedertraf. Ich fühlte mich schrecklich, ihr diese Lügenmärchen aufzutischen, aber ich hatte weder den Mut noch die Kraft, ihr zu gestehen, dass ich obdachlos und heroinabhängig war und nichts anderes tat, als mein Leben zu vergeuden.

Ich hatte keine Ahnung, ob sie mir glaubte. Damals war mir alles egal. Danach rief ich sie nur noch selten an und meldete mich oft monatelang nicht bei ihr, obwohl ich wusste, dass sie sich Sorgen machte.

Manchmal hat sie Himmel und Hölle in Bewegung gesetzt, um mich zu erreichen. Wie nach den Bombenanschlägen am 7. Juli 2005. Zum Glück war ich nicht in der Nähe gewesen, aber meine Mutter – am anderen Ende der Welt – hatte davon natürlich keine Ahnung. Ich kam nicht auf die Idee, sie deshalb anzurufen. Ihr Lebensgefährte Nick arbeitete damals bei der Polizei in Tasmanien. Irgendwie hat er es geschafft, einen Londoner Kollegen zu überreden, nach mir zu suchen. Über die Polizeiakten fanden sie meinen Aufenthaltsort heraus und schickten zwei Polizisten in meine Notunterkunft in Dalston.

Sehr früh morgens trommelten sie mit den Fäusten an meine Tür und erschreckten mich fast zu Tode.

»Keine Angst, Sie haben nichts verbrochen«, beschwichtigte mich einer der beiden, als ich die Tür öffnete. Ich war noch ganz verschlafen, aber die Furcht stand mir trotzdem ins Gesicht geschrieben. »Es gibt da zwei Menschen auf der anderen Seite der Erde, die wissen möchten, ob Sie noch leben.«

Ich wollte schon sagen, dass ich eben fast vor Schreck gestorben wäre, aber dann verkniff ich mir diesen Kommentar. Die beiden wirkten nicht gerade erfreut über ihren Suchauftrag. Stattdessen kontaktierte ich meine Mutter und versicherte ihr, dass es mir gut ging. Ich wäre nie auf die Idee gekommen, dass sich irgendjemand meinetwegen Sorgen machen könnte. Ich war damals wohl ziemlich gedankenlos und egozentrisch. Ich war ausschließlich mit meinem Überlebenskampf beschäftigt. Das war inzwischen anders.

Nach all den Jahren, die ich meine Mutter vernachlässigt und hintergangen hatte, war diese Einladung meine Chance, etwas wiedergutzumachen. Die Zeit war gekommen, ihr endlich die Wahrheit zu sagen.

Außerdem würde mir nach all den Jahren in London und der ständigen Nachtarbeit ein Urlaub in der Sonne extrem guttun. Die Umstellung auf das neue Medikament hatte doch an meinen Kräften gezehrt. Ein paar Wochen in wärmeren Gefilden wären schon eine gute Sache. Meine Mutter hatte geschrieben, dass sie auf einem kleinen Bauernhof mit vorbeifließendem Bach im Niemandsland wohnte. Welch herrlicher Kontrast zur Großstadt London! Australien, oder besser gesagt: die Schönheit der australischen Landschaft, hatte mich schon als Kind tief beeindruckt. Eine Rückkehr dahin wäre Balsam für meine geschundene Seele.

Ja, die Liste mit den Vorteilen war lang. Aber die mit den Nachteilen leider noch länger. Und ganz oben auf der Liste, die gegen einen Urlaub in Australien sprach, stand: Bob!

Wer sollte sich um ihn kümmern? Woher sollte ich wissen, ob er auf mich warten würde? Wollte ich wirklich wochenlang von meinem Seelenverwandten getrennt sein?

Die erste dieser Fragen erledigte sich schneller, als ich dachte.

Kaum hatte ich Belle von der Einladung meiner Mutter erzählt, erklärte sie sich bereit, Bob zu sich zu nehmen. Sie war die ideale Bob-Sitterin, und ich vertraute ihr blind. Aber ich kam nicht umhin, mich zu fragen, wie Bob meine Abwesenheit verkraften würde. Ein weiteres Problem war das Geld. Auch wenn meine Mutter für das Flugticket aufkommen würde, brauchte ich Geld, um überhaupt einreisen zu dürfen. Ich hatte mich umgehört und erfahren, dass man mindestens 500 Pfund dabei haben musste, um ins Land gelassen zu werden.

Ich habe mir die Entscheidung nicht leicht gemacht und tatsächlich ein paar Tage und Nächte hin und her überlegt. Letztendlich wollte ich fliegen. Warum auch nicht? Ein bisschen Abwechslung und Sonnenschein würden mir guttun.

Es war noch so viel zu erledigen! Vor allem brauchte ich einen neuen Reisepass. Das war gar nicht so leicht mit meiner Vergangenheit, aber dank der Hilfe eines Sozialarbeiters konnte ich all die nötigen Papiere, inklusive einer neu ausgestellten Geburtsurkunde, vorlegen.

Dann musste ich den Flug buchen. Air China hatte das beste Angebot. Von London nach Peking und von dort aus weiter nach Melbourne. Es würde länger dauern als mit jeder anderen Fluggesellschaft, und der Zwischenstopp in Peking dauerte ewig. Aber es war bei Weitem das günstigste Angebot. Meine Mutter hatte mir inzwischen ihre E-Mail-Adresse gegeben, und so sandte ich ihr auf diesem Weg alle nötigen Informationen sowie meine Passnummer. Ein paar Tage später erhielt ich, ebenfalls per E-Mail, die Buchungsbestätigung. Soweit war alles geregelt.

Jetzt fehlten mir nur noch die 500 Pfund. Ich hatte noch einen Monat Zeit bis zu meinem Abflug. Um das Geld aufzubringen, arbeitete ich von früh bis spät, sieben Tage die Wochen und bei jedem Wetter. Bob war fast immer dabei; nur wenn es stark regnete, ließ ich ihn zu Hause, nicht nur wegen seiner Abneigung gegen Regen, sondern vor allem, weil ich Angst hatte, er könne sich vor meiner Abreise noch erkälten. Einen kranken Bob hätte ich nie und nimmer allein gelassen.

Jeder Cent, den ich übrig hatte oder den ich mehr verdiente, wanderte in eine kleine Blechdose, die ich gefunden hatte. Langsam aber sicher füllte sie sich. Kurz vor meinem Abflugdatum hatte ich das nötige Bargeld zusammen. Ich konnte tatsächlich fliegen.

Am Tag meiner Abreise fuhr ich schweren Herzens zum Londoner Flughafen Heathrow. Ich hatte mich in Belles Wohnung von Bob verabschiedet. Für ihn war das bei Weitem nicht so schlimm wie für mich. Woher sollte er schließlich wissen, dass ich für sechs Wochen verschwand? Mir war völlig klar, dass er bei meiner Freundin bestens aufgehoben war, aber Sorgen machte ich mir trotzdem. Ich war eine echte Glucke geworden, wenn es um Bob ging.

Ich hatte einen angenehmen und entspannten Flug erwartet, aber da war ich auf dem Holzweg. Ich war sechsunddreißig Stunden unterwegs und hatte nichts als Probleme.

Dabei fing alles ganz gut an. Der Flug nach Peking mit der Air China dauerte elf Stunden und verlief ohne Zwischenfälle. Ich sah mir den Bordfilm an und nahm eine Mahlzeit zu mir. Leider konnte ich nicht schlafen, weil ich mich ziemlich mies fühlte. Das lag nur zum Teil an meinen Tabletten; vor allem war das schlechte Londoner Wetter daran schuld. Ich hatte wohl zu viele Stunden im strömenden Regen gestanden, um *The Big Issue* zu verkaufen. Und so war ich plötzlich erkältet und schniefte und nieste den gesamten Flug über. Bei einer nicht mehr enden wollenden Nies-Attacke erntete ich zwar ein paar schräge Blicke der Stewardessen und Passagiere um mich herum, aber bis Peking kümmerte mich das wenig.

Als wir auf dem Flughafen ausrollten, machte der Kapitän über das Bordmikrofon eine Durchsage, erst in Chinesisch, dann in Englisch: Wir wurden aufgefordert, bis auf Weiteres sitzen zu bleiben.

Seltsam, dachte ich noch.

Dann kamen zwei uniformierte Chinesen mit Gesichtsmasken an Bord. Sie gingen durch den Mittelgang und steuerten direkt auf mich zu. Bei mir angekommen, blieben sie vor mir stehen, und einer der beiden hielt mir ein Fieberthermometer hin.

Eine Stewardess war aus dem Nichts aufgetaucht und übersetzte: »Die Herren sind von der chinesischen Regierung. Sie müssen Ihre Temperatur messen.«

»Okay«, erwiderte ich verdutzt. Dies war nicht der richtige Zeitpunkt für Widerworte, das war offensichtlich.

Sie schoben mir das Thermometer in den Mund und warteten. Die beiden Beamten sahen immer wieder auf die Uhr. Dann nuschelten sie etwas in Landessprache, und die Stewardess übersetzte: »Sie müssen die beiden Männer begleiten. Sie wollen ein paar Routine-Untersuchungen machen.«

Damals war der Hype um die Schweinegrippe gerade auf dem Höhepunkt, und China war geradezu panisch darauf bedacht, sie nicht ins Land einschleppen zu lassen. Erst vor ein paar Tagen hatte ich einen Bericht darüber gesehen, dass China bei dem geringsten Verdacht auf Infektion die Passagiere nicht einreisen ließ. Sie wurden für Tage in Quarantäne festgehalten.

Mit mulmigem Gefühl folgte ich den beiden Gesundheitswächtern. Ich sah mich bereits meinen Urlaub in einer chinesischen Quarantäne-Zelle verbringen.

Sie nahmen alle möglichen Proben von mir, von Blut über Speichel bis Urin. Wahrscheinlich fanden sie alle möglichen interessanten Dinge – aber weder das Schweinegrippen-Virus noch Sars oder sonstige ansteckenden Krankheiten. Zwei Stunden später wurde ich von einem gleichgültigen Beamten entlassen. Wie ich nun zu meinem Anschlussflug kommen sollte, schien niemanden zu interessieren. Der Flughafen von Peking gleicht einem riesigen Flugzeughangar, in dem ich völlig orientierungslos herumirrte.

Mir blieben noch drei Stunden, um mein Gepäck einzusammeln und meinen Anschlussflug ausfindig zu machen. Ich war seit Jahren auf keinem Flughafen mehr gewesen und hatte ganz vergessen, wie groß und seelenlos sie waren. Vor allem dieser: Es gab eine Zugverbindung von einem Teil von Terminal 3 zum anderen.

Erst eine Stunde vor Abflug fand ich meinen Anschlussflug. Als ich mich endlich auf meinem Sitzplatz zurücklehnen konnte, seufzte ich erleichtert auf. Total erschöpft durch die Anspannung der letzten Stunden verschlief ich den kompletten Flug nach Melbourne. Aber dort lief ich in die nächste Falle. Auf meinem Weg durch die Zollkontrolle war da plötzlich dieser Hund, ein Labrador, der gierig an meinem Gepäck schnüffelte.

»Entschuldigen Sie, Sir, würden Sie bitte mit uns kommen?«, hörte ich auch schon die Stimme seines Besitzers, eines Zollbeamten.

»Oh – mein – Gott!«, dachte ich verzweifelt. »Ich werde meine Mutter heute wohl nicht mehr zu Gesicht bekommen!«

Sie führten mich in einen Untersuchungsraum. Dort durchwühlten sie zuerst meinen Koffer. Dann wurde meine Tasche mit einem elektronischen Drogentester abgetastet. Ich hatte ein Problem.

»Auf Ihrem Gepäck befinden sich Spuren von Kokain«, sagte einer der Wächter.

Ich war sprachlos und konnte mir das überhaupt nicht erklären. Weder ich noch irgendjemand, den ich kannte, nahm Kokain. Das konnte sich keiner meiner Bekannten leisten.

Zum Glück stellte sich heraus, dass eine kleine Menge für den persönlichen Gebrauch nicht strafbar war.

»Wenn Sie gelegentlich Kokain schnupfen, brauchen Sie es nur zuzugeben und wir lassen Sie laufen!«, erklärte mir der Beamte.

Nun war es an der Zeit, meine Situation offenzulegen. »Ich bin in einem Drogen-Entzugsprogramm und nehme gar nichts – weder gelegentlich, noch regelmäßig.« Dann zeigte ich ihnen den Brief von meinem Therapieleiter, der erklärte, warum ich Subutex nahm.

Sie mussten einsehen, dass sie einen Unschuldigen mitgenommen hatten. Auch hier wurde ich letztendlich entlassen. Mit einer Stunde Verspätung durfte ich endlich raus aus dem Zollbereich. Aber das war immer noch nicht das Ende meiner Reise: Ich musste noch ein Flugzeug nehmen, um nach Tasmanien zu gelangen. Als ich endlich dort ankam, war es bereits früher Abend, und ich war total geschafft.

Meine Mutter wiederzusehen war einfach wundervoll. Sie erwartete mich am Ausgang des Flugsteiges und umarmte mich lange und stürmisch. Sie weinte vor Freude; ich glaube, sie war heilfroh, mich lebend wiederzusehen.

Ich war auch sehr glücklich, sie zu sehen, aber geweint habe ich deshalb nicht.

Ihr neues Zuhause war genauso hübsch, wie sie es in ihrem Brief beschrieben hatte. Es war ein großer, geräumiger Bungalow mit einem riesigen Garten dahinter. Das Haus war von Ackerland umgeben, und die Grenze ihres Grundstückes wurde von einem Bach gezogen. Was für ein friedlicher, malerischer Ort! Perfekt zum Entspannen, Erholen und Auftanken neuer Energie. Schon nach zwei Wochen fühlte ich mich wie neugeboren. All die Sorgen ums tägliche Überleben, die mich in London quälten, waren buchstäblich Tausende von Kilometer weit weg, genauer gesagt über 16 000. Meine Mutter überhäufte mich mit mütterlicher Fürsorge und ihren Kochkünsten. Ich spürte förmlich, wie ich zu Kräften kam. Und wie meine Mutter und ich uns wieder näherkamen.

Anfangs führten wir keine tiefschürfenden Gespräche. Sie ließ mir Zeit, bis ich langsam gesprächiger wurde. Eines Abends saßen wir auf der Terrasse und genossen den Sonnenuntergang. Ich hatte schon etwas getrunken, und auf einmal sprudelte alles aus mir heraus. Es war keine überschwängliche Beichte und auch keine hollywoodreife Geschichte, aber ich redete … und redete … ohne Punkt und Komma.

Im Nachhinein hätte ich wissen müssen, dass ein solcher seelischer Dammbruch schon lange fällig war. Ich hatte jahrelang Drogen genommen, um meine Gefühle zu unterdrücken. Mehr noch, ich wollte sie abtöten, sichergehen, keine Gefühle zu haben. Aber seit Bob sich in mein Herz geschlichen hatte, hatte sich mein Gemütszustand langsam verändert. Ich konnte Gefühle wieder zulassen.

Meine Mutter starrte mich fassungslos an, als ich ihr ein paar Tiefpunkte der letzten Jahre in London schilderte. »Als ich dich am Flughafen sah, habe mir schon gedacht, dass es dir nicht besonders gut geht, aber ich hätte nie gedacht, dass es so schlimm ist«, flüsterte sie mit Tränen in den Augen.

Während ich weiterredete, stützte sie immer wieder ihren Kopf in die Hände, brachte aber nie mehr heraus als: »Warum?«

»Warum hast du mir nicht gesagt, dass du deinen Pass verloren hast?«

»Warum hast du mich nicht angerufen und um Hilfe gebeten?«

»Warum hast du deinen Vater nicht angerufen?«

Am Ende gab sie sich selbst die Schuld an meinem verpfuschten Leben. Sie hatte das Gefühl, mich im Stich gelassen zu haben, aber ich versicherte ihr, dass dies nicht der Fall war. Nur ich allein war schuld an meiner Misere. »Du hast nicht für mich entschieden, in Pappkartons zu schlafen und meine Nächte mit Heroin zu verbringen. Es war allein meine Entscheidung!« Ich wollte mit dieser Aussage erreichen, dass sie sich besser fühlte, aber es brachte sie zum Weinen.

Nachdem das Eis gebrochen war, konnten wir über alles reden. Auch über die Vergangenheit und meine Kindheit in Australien und England. Unsere neue Vertrauensbasis erlaubte mir, ganz ehrlich mit ihr zu reden. Ich konnte ihr vorwerfen, dass sie in meiner Kindheit nur ein unnahbarer Schatten gewesen war und dass die Kindermädchen und die vielen Umzüge mir auf lange Sicht nicht sehr gutgetan hatten.

Sie fiel aus allen Wolken, aber sie widersprach mir und erklärte – ob zu Recht oder zu Unrecht sei dahingestellt –, sie habe schließlich für unser Einkommen und ein Dach über dem Kopf sorgen müssen. Ich verstand ihren Einwand, aber das änderte nichts an der Tatsache, dass ich mir immer gewünscht hatte, sie wäre mehr für mich da gewesen.

Aber nicht alle unsere Gespräche waren so ernst. Wir konnten auch viel miteinander lachen. Wir lernten uns neu kennen, fanden heraus, wie ähnlich wir uns waren, und amüsierten uns über die vielen Auseinandersetzungen, die wir im Laufe meiner Pubertät gehabt hatten.

Sie gab zu, dass unsere damaligen Konflikte sehr viel mit unser beider Ego zu tun hatten. »Wir sind beide sehr starke Persönlichkeiten. Du hast das von mir«, versuchte meine Mutter unsere Kämpfe von damals zu erklären.

Aber die meiste Zeit redeten wir über die Gegenwart. Sie wollte alles über meinen Drogenentzug wissen und welche Ziele ich mir für meine Zukunft gesetzt hatte. Ich versuchte ihr zu erklären, dass ich immer noch einen Schritt nach dem anderen machen musste, aber hoffentlich im neuen Jahr endlich clean sein würde. Manchmal hörte sie einfach nur zu. Das konnte sie früher nicht besonders gut. Aber auch ich habe zuhören gelernt. Ich glaube, wir haben uns in diesem Urlaub erst richtig kennengelernt. Endlich konnte ich die lange aufgestauten Aggressionen gegen meine Mutter begraben. Ich hatte erkannt, dass unsere Kämpfe in meiner Jugend nur stattfanden, weil wir den gleichen Dickschädel hatten.

Natürlich erzählte ich auch sehr viel von Bob. Ich hatte ein Foto von ihm dabei, das ich jedem unter die Nase hielt, der nur das geringste Interesse zeigte.

»Ein kluges Kerlchen!«, lächelte meine Mutter, als sie sein Bild sah. »Oh ja, das ist er!«, grinste ich stolz. »Ich weiß nicht, was ohne Bob aus mir geworden wäre.«

Die Auszeit in Australien tat mir richtig gut. Ich konnte in Ruhe meine Gedanken ordnen und Bilanz ziehen. Was hatte ich bisher erreicht und wie sollte es weitergehen? Ein Teil von mir sehnte sich danach, ganz hierher zurückzukommen. Hier lebte meine Familie. Ich hätte hier mehr Rückhalt, ein kleines, aber wertvolles Netzwerk von Vertrauten. Einen Schatz, den ich erst jetzt zu würdigen wusste und der mir in London schmerzlich fehlen würde. Aber Bob wäre ohne mich verloren, genau wie ich ohne ihn. Und so verwarf ich den Gedanken an eine Rückkehr nach Australien schnell wieder. Bei Anbruch der sechsten Woche auf Tasmanien dachte ich nur noch an den Rückflug nach England.

Diesmal verabschiedete ich mich richtig von meiner Mutter. Sie kam mit zum Flughafen und winkte mir nach, als ich durch die Kontrolle zu meinem Flug nach Melbourne verschwand. Dort wollte ich noch ein paar Tage mit meinem Patenonkel und seiner Frau verbringen. In meiner Jugend war ich oft bei ihnen zu Besuch gewesen, und sie waren mir sehr wichtig. Früher waren sie die Eigentümer der größten privaten Telefongesellschaft Australiens gewesen, die erste Firma in Australien, die Mobiltelefone verkaufte. Sie waren damals sehr vermögend gewesen. Als Junge war ich immer ganz wild darauf gewesen, sie in ihrer Riesenvilla in Melbourne besuchen zu dürfen. Als ich mit meiner Mutter gar nicht mehr klar kam, durfte ich sogar eine Weile bei ihnen wohnen.

Auf meine kleine Lebensbeichte reagierten die beiden ähnlich schockiert wie meine Mutter. Sie boten mir finanzielle Hilfe an und wollten mich bei der Arbeitssuche in Australien unterstützen. Aber ich lehnte dankend ab und erzählte von meiner Verpflichtung namens Bob in England.

Meine Rückflüge waren viel angenehmer als meine Anreise. Ich fühlte mich besser, fitter und gesünder, und so sah ich auch aus. Diesmal fiel ich weder den Zollbeamten noch den Einwanderungsbehörden unangenehm auf. Ich war so ausgeruht und entspannt durch meine Zeit in Australien, dass ich fast die gesamte Flugzeit durchschlief.

Ich konnte es nicht mehr abwarten, Bob wiederzusehen. Gleichzeitig plagten mich Ängste, er könnte sich verändert oder mich gar vergessen haben.

Diese Sorge hätte ich mir sparen können. Kaum hatte ich Belles Wohnung betreten, sprang er vom Sofa und rannte mit steil aufgerichtetem Schwanz auf mich zu. Natürlich hatte ich ihm etwas mitgebracht, darunter auch zwei kleine ausgestopfte Kängurus. Während ich Belle von Australien erzählte, spielte er bereits hingebungsvoll mit einem der kleinen Beuteltiere.

Als wir am Abend in unser eigenes kleines Reich zurückkehrten, kletterte er sofort hoch auf meinen Arm, schmiegte sich in meine Nackenbeuge und machte es sich wie immer auf meiner Schulter bequem. In diesem Moment war meine Reise nach Australien mit all ihren Annehmlichkeiten vergessen. Die zwei Musketiere waren wieder zusammen. Bob und ich gegen den Rest der Welt – als wäre ich nie weg gewesen.

19
Der Stationsvorsteher

Der Urlaub in Australien hatte mir wirklich gutgetan. Meine Familie, allen voran meine Mutter, hatte mir neue Kraft gegeben. Ich fühlte mich so stark und selbstsicher wie seit Jahren nicht mehr. Aber meine gute Laune war noch besser, seit Bob wieder bei mir war. Er hat mir sehr gefehlt in Tasmanien. Nur mit ihm war ich rundum glücklich.

Schnell hatte uns der Alltag wieder. Wir waren unzertrennlich und teilten Freud und Leid. Bob hatte auch nach drei gemeinsamen Jahren immer noch die eine oder andere Überraschung für mich parat.

In Australien redete ich dauernd von Bob und erzählte jedem, was für ein kluger Kater er doch war. Bestimmt haben mich manche Leute deswegen für verrückt gehalten. »Eine Katze kann nicht so schlau sein«, wird sich so mancher gedacht haben. Doch etwa zwei Wochen nach meiner Rückkehr musste ich feststellen, dass ich ihn noch unter Wert angepriesen hatte.

Es war schon immer eine lästige Pflicht, Bob zur Erledigung seiner tierischen Geschäftchen nach draußen zu lassen; schließlich wohnten wir im fünften Stock. Das Kistchen in der Wohnung lehnte er nach wie vor kategorisch ab. Mehrere Säcke voll mit hochwertigem Katzenstreu stapelten sich in einem Schrank und staubten traurig vor sich hin – seit meinem ersten Einkauf von Katzenutensilien vor drei Jahren.

Es war ein Riesentheater, jedes Mal fünf Stockwerke nach unten, raus auf die Grünfläche und wieder zurück nach oben laufen zu müssen. Seit ich aus Australien zurück war, fiel mir aber auf, dass er nicht mehr so oft raus musste wie früher.

Anfangs tippte ich auf ein medizinisches Problem und brachte ihn zur Tierambulanz im Blue Cross Bus in Islington Green. Die Tierärztin fand jedoch nichts Ungewöhnliches. Sie vermutete eine altersbedingte Stoffwechselveränderung.

Die Erklärung für Bobs vermindertem Drang nach draußen hatte allerdings keinen medizinischen Ursprung, sondern einen sehr amüsanten. Kurz nach unserem Tierarztbesuch wachte ich eines Morgens sehr früh auf. Es war erst kurz nach sechs, aber meine innere Uhr war noch ziemlich durcheinander. Ich quälte mich schlaftrunken aus dem Bett, um ins Bad zu gehen. Die Toilettentür stand halb offen, und ein leises, plätscherndes Geräusch drang an mein Ohr. *Wie seltsam*, dachte ich und machte mich schon darauf gefasst, einen Einbrecher beim Wasserlassen zu überraschen. Vorsichtig schubste ich die Badezimmertür weiter auf – und staunte Bauklötze. Bob saß auf dem Toilettensitz und pinkelte ganz entspannt in die Kloschüssel.

Es sah aus wie in dem Film *Meine Braut, ihr Vater und ich,* als Robert De Niros Kater Jinxie in einer bestimmt lang geprobten Szene die Toilette seiner Besitzer benutzt. Nur Bob tat es wirklich und ganz ohne Training. Offenbar war ihm der aufwendige Besuch seines Freiluftklos selbst schon zu viel geworden, und er hatte seine eigene Lösung gefunden. Bisher war ich der Meinung gewesen, er begleite mich aus Langeweile bis auf die Toilette. Dabei hat sich der kleine Schlaumeier alles abgeguckt und ahmte mich nun perfekt nach.

Als er mich bemerkte, warf er mir einen seiner vernichtenden Blicke zu, als wolle er sagen: »Was guckst du? Ich gehe aufs Klo, ist doch ganz normal, oder?« Er hatte natürlich recht. Warum ließ ich mich immer noch überraschen? Bob konnte alles, das sollte ich längst wissen.

Unsere längere Abwesenheit war vielen unserer Kunden rund um die Angel Station tatsächlich aufgefallen. In der ersten Woche nach meinem Urlaub begrüßten uns viele Leute mit freudigem Lächeln und warmen Worten wie: »Ah, da seid ihr ja wieder!« oder »Ich dachte schon, ihr habt im Lotto gewonnen.« Einer von Bobs weiblichen Fans brachte sogar eine Karte, auf der stand: »Wir haben dich vermisst.« Es war schön, wieder »zu Hause« zu sein.

Aber es gab auch Leute, die sich nicht sonderlich über unsere Rückkehr freuten. Eines Abends hatte ich eine hitzige Auseinandersetzung mit einer Chinesin. Sie war mir schon öfter aufgefallen, weil sie Bob und mich immer mit missbilligenden Blicken bedachte. Diesmal blieb sie vor mir stehen und drohte mit dem Zeigefinger.

»Das nicht gut, nicht gut«, schimpfte sie.

»Entschuldigung, aber was ist nicht gut?«, fragte ich erstaunt.

»Das nicht normal für Katz', so sein«, radebrechte sie in schlechtem Englisch. »Er sooo ruhig, du gibst Drogen zu Katz'.«

Das konnte ich nicht auf mir sitzen lassen, auch wenn ich diesen Vorwurf nicht zum ersten Mal hörte. Als ich noch in Covent Garden Straßenmusik gemacht hatte, war mir von einem arroganten Besserwisser, der aussah wie ein Gelehrter, Ähnliches vorgehalten worden: »Das geht doch nicht mit rechten Dingen zu. Ich glaube, ich weiß, was Sie dem Kater geben, damit er so ruhig und unterwürfig ist«, ging er unerwartet auf mich los.

»Und was sollte das sein, Sir?«, fragte ich vorsichtig.

»Na, wenn ich Ihnen das sage, hätten Sie ja die Möglichkeit, auf etwas anderes umzusteigen.« Er war sichtlich überrascht, dass ich ihn herausforderte.

»Jetzt kommen Sie! So eine Anschuldigung müssen Sie schon begründen«, forderte ich ihn auf.

Ohne ein weiteres Wort verschwand er in der Menge. Das war auch besser für ihn, denn wenn er so weitergemacht hätte, wäre mir womöglich die Hand ausgerutscht.

Die Chinesin machte mir den gleichen Vorwurf. Auch diesmal wollte ich das nicht auf mir sitzen lassen. »Was glauben Sie denn, das ich ihm gebe?«, fragte ich sie.

»Das weiß ik nikt«, antwortete sie, »aber Sie geben irgendetwas.«

»Also, wenn ich ihn ruhigstellen würde, warum sollte er dann bei mir bleiben? Dann würde er doch bei der erstbesten Gelegenheit abhauen, oder? Ich kann ihm ja nicht vor allen Leuten Beruhigungsmittel einflößen, oder?«

»Pfff«, war ihre Antwort auf meine Fragen. Dabei machte sie abwehrende Handbewegungen in meine Richtung und wandte sich zum Gehen. »Is nich gut, is nich gut«, wiederholte sie noch, bevor sie in der Menge verschwand.

Ich habe mich damit abgefunden, dass es immer Leute geben wird, die mich verdächtigen, Bob schlecht zu behandeln, die keine Katzen mögen oder etwas dagegen haben, dass ein *Big-Issue*-Verkäufer mit Katze anstatt mit Hund unterwegs ist.

Schon zwei Wochen nach dem Streit mit der Chinesin hatte ich eine andere Art der sich wiederholenden Auseinandersetzungen.

Seit ich mit Bob unterwegs bin, hat es immer Leute gegeben, die ihn mir abkaufen wollten. »Wie viel willst du für die Katze?«, fragten sie mich. Meine Standardantwort war: »Das könnten Sie sich nicht leisten.«

Auch an der Angel Station gab es Leute, die mir Bob abschwatzen wollten. Eine Frau war besonders hartnäckig. Jedes Mal unterhielt sie sich zuerst freundlich mit mir und fing im Laufe des Gesprächs an, mich zu bearbeiten.

»Schau, James«, ging es jedes Mal los. »Ich finde, Bob sollte nicht mit dir auf der Straße herumlungern. Er verdient ein schönes, warmes Zuhause und ein besseres Leben, meinst du nicht auch?«

Und am Ende kam immer die Frage: »Also, wie viel willst du für ihn haben?«

Ich schüttelte nur noch den Kopf, woraufhin sie versuchte, mich mit Zahlen zu locken. Sie fing mit 100 Pfund an und ging hoch bis 500 Pfund.

Bei ihrem letzten Besuch vor ein paar Tagen übertraf sie sich selbst: »Ich gebe dir 1000 Pfund.«

Ich sah ihr geradewegs in die Augen. »Haben Sie Kinder?«, wollte ich wissen.

»Äh, ja, wieso?«, stotterte sie etwas verwirrt.

»Gut. Okay. Also, für wie viel Geld würden Sie Ihr jüngstes Kind verkaufen?«

»Was soll die Frage?«

»Wie viel kostet Ihr jüngstes Kind?«

»Ich glaube nicht, dass das eine angemessene Frage ist …«

»Doch, genau darum geht es«, unterbrach ich sie. »Denn Bob ist mein Kind, er ist mein Baby. Und wenn Sie mich fragen, ob ich Bob verkaufe, dann ist das für mich, als würden Sie Ihr Kind verkaufen müssen.«

Sie machte auf dem Absatz kehrt und lief weg. Ich habe sie nie wieder gesehen.

Aber die meisten Leute waren so nett wie die U-Bahn-Mitarbeiter der Angel Station. Eines Tages unterhielt ich mich mit Vanika, einer Fahrkartenkontrolleurin, die ganz vernarrt in Bob war. Sie amüsierte sich darüber, wie viele Leute wegen Bob stehen blieben, mit ihm redeten und Fotos von ihm machten.

»Er macht unsere Haltestelle noch berühmt, warte es ab!«, scherzte sie.

»Ja, bestimmt«, pflichtete ich ihr bei. »Ihr solltet Bob als Mitarbeiter einstellen. In Japan gibt es einen Kater, der ist Stationsvorsteher. Er trägt sogar eine kleine Uniform-Mütze.«

Vanika kicherte: »Ich weiß nicht, ob es gerade freie Stellen bei uns gibt!«

»Na, wenigstens einen Ausweis oder so was könntet ihr ihm doch geben«, spann ich die Idee weiter.

Ihr Gesicht wurde nachdenklich. Sie verabschiedete sich, und ich vergaß unser Gespräch.

Als wir Vanika etwa zwei Wochen später an unserem Verkaufsplatz vor dem U-Bahnhof wieder trafen, grinste sie uns schon von Weitem verheißungsvoll entgegen.

»Was ist los?«, fragte ich.

»Nichts. Aber ich hab hier was für Bob.« Stolz präsentierte sie mir einen laminierten Fahrausweis mit Bobs Foto.

»Wow, das ist ja toll!«, rief ich aus.

»Das Foto habe ich aus dem Internet«, erklärte sie mir.

Ich war verblüfft. Wie zum Teufel kam Bob ins Internet?

»Und was bedeutet dieser Ausweis?«, wollte ich wissen.

»Das heißt: Bob darf ab sofort und auf Lebenszeit kostenlos U-Bahn fahren«, lachte sie.

»Ich dachte, Katzen brauchen sowieso nicht zu bezahlen«, grinste ich.

»Okay, also dann bedeutet der Ausweis, dass wir alle große Bob-Fans sind und ihn als Familienmitglied betrachten.«

Ich spürte einen Kloß im Hals und musste mich schwer zusammenreißen, um die aufsteigenden Tränen zurückzuhalten.

20
Die längste Nacht

Der Frühling 2009 war überfällig. Die Abende waren immer noch dunkel und trist. Wenn ich gegen sieben meine Arbeit als *Big-Issue*-Verkäufer beendete, brach bereits die Abenddämmerung herein, die Straßenlaternen blitzten auf und die Gehwege füllten sich.

In den ersten Monaten des Jahres waren die Straßen nicht so überfüllt wie sonst, weil in dieser Zeit kaum Touristen unterwegs waren. Aber sobald es wärmer wurde, erwachte die Gegend um die Angel Station aus ihrem Winterschlaf. Die Pendler und Touristen waren wieder da, und in der U-Bahn-Halle summte es wie in einem Bienenstock.

Offenbar hatte es sich herumgesprochen, dass in dieser Gegend gut situierte Leute unterwegs waren. Jedenfalls hatte der Jahreswechsel – unglücklicherweise – auch ein paar unangenehme Leute an unseren Standort gelockt.

Wenn man das Leben auf den Straßen von London so gut kennt wie ich, entwickelt man ein Gespür für Menschen, die man unbedingt meiden sollte. Eines frühen Abends, so zwischen 18.30 und 19 Uhr, also genau in der Zeit, in der ich immer viel zu tun hatte, tauchte so ein Typ auf. Er war mir schon öfter unangenehm aufgefallen.

Er sah sehr heruntergekommen aus. Ich gehöre auch nicht zu den bestangezogenen Männern dieser Stadt, aber dieser Kerl war dürr und verwahrlost. Er machte dem Begriff »Penner« alle Ehre. Seine Haut war rot und fleckig, die Klamotten standen vor Dreck. Trotzdem wäre er mir ohne seinen Hund wohl gar nicht aufgefallen. Er hatte einen riesigen schwarzen Rottweiler mit braunen Flecken. Mir war sofort klar, dass dieser Hund aggressiv war. Der Anblick der beiden erinnerte mich an eine alte Zeichnung von Bill Sikes und seinem Hund »Bull's Eye« aus Oliver Twist. Sie waren Querulanten, allzeit bereit, sich mit dem Rest der Welt anzulegen.

Auch an diesem Abend hatte er den Hund dabei. Er setzte sich zu ein paar zwielichtigen Gestalten, die seit über einer Stunde neben dem U-Bahn-Ausgang saßen und Bier tranken. Sie waren mir allesamt nicht geheuer.

Der Rottweiler hatte Bob sofort entdeckt und zerrte an seiner Leine. Seine Lefzen trieften vor Gier nach meinem Ka ter. Sein Besitzer hielt den Hund zwar kurz, aber wie lange noch? Quatschen und sich die Birne zusaufen schien jedenfalls wichtiger, als auf seinen Hund aufzupassen.

Aber ich wollte sowieso gerade Schluss machen. Wegen der bereits fröhlich grölenden Säufer beeilte ich mich mit dem Zusammenpacken meiner Zeitschriften. Sie – und vor allem der Hund – machten mich nervös. Ich wollte Bob und mich möglichst schnell in Sicherheit bringen.

Ich war gerade dabei, meine Zeitschriften aufzuheben, als mich ein lautes, hysterisches Bellen erschreckte. Der Rest lief wie in Zeitlupe ab. Eine schlechte Actionszene aus einem ganz schlechten Actionfilm.

Als ich mich umdrehte, zischte ein schwarzbrauner Pfeil auf uns zu. Sein Besitzer, der Idiot, hatte die Leine nicht richtig festgebunden. Der Rottweiler war frei. Ich wollte Bob schützen und stellte mich instinktiv dem Hund in den Weg, aber das Riesenvieh rannte mich einfach um. Im Fallen schaffte ich es, meine Arme um seinen Bauch zu schlingen. Ich riss ihn mit zu Boden, aber der Rottweiler drehte und wand sich, um sich aus meiner Umklammerung zu befreien. Brüllend und fluchend versuchte ich, das wütende Tier am Kopf zu packen, damit es nicht zubeißen konnte, aber der Hund war einfach zu stark.

Rottweiler sind Kraftpakete, und hätte unser Kampf nur wenige Sekunden länger gedauert, hätte ich bestimmt den Kürzeren gezogen. Ich will gar nicht daran denken, wie schwer mich das Biest hätte verletzen können. Zum Glück hörte ich umgehend eine Stimme, die den Hund anbrüllte, und ich spürte, wie er von mir weggerissen wurde.

»Hierher, du verdammtes ***«, schrie der Besitzer und zog den Hund mit aller Kraft aus der Gefahrenzone. Dann zog er ihm etwas Hartes über den Schädel. Ich weiß nicht, was es war, aber das Geräusch drehte mir fast den Magen um. Unter anderen Umständen hätte ich mir um das arme Tier Sorgen gemacht, aber in diesem Moment dachte ich nur an Bob. Er hatte sich bestimmt zu Tode erschreckt. Ich drehte mich nach ihm um – aber sein Platz war leer. Ich drehte mich im Kreis, um zu sehen, ob ihn vielleicht jemand hochgehoben hatte, um ihn zu beschützen. Aber ich konnte ihn nirgends entdecken. Er war weg.

Erst jetzt begriff ich, was passiert war. Ich hatte noch einen Packen Zeitschriften holen wollen, den ich unter einer Bank neben uns abgelegt hatte. Bobs Leine war für die Entfernung aber nicht lang genug. Weil ich so in Eile war, von hier wegzukommen, hatte ich die Leine von meinem Gürtel losgemacht, um kurz zu der Bank hinüberzulaufen. Wie blöd war das denn? Der Rottweiler musste mich beobachtet haben. Deshalb hatte er sich genau in dem Moment, als ich ihm den Rücken zukehrte, losgerissen, um auf Bob loszugehen.

Ich bekam es mit der Angst zu tun.

Ein paar Leute hatten sich um mich versammelt und fragten, ob es mir gut ginge.

»Mir geht es gut«, wehrte ich ab. »Aber hat irgendjemand Bob gesehen?«

Dabei ging es mir miserabel. Ich hatte mir wehgetan, als mich der Rottweiler umrannte, und ich blutete aus mehreren Bisswunden an den Händen.

In dem Moment tauchte eine Stammkundin auf, die immer etwas Leckeres für Bob dabei hatte. »Ich habe Bob gesehen, er ist in Richtung Camden Passage gelaufen«, rief sie aufgeregt. »Ich habe versucht, seine Leine zu erwischen, aber er war zu schnell.«

»Vielen Dank«, antwortete ich, während ich meinen Rucksack schnappte und losrannte. Mein Herz pochte laut vor Angst.

Ich dachte an seine panische Flucht am Piccadilly Circus. Damals hatte ihn ein kostümierter Mann erschreckt, aber diesmal war es ein wirklich bedrohlicher Angriff gewesen. Wenn ich mich nicht dazwischengeworfen hätte, hätte ihn der Rottweiler sicherlich gepackt. Wer weiß, was dieser Hundeangriff bei ihm ausgelöst hatte. Vielleicht hat es ihn an ein Erlebnis aus seiner Vergangenheit erinnert. Ich hatte keine Ahnung, wie es ihm gerade ging, aber wahrscheinlich war er genauso verstört und verängstigt wie ich.

So schnell ich konnte, rannte ich zur Camden Passage. Es war ein Hindernislauf, denn ich musste mich durch einen nicht enden wollenden Wust aus gemütlich dahinschlendernden Spaziergängern drängeln, die rund um die Pubs, Restaurants und Bars unterwegs waren.

»Bob, Bob!«, rief ich dabei unentwegt und handelte mir empörte Blicke der Passanten ein. »Hat jemand einen roten Kater gesehen, der seine Leine hinter sich herzog?«, fragte ich eine Gruppe von Leuten, die vor dem größten Pub in der Passage herumstanden.

Aber sie zuckten nur mit den Schultern und schüttelten die Köpfe.

Ich hatte gehofft, Bob würde sich wieder Schutz in einer der Boutiquen suchen, wie damals am Piccadilly Circus. Aber die meisten hatten bereits geschlossen. Nur die Bars, Restaurants und Kaffeehäuser waren geöffnet. Ich arbeitete mich systematisch durch alle Lokale in der Passage und fragte herum, aber niemand hatte Bob gesehen. Wäre er an der Passage vorbeigelaufen und weiter in Richtung Norden, dann wäre er an der Essex Road herausgekommen, der Hauptstraße, die weiterführte nach Dalston und darüber hinaus. Einen Teil dieser Route kannte Bob, aber nicht bei Nacht und nicht allein.

Ich war schon völlig verzweifelt, als ich am anderen Ende der Passage, kurz vor dem Ausgang, der nach Islington Green führte, eine Frau traf, die mir Auskunft geben konnte. Auf meine Frage antwortete sie: »Ja, ich habe eine Katze gesehen. Sie ist in diese Richtung gelaufen.« Dabei zeigte sie auf die Straße hinaus. »Sie ist an mir vorbeigeschossen wie eine Rakete. Draußen ist sie in Richtung Hauptstraße abgedreht, und es sah aus, als wollte sie über die Straße.«

Ich lief sofort hinterher und sah mich draußen um. Bob liebte Islington Green mit seinen umliegenden Grünflächen. In dieser Ecke parkte donnerstags auch immer der Bus vom Blue Cross mit der Tierambulanz. Hier könnte er sich versteckt haben. Ich überquerte die Straße und betrat die kleine umzäunte Grünanlage. Es gab ein paar Büsche, unter denen er immer gern herumwühlte. Ich ging vor jedem einzelnen in die Knie, um darunter nachsehen zu können. Inzwischen war es dunkel geworden, und ich sah kaum noch die Hand vor den Augen. Entgegen aller Vernunft hoffte ich dennoch, unter einem der Büsche würde mich ein grün blitzendes Augenpaar anstarren.

»Bob, bist du da, Bob?«, fragte ich vor jedem Busch. Aber ich bekam keine Antwort. Ich ging bis ans andere Ende der kleinen Anlage und rief weiter nach ihm. Aber außer dem Gegröle von ein paar Betrunkenen auf einer Parkbank war nur der penetrante Lärm des Straßenverkehrs zu hören, der um die kleine grüne Oase tobte.

Völlig verzagt lief ich weiter, bis ich plötzlich vor der großen *Waterstone*-Buchhandlung in Islington stand. Bob und ich waren oft dort drin und die Angestellten mochten ihn sehr. Ich griff nach jedem Strohhalm ... vielleicht hatte er dort Zuflucht gefunden.

Drinnen war nicht viel los. Nur ein paar Mitarbeiter bereiteten schon alles für den Ladenschluss vor. Nur wenige Kunden stöberten noch in den Bücherregalen. Ich erkannte eine der Damen hinter der Kasse. Ich war total verschwitzt, atmete schwer und sah wahrscheinlich ziemlich verstört aus.

»Alles okay mit Ihnen?«, fragte sie mich.

»Bob ist weg. Ein Hund hat uns angegriffen, und Bob ist davongelaufen. Ist er vielleicht hier?«

»Oh, leider nicht.« Sie sah ehrlich besorgt aus. »Ich war die ganze Zeit da, aber ich habe ihn nicht gesehen. Soll ich oben nachfragen?« Sie griff nach dem Telefon und wählte.

»Habt ihr bei euch oben eine rote Katze gesehen?« Noch während der Kollege am anderen Ende sprach, schüttelte sie bedauernd den Kopf. »Es tut mir so leid«, wandte sie sich beim Auflegen wieder an mich. »Aber wenn er auftaucht, behalten wir ihn auf jeden Fall hier«, versicherte sie mir.

»Danke«, brachte ich mühsam hervor.

Als ich wieder auf der Straße stand, versetzte mir ein Gedanke einen Keulenschlag in den Magen: Ich hatte ihn verloren.

Ich war völlig fertig. Benommen schlurfte ich die Essex Street hinunter. Aber ich hatte es aufgegeben, weiter nach ihm zu suchen.

Es war der Weg, den wir jeden Tag gemeinsam zur Arbeit und auch zurück nach Hause gingen. Als ich das Busschild mit der Aufschrift »Tottenham« sah, kam mir eine Idee. Er würde doch nicht …? Oder doch?

An der Haltestelle stand ein Ticketkontrolleur, und ich fragte ihn: »Entschuldigung, haben Sie vielleicht eine rote Katze gesehen, die in einen Bus gesprungen ist?« Ich hätte es Bob zugetraut, aber der Mann starrte mich an, als hätte ich ihn gefragt, ob ein Außerirdischer den Bus Nr. 73 bestiegen hätte. Er schüttelte den Kopf und drehte sich weg.

Ich wusste, dass Katzen einen hervorragenden Orientierungssinn haben. Es gab viele Geschichten, wie Katzen über große Entfernungen wieder nach Hause gefunden hatten. Aber ich konnte mir nicht vorstellen, dass Bob nach Tottenham zurückfinden würde. Das waren über fünf Kilometer durch die unwegsamsten Bezirke von London. Wir hatten die Strecke noch nie zu Fuß zurückgelegt, sondern immer mit dem Bus. Diese Möglichkeit kam nicht in Betracht.

Die nächste halbe Stunde war eine Achterbahn der Gefühle. Ich schwankte zwischen Hoffnung und Resignation. Zuerst war ich überzeugt, dass er bald von jemandem gefunden und erkannt werden würde. Viele Leute aus der Gegend, in der er entlaufen war, kannten ihn. Aber auch, wenn er einem Fremden zulaufen wäre, standen die Chancen gut. Hauptsache, der Finder hatte schon mal von Mikrochips für Haustiere gehört. Jeder Tierarzt kann die Daten von gechippten Tieren über die Datenbank-Zentrale abfragen.

Aber sobald ich mich damit getröstet hatte, stürzten mich wilde Horrorszenarien in tiefe Verzweiflung. Was, wenn genau so etwas vor drei Jahren passiert war? Was, wenn ein solcher Zwischenfall dazu geführt hatte, dass Bob sich damals ein neues Zuhause gesucht hatte, als ich ihn auf der Fußmatte in meinem Mietshaus fand? Ich war total hin und her gerissen.

Mein Verstand sagte: »Es geht ihm gut und du kriegst ihn wieder!« Aber da war auch diese unbeschreibliche Angst, eine monotone Stimme, die in meinem Kopf dröhnte: »Er ist weg. Du wirst ihn nie wiedersehen!«

Über eine Stunde rannte ich die Essex Road rauf und runter. Inzwischen war es stockdunkel geworden, und die Autoschlange des Feierabendverkehrs hatte sich bis hinunter zur Islington High Street festgefahren.

Ich war ratlos und völlig hilflos. Ohne wirklich darüber nachzudenken, schleppte ich mich in Richtung Dalston. Meine Freundin Belle wohnte dort in der Nähe. Warum sollte ich nicht zu ihr gehen, ein anderes Ziel hatte ich momentan nicht mehr.

In einer Seitengasse sah ich die Umrisse eines Katzenschwanzes. Schwarz und dünn, ganz anders als der von Bob, aber ich war so verzweifelt, dass ich mir einredete, es könnte Bob sein.

»Bob«, brüllte ich und hechtete um die dunkle Ecke, aber da war nichts. Ich hörte ein Miauen, aber es klang nicht wie Bob. Trotzdem lauschte ich angestrengt in die Dunkelheit. Erst nach ein paar Minuten gespenstischer Stille ging ich weiter.

Inzwischen hatte sich der Stau aufgelöst. Es war ungewohnt still. Der Himmel war voller Sterne. Kein Vergleich mit dem australischen Nachthimmel, aber doch ziemlich beeindruckend. Noch ein paar Wochen zuvor hatte ich glücklich unter dem Sternenzelt von Tasmanien gesessen. Ich hatte dort allen erzählt, dass ich nach London zurück müsste, weil ich für Bob Verantwortung übernommen hatte. *Das hast du wirklich gut hingekriegt*, schimpfte und fluchte ich.

Vielleicht hätte ich nicht nach Australien fliegen sollen. Konnte es sein, dass meine sechswöchige Abwesenheit die starke Bindung zwischen Bob und mir zerstört hatte? Vielleicht hatte ich in seinen Augen meine Aufsichtspflicht vernachlässigt, und er hatte sein Vertrauen in mich verloren? Hatte er in dem Moment, als der Rottweiler angriff, entschieden, dass er sich auf mich nicht mehr verlassen konnte? Ich hätte schreien können vor Wut und Verzweiflung.

Belles Wohnung war bereits in Sicht, und mir war immer noch zum Heulen zumute. Wie sollte ich nur ohne Bob klarkommen? Einen Freund wie ihn würde ich nie wieder finden. Und plötzlich war da noch etwas: Die altbekannte Gier nach einem Schuss, die ich seit Jahren nicht mehr gespürt hatte.

Sofort versuchte ich, diesen Gedanken zu verdrängen, aber mein Unterbewusstsein kämpfte dagegen. Mein Leben hatte keinen Sinn mehr ohne Bob. Um die Trauer und den Schmerz zu ertragen, die mich jetzt schon übermannten, würde ich mich betäuben müssen.

Belle war, genau wie ich, ebenfalls seit Jahren clean. Aber ich wusste, dass ihre Mitbewohnerin Drogen nahm. Je näher ich der Straße kam, in der Belle wohnte, desto unbezähmbarer wurde mein Wunsch nach Betäubung.

Als ich vor Belles Wohnhaus stand, war es fast 22 Uhr. Ich war stundenlang durch die Straßen geirrt. Das durchdringende Heulen von Sirenen zerstörte die Stille. Die Polizei war unterwegs zu einer Schlägerei oder Messerstecherei in irgendeinem Pub. Egal – alles war nur noch egal.

Ich ging auf den schwach beleuchteten Hauseingang zu. Im

Schatten neben dem Gebäude nahm ich eine dunkle Silhouette wahr. Eindeutig die Umrisse einer Katze, aber ich hatte schon aufgegeben und nahm an, es wäre ein Streuner, der vor der Kälte Zuflucht suchte.

Als er den Kopf drehte, sah ich sein Gesicht. Dieses einzigartige, wunderbare Gesicht.

»Bob!«

Er antwortete sofort mit einem anklagenden Miau. Genau wie damals, vor drei Jahren im Hausflur bei unserer ersten Begegnung. Es hieß: »Wo warst du denn? Ich warte schon ewig auf dich!«

Ich hob ihn hoch und drückte ihn überglücklich an mich.

»Ich bin fast gestorben vor Angst um dich. Du wirst mich noch umbringen, wenn du immer wegläufst!«, murmelte ich in sein Fell und wischte mir gleichzeitig die Freudentränen ab. Er kam mit seiner kalten Nase ganz dicht an mein Gesicht und leckte mir die letzten nassen Spuren mit federleichten Berührungen von der Wange. Währenddessen zermarterte ich mir den Kopf, wie er wohl zu Belles Wohnung gefunden haben könnte.

Im Nachhinein gesehen, war es das Nächstliegende. Warum hatte ich nicht gleich daran gedacht? Wir hatten Belle oft gemeinsam besucht und er war während meiner Australienreise sechs Wochen hier gewesen. Er hatte das einzig Richtige getan. Aber wie nur? Die Wohnung lag etwa drei Kilometer entfernt von unserem Platz an der Angel Station. Hat er den ganzen Weg zu Fuß zurückgelegt? Und wie lange wartete er hier schon?

Es war nicht mehr wichtig. Ich streichelte, kraulte und knutschte ihn, während er mir mit seiner rauen, trockenen Zunge die Hand ableckte, sein Gesicht an meinem rieb und seinen Schwanz um meinen Arm wickelte.

Nach einer Weile drückte ich auf Belles Klingel, und sie öffnete. Meine Weltuntergangsstimmung war einem unbeschreiblichen Glücksgefühl gewichen. Ich schwebte auf Wolke Sieben.

Belles Mitbewohnerin war auch da. »Na, brauchst du was zum Feiern?«, fragte sie mich und lächelte verführerisch.

»Nein, danke, kein Bedarf«, antwortete ich grinsend. Bob kratzte spielerisch an meiner Hand, und ich zog ihn liebevoll am Nackenfell. Ich strahlte Belle an und sagte: »Ein Bier wäre jetzt klasse!«

Bob brauchte keine Drogen, um die Nacht zu überstehen. Er brauchte nur seinen Freund, und das war ich. In diesem Moment wurde mir klar, dass ich auch nichts anderes brauchte. Nur Bob. Nicht nur heute Abend, sondern solange ich die Ehre hatte, ihn bei mir zu haben.

21
Bob, der Big-Issue-Kater

Es war Ende März, die Sonne war gerade untergegangen, und die Abenddämmerung breitete sich über der Angel Station aus. London machte sich bereit für eine neue Partynacht. Auf der Islington High Street setzte der Feierabendverkehr ein, und das Hupkonzert wurde unerträglich. Die Bürgersteige waren voll mit Passanten, die in die Bahnhofshalle strömten oder daraus hervorquollen. Jeder war in Eile, alle hatten scheinbar ein wichtiges Ziel. Zumindest fast alle.

Ich zählte gerade meine *Big-Issue*-Exemplare, um sicherzugehen, dass ich noch genug Vorrat für den abendlichen Ansturm hatte. Aus den Augenwinkeln bemerkte ich eine kleine Gruppe von Jugendlichen, die sich um uns geschart hatten. Drei Jungs und zwei Mädchen. Sie sahen aus wie Südamerikaner, Spanier oder Portugiesen.

Das war nichts Ungewöhnliches. Wir waren hier zwar nicht in Covent Garden, am Leicester Square oder Piccadilly Circus, aber auch nach Islington kamen regelmäßig Touristen, und Bob zog sie an wie ein kleiner Magnet. Es verging kaum ein Tag, an dem Bob nicht mindestens einmal von einer entzückten Gruppe von jungen Leuten umgeben war.

Aber diese Jugendlichen fielen mir auf, weil sie über Bob redeten, als ob sie ihn kannten.

»Ah, si, Bob!«, sagte eines der Mädchen auf Spanisch.

»Si, si, Bob, *The Biiig Issuuu* Cat«, nickte ihre Freundin.

Das ist aber komisch, dachte ich. Woher kennen die Bobs

Namen? Er trägt doch kein Namensschild. Und wieso nennen sie ihn »The Big Issue Cat«? Das wollte ich genauer wissen.

»Entschuldigt, bitte, darf ich fragen, woher ihr Bob kennt?«, fragte ich und hoffte, dass einer von ihnen meine Sprache verstand. Mein Spanisch war miserabel bis nicht vorhanden.

Glücklicherweise antwortete einer der Jungs. »Oh, wir haben ihn auf YouTube gesehen«, grinste er. »Bob ist sehr berühmt, ja?«

»Ist er das?«, fragte ich verdutzt. »Ich habe schon gehört, dass es ein Video von ihm auf dieser Plattform gibt, aber mir war nicht klar, wer sich das ansieht.«

Der Junge nickte: »Viele Leute, denke ich!«

»Wo kommt ihr her?«

»España, Spanien.«

»Heißt das, Bob ist bekannt in Spanien?«

»Si, si«, bekräftigte der andere Junge, nachdem er unsere Unterhaltung übersetzt bekommen hatte. »Bob es una estrella en España.«

»Äh, was hat er gesagt?«, fragte ich meinen Übersetzer.

»Er sagt, Bob ist ein Star in Spanien.«

Ich war total verblüfft.

Natürlich hatten viele Leute von überallher in den letzten Jahren Fotos von Bob gemacht. Als ich noch als Straßenmusiker unterwegs gewesen war und auch, seit ich *The Big Issue* verkaufte. Im Scherz hatte ich schon mal erwähnt, dass Bob ins Guinness-Buch der Rekorde gehörte: als meistfotografierte Katze.

Manche Leute haben Bob auch gefilmt, mit ihren iPhones oder auch mit einer richtigen Videokamera. Ich versuchte, mich zu erinnern, wer ihn in den letzten Monaten gefilmt hatte. Wer könnte einen Film gemacht haben, der jetzt auf

YouTube lief? Mir fielen da zwei Leute ein, und ich wollte mir das bei nächster Gelegenheit selbst ansehen.

Gleich am nächsten Morgen besuchte ich mit Bob die Bibliothek in unserer Nähe und ging online.

Ich tippte die Wörter: »Bob Big Issue Cat«, und schon hatte ich einen Link zu YouTube, den ich anklickte. Zu meiner Überraschung gab es sogar zwei Filme über Bob.

»Hey, Bob, schau mal! Der Junge hatte recht. Du bist ein Star auf YouTube.«

Bis zu diesem Moment war Bob an den Computerbildern nicht sehr interessiert gewesen. Es war schließlich kein Pferderennen. Aber als ich den Film anklickte und er mich sprechen hörte, sprang er auf die Tastatur und presste seine Nase an den Computerbildschirm.

Als ich mir den Clip mit dem Titel »Bobcat and I« ansah, erinnerte ich mich wieder. Ein Student der Filmakademie namens Tom Jones hatte uns angesprochen. Er hatte mich ein paar Tage mit der Kamera begleitet. Damals hatte ich noch an der Neal Street verkauft, wie ich den Bildern entnahm. Außerdem konnte man sehen, wie wir den Bus nehmen und die Straße entlanggehen. Er hatte den Alltag eines *Big-Issue*-Verkäufers sehr gut eingefangen. Man sah Leute, die Bob verwöhnten und streichelten, aber auch eine Szene, in der ich von ein paar Leuten beschuldigt wurde, Bob mit Medikamenten »willenlos« zu machen.

Der zweite Zusammenschnitt war erst vor Kurzem an der Angel Station von einem Russen aufgenommen worden. Er hatte den Titel »Bob, The Big Issue Cat«. Diesen Clip hatten die spanischen Jugendlichen gesehen. Dieses Video hatte mehr als 100 000 clicks. Ich war sprachlos.

Ich hatte schon länger den Verdacht, dass Bob so etwas wie eine Fangemeinde entwickelte. Es kam immer öfter vor, dass jemand bei uns stehen blieb und fragte: »Ah, ist das Bob? Ich habe von ihm gehört.« Oder: »Ist das der berühmte *Bobcat?*« Bisher hatte ich dabei nur an Mundpropaganda gedacht. Ein paar Wochen, bevor wir die spanischen Teenager trafen, brachte eine Tageszeitung einen Artikel über uns, der *Islington Tribune.* Daraufhin hatte mich eine amerikanische Agentin sogar gefragt, ob ich nicht ein Buch über Bob und mich schreiben wollte. Als ob ich das könnte!

Dank der jungen Spanier erkannte ich, dass Bob schon weit über die lokale Berühmtheit hinausgewachsen war. Er war auf dem besten Weg ein Katzenstar zu werden.

Auf dem Weg zum Bus versuchte ich das alles erst einmal zu verdauen. Aber ein Lächeln konnte ich mir doch nicht verkneifen. In einem der beiden Videos hatte ich gesagt, dass Bob mir das Leben gerettet hatte. Als ich mich so reden hörte, klang das doch etwas seltsam und übertrieben. Aber während ich dahinschlenderte und über meine Worte nachdachte, stellte ich fest, dass es die reine Wahrheit war. Er hat mich wirklich gerettet.

Er hat in den drei Jahren meine Welt verändert. Als ich ihn fand – oder er mich, war ich ein Heroinabhängiger auf medizinisch betreutem Entzug, und ich lebte von der Hand in den Mund. Ich war Ende zwanzig, aber mein Leben hatte weder ein Ziel noch einen Grund. Ich hatte den Kontakt zu meiner Familie verloren und besaß kaum einen Freund auf dieser Welt. Um es gelinde auszudrücken, mein Leben war ein Albtraum. Bob hat alles verändert.

Meine Reise nach Australien hat meine Kindheitsprobleme zwar nicht ausradiert, aber ich habe mich mit meiner Mutter versöhnt. Die Wunden sind verheilt. Ich hatte das Gefühl, wir waren uns wieder nähergekommen. Mein Kampf gegen die Drogen war endlich erfolgreich, und ich hoffe, dass dies für immer so bleibt. Meine tägliche Dosis an Subutex wird immer weniger. In absehbarer Zeit werde ich es absetzen können. Das Ende meiner Abhängigkeit rückt immer näher. Es gab Zeiten, da hätte ich das alles nie für möglich gehalten.

Vor allem habe ich endlich Wurzeln geschlagen. Für die meisten Menschen mag dies unwichtig erscheinen, aber meine kleine Wohnung in Tottenham hat mir die Sicherheit und den Halt gegeben, nach dem ich mich immer gesehnt hatte. Ich habe noch nie so lange an einem Ort gewohnt: Ganze vier Jahre, und kein Umzug in Sicht. Ohne Bob wäre ich wohl nicht so lange geblieben.

Ich wurde als Kirchgänger erzogen, aber ich war kein praktizierender Christ. Auch kein Agnostiker oder Atheist; ich bin der Meinung, wir sollten uns von jeder Religion und Philosophie etwas herauspicken. Ich bin auch kein Buddhist, aber die buddhistischen Lehren gefallen mir am besten. Sie geben gute Ansatzpunkte, um die herum man sein Leben aufbauen kann. Zum Beispiel glaube ich wirklich an Karma, an die Wiedergeburt. Ich frage mich, ob Bob meine Belohnung dafür ist, dass ich irgendwann in meinem verkorksten Leben etwas Gutes getan habe.

Außerdem frage ich mich, ob Bob und ich uns nicht vielleicht aus einem anderen Leben kennen. Unsere Bindung war von Anfang an so stark und das Verständnis füreinander so groß. Jemand hat uns mal die Reinkarnation von Dick Whittington und seiner Katze genannt. Nur dass die Rollen vertauscht wurden. Dick Whittington war als Katze Bob wiedergeboren worden und ich als sein Begleiter war früher seine Katze. Ich fand den Vergleich spannend. Ich konnte mir Bob gut als alte Seele vorstellen. Bob ist mein bester Freund, und er hat mir zu einem neuen, viel besseren Leben verholfen. Dafür verlangt er keine komplizierte oder unrealistische Gegenleistung. Er will nur, dass ich für ihn da bin. Und das bin ich.

Der gemeinsame Weg, der noch vor uns liegt, wird bestimmt nicht ohne Steine sein. Schließlich arbeite ich immer noch auf den Straßen von London. Nichts ist einfach im Leben. Aber solange wir zusammen sind, werden wir alle Klippen meistern.

Jeder verdient eine zweite Chance. Bob und ich haben unsere genutzt.

Dank

Die Entstehung dieses Buches war für mich eine erstaunliche Erfahrung zum Thema Zusammenarbeit. Sehr viele Menschen haben ihren Teil dazu beigetragen, es möglich zu machen.

Zuallererst möchte ich mich bei meiner Familie bedanken, allen voran bei meiner Mutter und meinem Vater, weil sie mir diesen unglaublich starken Willen vererbt haben, der mich durch die dunkelsten Tage meines Lebens getragen hat. Außerdem meinen Paten Merilyn und Terry Winters, die immer für mich da waren.

In all den Jahren auf den Straßen von London habe ich viel Nächstenliebe erleben dürfen. Namentlich erwähnen möchte ich Sam, Tom, Lee und Rita, die *Big-Issue*-Bezirksleiter, die mir aus so mancher Notlage geholfen haben. Außerdem danke ich den Streetworkern Kevin und Chris für ihr Mitgefühl und ihr Verständnis, dem Blue Cross und dem RSPCA für ihre wertvolle medizinische Hilfe mit Bob sowie Davika, Leanne und all den anderen Mitarbeitern der Angel Station, die immer für Bob und mich da waren.

Nicht zu vergessen, *Food For Thought* und *Pix* in der Neal Street, die immer einen heißen Tee für mich und ein Schälchen Milch für Bob übrig hatten. Genau wie Daryl im *Diamond Jacks* in Soho sowie die Schuster Paul und Den, die schon lange zu echten Freunden geworden sind. Auch Pete Watkins von *Corrupt Drive Records*, DJ Cavey Nik von *Mosaic Homes* und Ron Richardson möchte ich erwähnen.

Dieses Buch wäre ohne meine Agentin Mary Pachnos nie zustande gekommen. Es war ihre Idee – die ich anfangs für ziemlich verrückt hielt. Ohne Mary und den Autor Garry Jenkins hätte ich es nicht geschafft, unserer Geschichte die richtige Form zu geben. Ich danke Euch von ganzem Herzen, Mary und Garry. Auch meinem Verlag *Hodder & Stoughton* danke ich – vor allem Rowena Webb, Ciara Foley, Emma Knight und allen anderen aus diesem wunderbaren Team. Vielen Dank auch an Alan und alle Mitarbeiter aus der Buchhandlung *Waterstone's* in Islington, die Garry und mir sogar erlaubten, in ihren ruhigen Büroräumen an unserem Buch zu arbeiten. Ein großes Dankeschön auch an Kitty, ohne deren ständige Unterstützung wir beide verloren gewesen wären.

Ich möchte mich auch noch bei Scott Hartford-Davis und dem Dalai-Lama bedanken, die mir in den letzten Jahren eine großartige Lebensphilosophie nähergebracht haben, und bei Leigh Ann, die in Gedanken immer bei mir ist.

Zu guter Letzt, aber keinesfalls als Letztem, möchte ich dem kleinen Rotpelzchen danken, der 2007 in mein Leben trat und der vom Anbeginn unserer Freundschaft die treibende Kraft in meinem Leben war. Ich wünsche jedem Menschen einen Freund wie Bob. Ich hatte großes Glück, ihn zu finden …

James Bowen
London, im Januar 2012

Wie geht die Geschichte von Bob, dem Streuner weiter?

James Bowen
BOB UND WIE ER
DIE WELT SIEHT
Neue Abenteuer mit
dem Streuner
Aus dem Englischen
von Ursula Mensah
248 Seiten
mit zahlreichen
Abbildungen
ISBN 978-3-404-60802-7

Seit Bob da ist, hat sich mein Leben sehr verändert. Ich war ein obdachloser Straßenmusiker ohne Perspektive, ohne eine Idee, was ich aus meinem Leben machen sollte. Nun stehe ich wieder mit zwei Beinen auf der Erde, ich habe die Vergangenheit hinter mir gelassen, aber ich weiß nicht, was die Zukunft bringen wird. Zum Glück steht mir Bob mit seiner Freundschaft und seiner Klugheit zur Seite.

Die wunderbare Geschichte der Freundschaft zwischen James und seinem Kater wurde mit *Bob, der Streuner* zum Welt-Bestseller. In seinem neuen Buch erzählt James, wie Bob ihm in harten Zeiten und selbst in lebensgefährlichen Situationen immer wieder den Weg weist.

Bastei Lübbe

Eine zauberhafte Geschichte von Bob, dem Streuner

James Bowen
EIN GESCHENK VON BOB
Ein Wintermärchen
mit dem Streuner
Aus dem Englischen
184 Seiten
mit zahlreichen
Abbildungen
ISBN 978-3-404-60846-1

Der Winter 2010 ist ungewöhnlich hart in England. Im Dezember gibt es heftige Blizzards, selbst in London liegt Schnee und es ist bitter kalt – schlechte Voraussetzungen für einen Straßenmusiker! Schon bald wird das Geld knapp. Während die Londoner hektisch und spürbar in Feierstimmung durch die vorweihnachtlich erleuchtete Innenstadt hasten, ringt James um seine Einkünfte, um wenigstens Strom und Gas zu bezahlen. Ganz zu schweigen von Weihnachten, das er eigentlich noch nie mochte. Er ist der Verzweiflung nahe, doch wie so oft wird Bob ihn überraschen…

Werde Teil der Bastei Lübbe Welt
You Tube
www.luebbe.de/Meinewelt
Lesen, rezensieren, Bücher gewinnen
Lerne Autoren, Verlagsmitarbeiter und andere Leser kennen